Tante Ulrikkes vei

Zeshan Shakar

Tante Ulrikkes vei

Roman

Utgitt første gang 2017
I Gyldendal Pocket 2018
19. opplag 2020

www.gyldendal.no

Printed in Lithuania
Trykk/innbinding: ScandBook UAB 2020
Sats: Type-it AS, Trondheim 2017
Papir: Creamy 55 g (2,0)
Omslagsdesign: Rune Mortensen

ISBN 978-82-05-51214-6

Alle Gyldendals bøker er produsert i miljøsertifiserte trykkerier.
Se www.gyldendal.no/miljo

For ordens skyld: I denne historien står Arbeiderpartiet i fare for å miste regjeringsmakten i valget i 2006. Dette stemmer selvsagt ikke med virkeligheten, siden det ikke var stortingsvalg i 2006.

Fra: Lars Bakken <lars.bakken@nova.no>
Sendt: 20. juli 2001
Til: Jamal <c.r.e.a.m@hotmail.com>
Emne: Kartlegging av hverdagen til unge i Groruddalen

Hei igjen, Jamal!
Jeg har ikke hørt noe fra deg. Det gjelder forskningsprosjektet vi snakket om på Stovner Senter, der vi gjennom deres egne beretninger skal kartlegge hverdagen til ungdom med minoritetsbakgrunn i Groruddalen. ***Jeg minner om at alle som deltar, er med i trekningen av en Scott terrengsykkel til en verdi av 10 000 kr og et reisegavekort til samme verdi.***

Husk også at du ***ikke trenger å skrive*** *om du ikke vil. Du kan snakke inn i diktafon.*

Fint om du kan gi meg en tilbakemelding. Håper å høre fra deg så snart som mulig!

Hilsen
Lars Bakken
Seniorforsker NOVA

Fra: Jamal <c.r.e.a.m@hotmail.com>
Sendt: 22. juli 2001
Til: Lars Bakken <lars.bakken@nova.no>
Emne: Kartlegging av hverdagen til unge i Groruddalen

jeg tar sånn og snakke med
send på tante ulrikkesvei 42a

Fra: Mo <mo.1@hotmail.com>
Sendt: 4. august 2001
Til: Lars Bakken <lars.bakken@nova.no>
Emne: Kartlegging av hverdagen til unge i Groruddalen

Takk for sist. Jeg er med, ikke noe problem. Jeg liker å skrive. Egentlig mer enn jeg liker å snakke. Og jeg har ledig tid på kvelden uansett, etter jeg er ferdig med lekser.

Jeg tror jeg kan få til å skrive ganske ofte. Men jeg vet ikke om jeg kan skrive ting du er interessert i. Jeg vet ikke helt hva du vil vite engang. Du sa bare fortell om skole og familie og jobb og alt. Jeg liker egentlig når ting er litt mer spesifikke enn det.

Men ok, jeg får bare skrive ting om meg selv. Det er greit, egentlig. Jeg vet ikke så mye om andre folks liv uansett.

Jeg fortalte forresten foreldrene mine om det her. De syntes det var fint. Det er bra for deg, sa de, om du har tid til det, da.

Jeg bor med foreldrene mine, som du skjønner, og to søsken. Lillesøster Asma på seks, lillebror Ayan på fem. De er nesten tvillinger. Asma tar henda foran ansiktet og skriker: «Slutt opp!» når folk sier det. Ayan bare smiler.

Asma, Ayan og Mohammed. Jeg skjønner ikke hva de tenkte på, egentlig, foreldrene mine. Det er tradisjon å kalle den førstefødte Mohammed, og Profeten er alle muslimers forbilde, og spesielt moren min ville veldig gjerne at jeg skulle få det navnet, men de som er så opptatt av at jeg skal komme ut herfra og få en fin jobb og alt det der, jeg skjønner ikke hvorfor de ga meg det navnet da. Det hjelper litt at jeg alltid blir kalt for Mo, men likevel. Alle skjønner.

Faren min kom hit på slutten av 70-tallet. Moren min kom noen år etterpå. Jeg er født i Oslo. På Aker sykehus. Bodd på Stovner hele livet. Jeg kjenner ikke det landet foreldrene mine kom fra. Ikke i det hele tatt. Jeg kjenner Stovner. Gutter i hettegensere foran store blokker. Damer med hijab og barnevogn. Gamle nordmenn som røyker og spiller bingo. Det Stovner. Blokk-Stovner. Ikke hus-Stovner. Det er forskjell. Alle på Stovner vet det. Hus-Stovner er det stedet du går på epleslang. Blokk-Stovner er det stedet som gjør at Stovner er mørkerødt på Aftenpostens kart over bydelene i Oslo. Som en dråpe blod har truffet avispapiret. Høy tetthet av innvandrere. Høy ungdomskriminalitet. Høy andel skoledropouts. Høy andel kassamedarbeidere, hjelpepleiere, vaskepersonale og trygdemottakere. Tre søsken og to foreldre i en treroms i åttende etasje i Tante Ulrikkes vei, med tapet og møbler fra 80-tallet og en heis som står litt for ofte. Han som bor under oss bruker dop, er ustabil og har pitbull. Den skal snuse på meg hver gang den ser meg. Jeg hater hunder. Eller gamle Svendsen i tredje. Han som åpner døra og kjefter og smeller over at det lukter mat og at trappa ikke er vaska når den skal, og når barna bråker, roper han ut i oppgangen: «Ti still for helvete!» Han «skal stemme på Carl», han sier det til alle som vil høre. Så kaster barna småstein på vinduet hans og bølleringer på døra, og da roper han enda mer og enda høyere, og noen ganger mumler han at «det har blitt et jævla høl, detta.»

Utafor blokka er det flere blokker, lakserosa lave og høye blokker. Midt i borettslaget er det en stor skulptur av en flamme. Jeg skjønner ikke helt hva som er fint med at noe brenner. Brua opp mot Stovner Senter har planker som er grønne av mugg, og det er hull i sidene. Den gynger. Jeg mener det. Du kjenner den bølge opp og ned når noen løper på den. Den kommer til å rase en dag, jeg er helt sikker. På senteret er det de samme ansiktene som gjør de samme tinga, hele tiden. Folk på trygd med mye tid som snakker med andre folk på trygd med like mye tid, eller de spiller på automater. Alle ungdommene, de henger rundt overalt, ofte på Burger King eller utafor Mix-kiosken, der står de og roper: «Jeg ødelegger deg ass, jeg sverger.» Sånt roper de. Jeg hater når de roper så høyt.

Busstoppet og T-banestasjonen er like ved. Tre stykker ble skutt med maskingevær der i januar. Han ene ble lam fra livet og ned. Foreldrene mine liker ikke at jeg er der på kvelden. Det er jeg ikke heller. Dansken på Narvesen ved inngangen til stasjonen er alltid sur og slenger veksel tilbake til så myntene hopper på disken. Noen ganger faller de ned ved føttene dine, og du må plukke dem opp. Liksom bukke for han. Dørene inn til stasjonen har plexiglass fulle av tagging. Ikke bare tusj og spray, noen har brukt en kniv og rissa taggene inn i glasset. Veggene nede på perrongen pleide å være helt dekka av graffiti. Tidlig på 90-tallet malte de over dem med et fargerikt fellesskap, store bilder av profilen til barn fra alle verdensdelene. De er misfarga nå, og flasser. Det lukter røyk der, og piss, spesielt på søndagsmorgener, men samme hva det lukter, så leter George etter tomflasker i søpla. Med armen nedi til albuen. Det er ekkelt bare å se på.

Sånn tenker jeg. Iblant. Eller ganske ofte egentlig. Jeg er negativ. Jeg vet. Det er bare ... Jeg sliter med ikke å være det ...

Men altså, jeg har likt Stovner også. Jeg likte å være barn her. Det var ikke noen blodråpe på noen kart. Blokkene var boliger. Taggingen på T-banestasjonen var tegninger. Trygdemottakerne, naboer. Alle de brune barna, venner. De hvite barna også. Jeg kan finne frem årbøker fra barneskolen og peke på flere blant gutta i klassen. Christian. Stian. André, Thomas A. og Thomas N. På skolen skulle barn av regnbuen sammen leve. Det var kulturdager med mat fra alle verdenshjørner. Vi dro og besøkte moskeer, kirker og templer. På Rommensletta spilte vi fotball, alle sammen, og når vi var ferdig drakk vi det beste vannet i verden fra kranene på klubbhuset til Rommen SK og spiste bringebær i skrenten mot Fossumklubben. Hadde vi penger, kjøpte vi tjue Bugg på Vivo for en tier. Jeg husker det. Bursdager med langbord dekka av girlandere, Turtles-pappkrus og sjokoladekaker med kokosstrø. Snøballer og frosne fingertupper på vinteren, kongen på haugen på store brøytekanter og Nintendo hjemme hos André helt til han skulle spise middag og alle måtte gå.

Jeg tror det var sånn. Annerledes. Et annet Stovner. Et annet Norge. Og jeg var et barn. Ting hadde forandra seg da jeg ble eldre, jeg vet det der. Men liksom, jeg skulle ønske jeg kunne hatt det litt lenger. Lenger enn til andre klasse på Rommen. Selv om jeg vet det er helt teit, tenker jeg sånn noen ganger, hva om jeg ikke hadde rukket opp hånda og sagt at jeg måtte på do?

Gangen som pleide å være full av løpende og hoiende barn, var helt stille. Gummisålene mine lagde skrikelyder mot linoleumen. Jeg gikk inn på do. Det var skummelt der. Vinden suste gjennom en luftekanal. Pissoaret skylte ned av seg selv. Det brølte. Jeg fikk dårlig tid. Det gikk historier om djevelen, som bodde der inne og kom til syne om du ble der for lenge.

«Han våkner når det skyller ned», sa de, «og hvis du ikke er ute før det, er du ferdig.» Jeg skvetta noen dråper vann på henda. Det kjentes som døra veide hundre kilo da jeg dytta den opp og spurta ut.

Tilbake i gangen blanda skrikene fra skrittene mine seg med lyden av stemmer. Dype og voksne, og opphissa. Jeg gikk saktere, skrikene hørtes knapt lenger, og jeg stansa rett rundt hjørnet for stemmene. Jeg hørte dem tydelig. To eldre lærere. Det de snakka så opphissa om, var oss.

Så mange utlendinger det hadde blitt på Rommen. Evnesvake elever. Foreldre som ikke forsto noe. Nabolagene som var slum. De grudde seg for å gå til T-banen hvis sola hadde gått ned og gjengene kommet frem. De kunne nesten ikke vente på å gå av med pensjon og komme seg vekk.

Tror jeg. Mye av det gikk over hodet på meg. Men det var en ting som ikke var til å misforstå, og det var hvor sterkt de mislikte oss, og hvor sinte vi gjorde dem. De vokste ute på gangen, de to. Til kjemper. Ekle kjemper, som i *SVK*, som vi bytta på å lese høyt fra i timen, og som gjorde meg ganske redd, ikke like redd som da vi leste *Heksene*, den ga meg minst ti mareritt, men likevel redd, for de store kjempene som stjal barn ut av senga og knaste dem i stykker med kjeften sin.

Jeg satte meg ved pulten min igjen og hørte bare smatting, bein som knaste, skrik som ble skreket, mitt skrik kanskje, jeg vet ikke, et skrik for i alle fall gjennom bygget, men det ringte ut da, og det var sikkert det.

Jeg hadde dårlig mage på vei hjem. Den rumla faretruende. Jeg løp gjennom gress fullt av løvetann som gjorde skotuppene mine gule. Jeg hadde ikke tid til å vente på trafikklysene i krysset i Fossumveien. Jeg løp ned i tunnelen som egentlig var like skummel som doen på skolen, for det var blottere der, alle sa det, men jeg spurta gjennom tunnelen likevel, fortsatte oppover forbi telefonboksen og gamle Fossum skole, inn stikkveien der det alltid var hundemøkk, hoppa for ikke å treffe den og raste inn i oppgangen. Heisen var oppe i tiende, og jeg svetta og trippa om hverandre, og da den endelig kom, kjente jeg at jeg ikke klarte å holde meg lenger selv om jeg spente alle musklene i hele kroppen til de skalv.

Jeg var så flau da jeg kom inn at jeg gikk rett inn på badet og begynte å grine. Mens jeg grein, vaska jeg buksa og trusa for hånd i vasken, skrubba dem med knokene mine og Head & Shoulders, og alt det brune fløt overalt og samla seg i sluket. Så skrubba jeg meg selv til jeg var rød på hele underkroppen. Jeg venta der inne til jeg hørte at alle var på stua, så løp jeg fra badet og inn på rommet i bare trusa og hengte klærne til tørk i skapet.

Jeg snakka ikke med noen om det. Ikke foreldrene mine engang. Jeg holdt det for meg selv, som om jeg hadde vært vitne til en forbrytelse som kom til å forsvinne om jeg bare holdt kjeft.

Jeg holdt kjeft og fant ut at Stovner egentlig var ganske lite, og Tante Ulrikkes vei enda mindre. Jeg fant ut at på Stovner bodde det folk i hus på den ene siden, og folk i blokk på den andre, og at de to ofte ikke ligna, og at egentlig var det sånn i Oslo også, og i verden. Jeg fant ut at lærerne ikke var alene. De snakka om oss på nyhetene og skrev om oss i avisa. Om ungdomsgjenger som tvang nye rekrutter til å slå ned tilfeldig forbipasserende. Hvor dårlige skolene var. Om attenåringer som ikke kunne lese engang, og hvert fall ikke skrive skikkelig norsk. Om blokkene som var sjelløse bomaskiner, og om at for mange av dem som bodde i maskinene, fikk penga sine fra Trygdekontoret. Jeg husker de begynte å si integrere. På Dagsrevyen. På nynorsk.

«Fleire polikarar åtvarar no om at innvandrarar ikkje integrerast tilstrekkeleg.»

Jeg skjønte ikke hva de mente. Det fikk meg til å tenke på romskip, som de LEGO-romskipene fra jeg var barn, sånne med gule glass og svarte vinger. De romskipene tok liksom av og integrerte ut mot universet. Men det var ikke helt det. Det var på jorda. Moskeen hver fredag i stedet for kirken en gang i året, nei takk til pølsene på bursdagen til Christian, krangling om fordelinga av øl og brus i den kassa hver oppgang får etter dugnaden, dusjing med undertøyet på etter gymmen, fettere som gifter seg med kusiner, og damer tre skritt bak mennene sine på Stovner Senter.

Det kom folk til Stovner. Politikere sto utafor T-banestasjonen og ville gjøre noe med noe uholdbart og uakseptabelt som ga sterk grunn til bekymring. Eller hun fra et ressurssenter for vanskeligstilte familier som dukka opp på skolen. Jeg husker læreren vår sa vi hadde fått en spesiell gjest, og en liten dame med store briller kom inn og satte seg på kateteret. Hun sa hun ville fortelle oss noe, noe som var litt vondt, men likevel viktig å snakke om.

«Det kan være tøft å ikke ha så god råd», sa hun. Ansiktet hennes var alvorlig mens stemmen var myk og hviskende, nesten som Mrs. Doubtfires. «Å ha dårlig råd kan gjøre foreldre litt slemme.»

Dagen etter gikk folk på skolen rundt og kalte hverandre fattiglus.

Det er ikke sånn det skal være. Jeg mener, det kan ikke være det? Det gjør noe med folk, jeg er helt sikker på det. Noen her, de er så harde. Som om de er pressa så tett sammen at de har blitt til stein. Mens mange liksom bare lar alt gå. Rett frem, samme hva de støter på. De går på jobb eller på skolen uten å bry seg. Sånne som Andersen i fjerde eller Mahmoud i femte. De går hjem til familien sin og leser Aftenposten som ligger på døra, eller ser på Dagsrevyen eller på parabolen, banner sikkert litt inni seg over det de ser, men når de går til sengs, er ingenting av det de så, med dem inn i natta.

Noen ganger skulle jeg ønske jeg var dem. Eller de som er harde. Jeg vet ikke. Jeg er mer en som smuldrer opp.

Det jeg vokste opp med, forandra seg til noe fremmed, voksent og stygt, det var ingenting jeg kunne gjøre. Jeg visste ikke hva jeg skulle tro om noe. Jeg var et barn som tenkte for mye. Mer enn jeg burde. Jeg skjønte det da også, for det virka ikke som noen andre tenkte så mye som meg. Ingen snakka om det iallfall. Jeg tenkte meg sint og urolig og sliten. Alt blanda seg sammen til et ubehag som satt i magen og noen ganger bevegde seg opp, noen ganger ned. Jeg sleit med kvalme og løs mage. Moren min ga meg fennikelfrø trukket i varmt vann. Det hjalp ikke. Hun satte meg på en diett med ris og lyst brød. Det hjalp heller ikke. I sjuende klasse tok hun meg med til legekontoret borte ved Stovnerhallen. En skalla mann med tresko lytta på meg med stetoskop og trykka en iskald finger i forskjellige deler av magen min.

«Det er nok bare puberteten», sa han. «Er ingen medisin for det, gitt.»

Det var ikke så mye å gjøre med noe, egentlig.

Det var noen som forsøkte. Michael, han var leder for Fossumklubben og sto i mange år på tv og forsvarte Stovnerungdom. Hun norske moren nede i nummer 19, hun som skrev i et leserinnlegg at ting ikke var så blodrøde som i avisa, at ting fungerte og Stovner besto av helt vanlige nabolag. Eller Amir, jusstudenten som var så flink med ord, han som stilte opp i debatter mot Carl I. Hagen. Og kanskje du tenker at det ikke bare var dem, at det var mange andre også, og jeg mener, det var det sikkert, men jeg vet det egentlig ikke, for jeg hørte dem ikke så godt. Ikke som de på Dagsrevyen og i VG, som ministere og byråder, alle de høye og dype stemmene som ropte i øra mine hele tida og tvang øya mine vidåpne til jeg ble liggende natta igjennom og se skyggene danse på veggen. Og på dagen så jeg familien til Thomas A. og andre barnefamilier bære pappesker og møbler inn i varebiler som skulle til Ski og Nittedal og Skedsmo.

Ingen vil henge med problembarnet.

Ikke engang Frelsesarmeen, som sto på senteret med gitarer og sang om Jesus hver lørdag. De er borte nå.

Men nå rekker jeg ikke mer. Det begynner å bli litt sent. Jeg har bedøk kl 08.15 i morgen. Jeg skriver mer i morgen kveld.

Respondent: Jamal
Bydel: Stovner
Innspillingsdato: 5. august 2001

Halla, hører du meg elle?

Ehh ... Du sa jeg skal fortelle om livet mitt liksom. Dagbok liksom. Det skjer ikke da. Jeg liker ikke skriving. Hvert fall ikke dagbok ass. Det er for kæber, mann.

Jeg snakker isteden ass.

Shit ass, jeg veit ikke ass. Hva skal jeg si? Jeg bare starta og snakke liksom. Ingen plan.

Men ok, jeg er Jamal. Svarting, muslim, fra Stovner, T.U.V., Tante Ulrikkes vei, du veit, representerer alltid. Bor her med moren min og lillebroren min, Suleiman, eller vi sier bare Suli. Faren min ... Tssk. Glem han, han er borte, han tisharen der. Jeg veit folk sier det ikke er bra å si sånne ting om faren sin. Jeg gir faen.

Faren min er en tishar.

Ok, uansett da, hva sa jeg? Ja, høyblokka, den første, det er der jeg bor.

Ha ha, faen, det her er sprøtt ass. Hvorfor snakker jeg til deg egentlig?

Liksom, jeg sa til kompisa mine jeg skal gjøre forskning med deg. Dem bare: «Olø ass, hvorfor gidder du liksom.» Jeg bare: «Han skal gi meg ting for ti lapper.» Så liksom, best jeg vinner en av dem greiene du prata om!

Egentlig, det her gjør at jeg føler jeg er rapper. Liksom jeg veit det ikke er en mikrofon eller no, men en dikt et eller annet, men jeg sverger, det er litt derfor jeg gidder å gjøre det også, så liksom jeg kan prate på mikrofon om livet mitt og folk hører på hva jeg sier, skjønner du?

Alle folka vil være en rapper, da. Selv om dem ikke sier det liksom. Sånn som meg, ikke at jeg tror jeg er rå på det, slapp av, jeg veit jeg ikke er det. Liksom, jeg husker masse rhymes fra forskjellig rappere, men noen ganger jeg har prøvd å lage rhymes selv, nei ass, det er vanskelig, mann. Rhymsa mine blir så tæze.

Men ja ass, digger rappere. Sånn som 2Pac, Nas, Jay-Z, Biggie, Snoop, du veit. Mye gangsterrap og street og sånn ass, men liksom, jeg digger noen andre av folka også, når det er bra beats og de flower bra, sånn som Outkast og sånn.

Jeg digger hiphop, skjønner du? Hele greia. Fra lenge sia jeg digga det. Fra jeg var, jeg veit ikke, liksom når vi var barn vi hørte på MC Hammer og dem greiene der, men jeg veit ikke, når jeg var tolv eller no sånn, nei, kanskje elleve, da jeg var hjemme hos Rashid kompisen min, og storebroren hans, Mustafa, han er liksom fire år mere enn oss, og meste av tida han pleier å være tishar mot oss og kjefte for alt mulig. Si sånn, gå ut og snakk, dere forstyrrer meg, eller, dere veit ikke hva dere snakker om. Og jeg kan ikke si no til han fordi han er storebror til kompisen min, og liksom, han hadde kæza meg lett også. Noen ganger jeg har vært der og sjofa han kæzer Rashid hvis Rashid er litt for mye frekk eller no. Men uansett, da han sitter på rommen dems med en stereo og viser en album til oss, bare: «Gutta, jeg sier til dere ass, det her er den heftigste musikken som fins nå.» Og vi sjofer på albumen liksom, det er sånn kung fu-folk på coveren og navnet på den er *Enter the Wu-Tang*. Vi tenkte sånn, hva faen, hva er det her a? Er det chippermusikk? Men da han setter den på …

Det var så heftig, du veit ikke. Jeg sverger, mann, jeg sitter her nå med sånn prikk på huden, bare jeg tenker på det, skjønner du? Liksom, ghettoen blæsta ut fra den stereoen ass. Det var så jævla real ass, skjønner du hva jeg mener? Og dem beatsa mann, dem beatsa er så kaos. Bare hør på C.R. E.A.M eller på Tearz. Bare gjør det, og si til meg etterpå det ikke er dem heftigste beatsa ever.

Etter det vi var gærne etter Wu-Tang ass. Alle gutta. Rashid, Majid, Tosif, Navid, André, Abel. Liksom, alle vil være folk. Sånn, André er Ghostface, men ikke killah da, fordi liksom, han er hvit, og Rashid er Raekwon, jeg er Method Man, Navid er GZA, Abel er Ol' Dirty Bastard og vi går på Rommen skole liksom, «T.U.V. Clan ain't nothin' to fuck with».

Ha ha. Lættis ass.

Hiphop ass. Jeg sverger da, ingen annen musikk snakker til meg liksom. Hva, Bon Jovi? Aqua? Britney Spears?

Fuck det a, mann.

Jeg veit jeg ikke er neger fra Compton, men liksom, jeg er det litt også, skjønner du hva jeg mener? Du veit hvordan det er her på Stovner. Pakkiser, negere, degoser, chippere, jogurter, arabere, lankere, alt mulig.

Liksom, vi alle er svartinger på en hvit land, skjønner du?

Det er sånne ting, hiphop snakker om det *så* bra. Du veit, på hiphop folka snakker om å henge ute på gata, røyke weed, møte kæber liksom, det er sånn jeg lever jo, jeg kødder ikke. Og dem snakker om sånn, vær stolt av hooden din, selv om andre folk snakker dritt. Og du veit hvor mange som snakker dritt ass. Alltid. «Stovner er mest tæze stedet på byen.» «Utlendinger er tæze folk.» Sånn snakker dem.

Liksom, dem potetene på blokkene her på Stovner, dem er ok. Ungdommene liksom. Sånn som André, han er homie. Men dem gamle ass. Mange er skikkelig rasister, jeg sverger. Digger Frp og sånn. Eller sier sånne ting, sånn som til meg og kompisen min når vi er drittunger og sitter i vinduen: «Hei,ække i Afrika nå. Kom dere ned a apekatter.» Ja ass, jeg husker det der. Eller dem potetene på husa på Stovner, mange av dem går rundt og leker *så* deilige, som dem bor på vestkanten, og så bor dem på fuckings Høybråten liksom. Men dem mest skada folka, det er dem potetene fra andre steder på Oslo og Norge ass, jeg sverger. Dem går på tv og sånn og snakker dritt og så har dem aldri har vært på Stovner eller shaka hånda med en svarting engang.

Liksom, hva har jeg gjort dem folka? Skikkelig skada.

Men vi folka her, vi er sånn nå, fuck dem som snakker dritt, skjønner du? Vi representerer uansett. Vi representerer T.U.V. og Stovner, alltid ass. Glem dem andre folka på den landen her a. Vi trenger ikke dem. Vi har det her, skjønner du hva jeg mener? Vi har dem blokkene her. Vi har dem folka her. Sånn er vi. Liksom, ikke la dem gjøre sånn at du tenker du er dårlig. Nei ass. Du er schpaa, mann.

Jeg kødder ikke, noen ganger, jeg tar på Nas sin «Represent», og da jeg bare går rundt på T.U.V. og beaten starter rolig liksom, men så den tar av og blir helt banging og Nas starter å spytte lyricsa og flower helt sykt og jeg går der og jeg sjofer på blokkene og gata og musikken blæster, og jeg blir liksom sånn, fy faen, det her er så heftig ass, jeg sverger, som jeg vil grine nesten, men samtidig jeg er glad.

Liksom, vi skjønner hip hop og hip hop skjønner oss, skjønner du?

Shit ass, jeg rhymer nesten jo!

Du veit ikke hvor ghetto jeg er nå. Jeg snakker til deg fra doen, jeg sverger. Ha ha. Hva skal jeg gjøre? Broren min sover på rommen liksom.

Her, hør, jeg skyller ned.

Men ja, hør a. Jeg har ikke data så jeg får ikke sjekka den mailen så mange ganger. Liksom dem gangene jeg bruker data, jeg er mest på Napster ass. Eller andre greier. Du veit, porno og sånn.

Slapp av a. Alle gjør det. Sikkert du også. Sikkert sånn alle folka på kontoren din sitter med porno når ingen sjofer på dem. Sikkert dem er som på skolen, bare, oh shit, lærern kommer, og vi prøver å trykke på den kryssen, men bare tjue nye pornosider kommer og vi må ta ledninga liksom, hæ, jeg veit ikke hva som skjedde lærer, den bare slådde seg av.

Ha ha.

Uansett, da. Snakkes, Nova-mann. Sorry, husker ikke navnet ditt.

Peace

Fra: Mo <mo.1@hotmail.com>
Sendt: 5. august 2001, 21:57
Til: Lars Bakken <lars.bakken@nova.no>
Emne: Kartlegging av hverdagen til unge i Groruddalen

Bare sånn at du ikke skal tro det, jeg er ikke bare klagete hele tida. Det er ikke som jeg går rundt og hater Stovner heller. Jeg gjør ikke det. Virkelig. Det er mer som, jeg vet ikke helt hvordan jeg skal forklare det, som det lukter. Ikke bare på T-banestasjonen, men hele Stovner. Som en gammel klut over kjøkkenvasken som har blitt stiv og stinkende. Og jeg vet ikke helt når det starta, det bygde seg vel opp, jeg begynte å ønske meg noe, hva som helst egentlig, som kunne holde den stanken borte.

På ungdomskolen ble det helt akutt. Ting var liksom mer enn forvirrende nok fra før, og jeg måtte ha noe å holde fast i. Og det fant jeg ikke på Stovner, men jeg fant det utafor.

Jo mer jeg tenkte på det, jo mer opplagt var det egentlig. Når Stovner var så ubehagelig for så mange, aller mest for meg, måtte det bety at det som var utafor, var bedre. Så enkelt, egentlig, og da jeg først fant noe å holde fast i, vokste tanken på alt som fantes der ute, for hver dag som gikk. En flukt uten føtter, gjennom hundrevis av dagdrømmer. På vei til skolen. På skolen. På vei hjem fra skolen. Mange timer inne på rommet, med blikket mot taket eller bare stirrende ut av vinduet, mens Asma og Ayan lekte med dokker og biler på gulvet ved siden av meg.

Jeg plasserte meg selv steder, steder jeg innbilte meg var

skikkelig ikke Stovner. Steder jeg hadde sett på tv, eller på turer rundt i byen, som kjøreturen til Fornebu da flyplassen var der, eller da vi besøkte en venn av faren min på Høyenhall. Jeg plasserte meg på trappa til et stort hus, eller på en trendy kafé, sammen med trendy folk, eller på en båt, på dekk i solskinn på Oslofjorden. Helt forskjellige steder, som likevel var like. Alt var veldig fredelig, ingen var sinte. Jeg var uten navn. Alle var det. Ingen så ut som noe. Alt bare fløyt i hverandre, som om alt jeg var på Stovner, ikke betydde noe der.

Det er nesten flaut å snakke om, men det var sånne drømmer jeg hadde. Det lå i bunn, selv om jeg la mer i dem etter hvert. Jenter. Ikke jenter fra Stovner, men sånne norske jenter som nede i byen på sommeren. Dødspene, selvfølgelig. Jeg har penger. Jeg har en bra jobb og går i dress. En bil folk snur seg etter. Jeg står i den store hagen min og småprater med en smilende nabo. Jeg presser alt inn i de drømmene der. De fyller hele rommet. Om søsknene mine bråker for mye, går jeg ut. Rundt i skogen på Stovner, den nede ved Rommensletta mot Tante Ulrikkes vei og Smedstua, eller noen ganger til Liastua og lysløypene, for å få stillhet til å drømme skikkelig, og jeg trenger den, den tjuvstarten, for jeg er så utålmodig.

Det er egentlig mest derfor jeg er så opptatt av skolen. Det og foreldrene mine. De har sagt det sikkert hundrevis av ganger fra jeg var liten, gå på et universitet, få en grad, bra jobb, stort hus, fin bil, pen kone. De vet ikke at de bare fyrer opp under det som allerede finnes.

Spesielt faren min. Han som ikke lar seg rive over ende uansett hvor hardt bakken rister. Han tar tak i det han kan, og slipper ikke. Som min skolegang. Ofte var han den eneste utenlandske faren på konferansetimer og foreldremøter. Det var også han som gjorde lekser med meg hver kveld, til de ble for kompliserte, og nå er mer en inspektør, som kikker innom for å se om jeg arbeider, og gir meg et bifallende nikk.

Jeg husker jeg ble satt i norsk 2 da jeg begynte i åttende. Jeg tror de satte alle med mitt navn der, de hadde sikkert fjerna meg etter første prøve uansett, men jeg har sjelden sett faren min så sint som da jeg fortalte det.

«Hæ? Hvorfor?!» ropte han, og selv om jeg visste det ikke var retta mot meg, tok jeg meg i å rygge og se ned i bakken likevel. «Er dem helt idioter der borte på Rommen?» Han ringte rektor samme dag. Etter det hadde jeg norsk 1.

Han lot meg slippe koranskolen flere år før de andre gjorde det, så jeg hadde plass til å huske alt fra den vanlige skolen. Jeg gikk der et snaut år, leste gjennom Koranen én gang og lærte å be. Det var det. Nå kan jeg trosbekjennelsen og bønnen. Det andre er borte. Som det å faste i ramadan. Jeg slapp, for det går ikke an å konsentrere seg når du er så sulten, som han sa. Moren min tviholdt på at jeg skulle gjøre det i helgene, men da ungdomsskolen begynte, og jeg ofte leste til prøver i helgene, stoppa det også. Vi drar til moskeen to ganger i året nå. På id. Da står faren min og jeg der på et mykt teppe i et ombygd fabrikklokale på Galgeberg og ber, og så drar vi hjem når bønnen er ferdig.

Jeg tror egentlig han er grunnen til at jeg har så få religiøse følelser.

«Han kan nesten ingenting», sukka moren min til han, men han mukka ikke.

Noen ganger, mest før egentlig, når hun og jeg var alene, som når jeg var med henne på senteret for å handle, da sa hun suraer fra Koranen, hadither og duaer som hun ville jeg skulle forstå og gjenta etter henne. Som oftest endte det med at hun ropte irritert til meg: «Mohammed, hør etter, da!» mens jeg hoppa fra kampestein til kampestein langs veien og prøvde å holde både kroppen og posene med melk og brød i balanse.

Jeg bruker mye tid på skolearbeid, men jeg kan egentlig ikke huske at jeg har likt det noen gang. Det faller meg lett, det har alltid gjort det. Jeg vet ikke, jeg husker ting godt når jeg leser dem. Og jeg liker å rydde, det er sikkert derfor. Skolen liker det ryddig. Jeg bare plukker opp store hauger med ting og rydder i dem. For mye noen ganger, for jeg blir veldig stressa av løse deler, og ofte rydder jeg så mye at jeg bare sitter igjen med en liten del når jeg er ferdig. Jeg liker best de fagene som lar meg rydde, matte heller enn samfunnsfag, naturfag heller enn norsk, økonomi heller enn historie.

Jeg husker barneskolen og ungdomsskolen som kjedelig. Jeg hata lekser og lange skoledager som trakk ut time etter time. Den tørre lufta fra de gamle radiatorene på Rommen som gjorde meg trøtt, og de oransje gardinene som lukta som vinterklærne når vi pakka dem opp på høsten. Når jeg hører folk si at de elsker å lære, skjønner jeg det ikke. Det er ikke for meg, tror jeg. Jeg leser skolebøker i et tempo ingen andre i Tante Ulrikkes vei er i nærheten av, jeg gjør lekser ingen andre gidder å gjøre, og jeg pugger til prøver som om det står om livet, for det er liksom det jeg veit om for å komme meg ut fra skogen på Stovner.

Det har ikke bare vært skole. Jeg har vært på fester, av og til, som klassefester. Jeg har hatt kjæreste. Én. I slutten av sjuende klasse. I en måned. Det var mest rart egentlig. Hun kom bort til meg på skoleballet og spurte om jeg ville danse. Linda. Fra Chile. Helt ok. Ikke veldig pen, ikke stygg. Ikke kul, ikke nerd. Hun bare fløt ubestemmelig rundt i midten, litt som meg. Vi dansa til «When Susannah cries». Hun hadde på seg Buffalo-sko, den høyeste typen, såla var sikkert ti centimeter høy og gjorde at hun ble høyere enn meg. Jeg dansa rundt på tå. Det svei i leggene og jeg måtte strekke armene oppover for å få lagt dem rundt livet hennes. Jeg følte at jeg så ut som en idiot. Noen av gutta så på oss og lo. De ville at jeg skulle ta på rumpa hennes. «Gjør det da, gjør det», sa munnen deres. Jeg gjorde det ikke, men var helt utslitt da vi var ferdig. På vei hjem kom venninna hennes bort til meg.

«Linda spør deg», sa hun.

«Jeg vet ikke», svarte jeg.

«Du må si noe, da», maste hun.

«Ja, ok, sikkert det.»

Så var vi sammen. Jeg visste ingenting om jenter. Jeg mener, virkelig ingenting. Jeg visste ikke hva det var å være sammen noen. At det liksom betydde at jeg måtte gjøre masse, og at Linda skulle bli furten hele tida fordi jeg ikke tok initiativet til å holde hender. Så ville hun snakke med meg på telefonen hver dag, men ble sur da jeg sa hun ikke kunne ringe hjem til meg fordi foreldrene mine ikke kunne vite det. Etter skolen hang vi litt i området, satt der på benker eller gikk litt rundt på senteret og kikka i butikker, tok bilde i fotoautamaten eller kjøpte en brus på deling. Jeg kan ikke huske at vi prata noe særlig. I alle fall ikke om hva. Vi liksom bare var på samme sted, ved siden av hverandre. Kyssinga var bra. Masse småkyss, liksom sånn ti på rad, jeg skjønte aldri helt hvordan jeg skulle bruke tunga, men jeg likte det likevel. Men utenom det var hele greia egentlig bare stress.

På sankthansaften ringte hun plutselig på hjemme hos meg. Midt under Norge–Brasil. Heldigvis var det jeg som svarte dørtelefonen.

«Det er meg», sa hun.

«Meg hvem?» spurte jeg.

«Linda, vel.»

«Han er skikkelig dust. Leker så overlegen», sa en annen stemme. «Kom ut, da», sa Linda.

I det samme ropte faren min at det var mål. «Kom! Det er mål! Flo!» Det var det navnet han kunne. Han traff den gangen. Arne Scheie fulgte etter. «Vi har scoret i Marseille!» Jeg stakk hodet inn på stua og så Norge hente ballen i nettet bak Taffarel.

«Kommer snart», ropte jeg og spurta ned trappene.

De sto der nede og så alvorlige ut. Venninna snakka og sa at Linda og jeg måtte snakke.

«Kan vi gjøre det litt fort», sa jeg. «Det er kamp mot Brasil, og ...»

Linda var sur igjen. «Jeg heier på Brasil», sa hun. «De er latinoer, de også.»

Jeg tror jeg sa det var teit å ikke heie på Norge når hun bodde her. Det var ikke engang Chile de spilte mot. Hun sa at fotball var teit uansett.

«Jadda! Straffe!» ljoma det ut av et åpent vindu. Jeg ville opp igjen. Linda ville si noe, men sa det ikke. Det gikk et minutt. Så tok det av igjen. Vi hørte det foran oss. Over oss. Bak oss. Folk brølte. «Jadda, for faen. Jadda!»

«Si det da», sa venninna og skubba litt i Linda.

«Jeg synes du er overlegen», sa Linda. «Du bryr deg liksom ikke.»

«Jeg vet ikke, gjør jeg ikke?» sa jeg.

Brølene kom tilbake. Enda høyere og enda flere. Folk begynte å strømme ut av oppgangene. To voksne menn med svær mage klemte hverandre og hoppa opp og ned. En annen hadde med seg et lite flagg, sånne som unger har på 17. mai, som han vifta febrilsk rundt med. Barn kom ut med fotballer og skjøt som Rekdal. Lufta kokte. Biler tuta i kor ute på veiene. Det lukta av bål fra et eller annet sted.

«Vi går nå», sa venninna.

«Ok», sa jeg og ble stående og se på virvaret.

Så gikk de. Kanskje tjue meter. Da snudde Linda seg og ropte over gårdsplassen.

«Vi har slått opp, bare sånn at du veit det.»

«Ok», ropte jeg tilbake og kikka opp mot vinduene våre i åttende. De var heldigvis lukka.

Det var det, egentlig. Jeg har ikke hatt andre kjærester. Jeg er ikke så mye ute eller gjør masse etter skolen. Jeg har ikke hengt på Fossumklubben eller Rockern. Jeg drikker litt hvis jeg er på fest, men jeg er ikke så mye på fest. Jeg liker å røyke, da, det hjelper meg å slappe av. Men mens mange andre her går fullstendig inn i alt det der, holder jeg igjen. Spesielt etter at jeg begynte på videregående, nå som dagdrømmene har vokst like høyt som presset for å få gode karakterer, henger jeg nesten bare hjemme på kvelden.

Det hender jeg hører dem i helgene. Ølflaskene i bæreposene som slår mot hverandre, eller en stille sommernatt, når det aldri blir mørkt og jeg ligger i senga med lufteluka åpen mens de ler så de griner og spiller enspretten og røyker nede på gata.

Jeg har mista dem der ute. Jeg er den rare gutten, jeg vet de tenker det. Som dem, men ikke. Norsk 1, ikke norsk 2. Et språk med flere ord fra skolebøkene inne på rommet enn fra gata utafor. Han de ser på vei til og fra skolen, men ikke ellers. Som de hilser på og noen ganger snakker litt med, men aldri ringer på hos. Som får gå i fred, for seg selv. Jeg er han, på utsida av dem for lengst, selv om jeg har de samme Adidasene og tråkker rundt på den samme asfalten.

Jeg mener, det gjør meg egentlig ingenting. Jeg er vant til meg selv, om du skjønner. Jeg har alltid følt meg som et enebarn uansett, selv med Asma og Ayan, for de er liksom ti og elleve år yngre enn meg. Jeg er ikke veldig sosial med folk. Jeg klarer å snakke med dem som snakker til meg, men jeg har liksom aldri vært komfortabel med å snakke til ukjente, rett ut av ingenting. Jeg trenger ikke mange fester eller å henge ute her hele tida. Jeg har ikke lyst. Virkelig. Jeg vil mye heller sitte inne og dagdrømme om andre ting, alene. Se fremover hele tida, det er det som fungerer, og glemme sidene.

Respondent: Jamal
Bydel: Stovner
Innspillingsdato: 15. august 2001

Check one, two.

Jeg bare kødder. Jeg veit jeg snakka masse om hiphop og sånn forrige gang, men jeg skal ikke rappe. Slapp av.

Er ikke på dass i dag da. Er på rommen min. Suli er på stua med moren min. Hun er på sofaen der. Hun er litt sliten dame, skjønner du. Hun får flus fra Trygdekontoret. Før hun tenkte hun skal få uføretrygd. Men Trygdekontoret sier nei hele tida ass. Dem vil ikke gi den sånn fast. Så hun får sånn, hva sier dem, midlertidige greier, og det er jævlig lite. Mange ganger før, hun går på kontoret dems, men hver gang sier dem hun ikke er nok syk til å få fast. Kroppen er ikke syk og sånn, sier dem.

Jeg veit ikke ass. Kom hjem til meg og sjof der, og si etter det hun er ikke nok syk liksom.

Hun er så mye på den sofaen. Jeg avor, hun er der. Jeg kommer hjem, hun er der.

Men samma.

Hva tenkte jeg å si igjen ...

Ja. Livet mitt og sånn. Skolen har starta igjen da. Bredtvet ass. Dem bare putta meg der. Jeg har ikke tatt valg om den liksom. I fjor, tinga funka ikke helt ass. Så liksom dem sier til meg at jeg må ta første klasse en gang til for jeg har for mange stryk i fjor. Jeg bare, ok, greit, liksom moren min sier det er best om jeg gjør ferdig videregående og sånn.

For meg, skole er svette greier ass. Jeg sverger, hoden min blir varm der. Jeg sitter der liksom, og jeg følger med og sånn, hvert fall noen ganger jeg gjør det, og jeg skjønner ikke alt lærern sier, men mange ganger jeg skjønner litt, ikke matte da, men utenom det, jeg skjønner hva dem sier når dem sier det, liksom jeg tror det, men når vi skal gjøre oppgavene eller lese og sånn, det blir liksom varmt i hoden og kroppen blir så sliten. Jeg veit ikke, det er liksom sånn, jeg kan lese, skjønner du? Men når lærern spør meg hva som står på en sted vi har lest, jeg har glemt det selv om jeg leste den to minutter sia, eller når det kommer oppgave, jeg bare klarer ikke tenke liksom, og da jeg får bare lyst til å sove eller noe, og så starter jeg å tenke på andre ting, du veit, ting hjemme eller ting ute, alt mulig.

Sånn har skolen vært hele tida, jeg kødder ikke. Jeg gjør andre ting på timen, sover og sånn, tegner Wu-Tang sin «W» på pulten og sånn, og læreren kjefter. Dem gidder ikke å hjelpe. Bare kjefter. «Ja-mal, jobb nå», «Ja-mal, skjerpings», «Ja-mal, nå må du følge bedre med».

«Ja-mal» liksom, det uttales «Djamal», skjønner du? «Dja» og «mal», det er ikke vanskelig, men dem potetlærerne prøvde ikke å lære det, selv om jeg sa det til dem tjue fuckings ganger. Og dem sier til meg jeg må lære?

Dem putta meg på norsk 2. «Du har problemer med språk. Det ødelegger læringen din.» Sånn starta dem å si. Liksom, jeg tenkte, hva prater dere om a? Jeg kan norsk da, jeg skjønner liksom nesten all norsk dem sier til meg. Jeg bare loker litt med orda.

Det er ikke det som er problemen.

Norsk 2 liksom. Det var bare svartinger der og fucka opplegg. En gang, jeg sverger, vi brukte sånn tre måneder på å snakke om hva gjorde du på sommerferien.

Helt skada greier.

Men jeg gadd ikke si noe ass. Helt ærlig, jeg var sånn ass, det her er bedre enn norsk 1. Norsk 1 er vanskelig. Norsk 2, jeg kan slappe av. Fett liksom.

Så liksom, jeg sov enda mere på timene eller finner på enda mere andre ting, og dem kjefter enda mere. På ungdomsskolen jeg starta å bli litt mere sånn til lærerne, hold kjeften din a, jeg plager ingen liksom, ikke plag meg, faen ass. Da, dem sendte meg i rektors kontor og sier jeg skal roe meg ned.

Sånn var det.

Dem skjønner ikke ting ass, jeg sverger.

Uansett da, Bredtvet nå. Rash går der da. Andre folka går andre steder. Liksom, Tosif på Elvebakken, Navid på Stovner, André på Stovner, Abel på Hellerud, Majid på Sogn, egentlig, Majid loker mye, så jeg veit ikke. Men det er masse andre Stovner-folk på Bredtvet, og i klassen min er det også noen. Og noen Furuset-folk og Ammerud-folk. Jeg digger dem ikke så mye, Ammerud-folka. Han ene karen prøvde å gi oss blikk og sånn når vi var på skolegården første dagen. Vi bare gidde han blikk tilbake og da han backa liksom. Men dem er jævlig heftig på å bøffe bagetter og cola på Prixen da. Seriøst, dem kommer tilbake til skolen med sånn tre bagetter, to skolebrød og fem brus.

Klepto folk ass.

Og så er det noen Veitvet-folk og Rødtvet-folk. Poteter noen av dem, og noen er svartinger. Jeg snakker ikke mye med dem, egentlig. Jeg tror dem er ok folk liksom. Lager ikke kaos eller no.

En kar røyker keef, jeg har finni ut allerede. Arsalan. Pakkis. Henger litt med de B-gjenggutta på Furuset. Han sier det, da, men du veit hvordan folka liker å snakke: «Jeg kjenner den, og jeg kjenner den. Wallah, jeg kan bare ringe.»

Men liksom, på friminutten jeg avor og fikk på en med han borte ved damejailern der.

Ja, jeg keefer liksom.

Hva? Det er ikke farlig, da. Liksom, det er bedre å gjøre det enn andre ting, er det ikke sant? Folk lager ikke kaos og dårlig stemning når dem er fjerne. Aldri ass. Liksom, når sjofa du noen kæze folk når dem var fjerne? Aldri. Keef er rolig, mann, derfor jeg liker keef. Du veit hva du gjør liksom, selv om du keefeer. Når folka drikker og sånn, eller hvertfall når folka får på piller eller cola og sånn, det er da folka gjør syke ting. Plutselig du våkner opp og veit ikke hva du gjorde i går. Eller du blir sånn som Nico. Han er boler på oppgangen på sida fra min. Dørvakt liksom. Helt brutal. Svær som faen og tættiser på arma. Liksom, hadde han vært med på wrestling, Hulk Hogan hadde slåss mot han.

Han har svær pitbull også. Diesel. Alle folka går på annen fortau når den kommer ass. Den er mere svær enn løve liksom.

En gang Nico hadde tygd masse hyppere og kommer ut med bikkja si, og den vil ikke høre på han. Liksom, den vil lukte på no greier eller no. Jeg veit da faen. Og Nico liksom, helt på trynet og sånn, han klikker på bikkja. «Kom igjen a Diesel, faen ass. Kom igjen», men den skal liksom gjøre bikkjegreiene sine, og da han drar i den tauen liksom, han seriøst drar den bikkja helt til den kommer helt nærme han igjen og så han putter trynet foran den, og fuckings nikker den ass. Jeg sverger på Gud, mann, han nikka Diesel midt på trynet. Vi hadde sjokk alle folka. Bare, gjorde han det der elle? Og Diesel plutselig lager heftig piping og jeg bare, aldri før jeg har tenkt det er stakkars den bikkja, men shit ass.

Han er syk ass.

Men liksom, hvis Nico hadde keefa, alt hadde vært rolig ass. Ingen nikker pitbull på trynet når dem har keefa.

Ja ass, keef, ikke no stress. Ingen bryr seg liksom. Det er så mange folk som gjør det her. Poteter, svartinger, kristen, muslim, hindu, buddhist, alle folka gjør det.

Det er sånn, jeg tror ikke uansett Gud liker å lage kaos på folk for sånne ting, skjønner du hva jeg mener? Keef og sånn, eller drikking, eller damer. Nei ass, jeg tror Gud tenker mest på liksom, hvem er braeste personen innvendig, og ikke så mye på dem småe tinga, ikke sant? Jeg tror det.

Men ja, jeg glemte å si til deg, damer.

Det er en dame på klassen, eller mange da, men en som heter Sarah. Hun er bra ass. Jeg tror jeg har sett hun på Stovner noen ganger. Når vi gikk inn på klasserommen første dagen, jeg bare, fy faen, så jævlig heftig at hun kom på klassen min. Hun sitter liksom to plasser foran meg og ser bra ut. Har den bra fargen, mørk hår, heftig kropp, hele greia. Jeg prater litt med hun og sånn. Første dagen jeg gikk til hun, liksom bare på skolegården på friminutten når hun tar sigg, jeg sier til hun:

«Halla, går bra, fett å være på samme klasse.» Etter det vi tar sigg sammen noen ganger. Ikke hele tida. Jeg gidder ikke ha hun rundt alle dem andre gutta. Glem det a. Rashid og sånn, han sjofer så mye allerede ass. Dem bikkjene der hopper på ass. Men når vi liksom har fritime og dem andre ikke har det, eller når timen vår er ferdig før dem andre sin, da tar jeg sigg med hun. Det har bare vært to ganger da, men hun sa ja alle dem gangene, så du veit, jeg tenker liksom jeg skal prøve å ta flere sigg med hun.

Han ene læreren vår er skikkelig fitte. Jeg kødder ikke. Edvard heter han. Han er rasist, jeg sverger. Han gir meg så mye blikk ass. I fjor, når jeg så han på gangen, han ga alltid sånn stygge blikk. Og nå liksom, han gir meg blikk som jeg er kriminell bare jeg kommer på timen litt for seint. Han gir ikke sånn blikk på dem potetgutta. Liksom, når du er svarting, du veit sånt. Bare spør alle svartinger. Vi veit når en potet gir deg blikk på en spesiell måte, og vi veit hva han poteten tenker. Og når jeg spør han om no, han sier sånn, på skikkelig frekk måte, som jeg liksom er hemma: «Hadde du fulgt med, hadde du visst hva du skulle gjøre.» Eller: «Tenk litt til.»

Det er så piss. Jeg er *så* snill på timene nå. Jeg følger med og sånn. Liksom, noen ganger når jeg har fått på og er fjern, da jeg følger ikke mye med, men utenom det, jeg følger med mye av tida, men mange ganger ting er så vanskelige, du veit ikke. Sånn som det var naturfag og vi skal lage noen greier, jeg husker ikke hva dem kalte det. Noen stoffer har en nummer, andre stoffer en annen nummer, men du kan liksom slå dem sammen, men det er ikke helt matte heller, for det er bokstaver, som H_2O + jeg veit ikke, N_4O, skjønner du? Jeg skjønner ikke en dritt, og hoden min blir varm og hele den greia jeg fortalte til deg. Helt fucka. Så jeg sjofer litt på Sarah isteden, og da kommer karen bort til meg med den stygge blikken sin og sier: «Jobb nå, Jamal», og jeg sier: «Hør a, jeg skjønner ikke.» Veit du hva han sier elle? «Prøv hardere.»

Skada kar ass.

Ok, det var skolen.

Ja, forresten ass, hør a. Ikke start å skrive sånne ting som Jamal røyker hasj og sånn på den forskinga, ok? Plutselig bausersen kommer til meg og sånn.

Du må lage sånn #31# og skjult nummer, bare med navnet mitt, ok?

Peace

Fra: Mo <mo.1@hotmail.com>
Sendt: 21. august 2001
Til: Lars Bakken <lars.bakken@nova.no>
Emne: Kartlegging av hverdagen til unge i Groruddalen

Jeg går på videregående på Bredtvet, sa jeg det? Jeg kunne gått mange andre steder, nesten hvor som helst, og jeg ville egentlig dit. Til en av skolene midt i byen. Handelsgym, eller Katta, eller Hartvig Nissen. Men jeg havna midt i industriområdet mellom Kalbakken, Rødtvet og Veitvet. De eneste bygningene i nærheten er en barnehage, en katolsk kirke og Norges største kvinnefengsel. Faren min mente det var en bra skole. En venn av han hadde hatt en sønn som gikk der ti år tidligere. Jeg tror ikke han visste at inntaksgrensa har sunket hvert år siden. Den er fjerde lavest i byen på allmennfag nå. Da jeg sa det til han, sa han det var nærme. Det var det viktigste. Valgte jeg en skole midt i byen, kom jeg til å sløse bort altfor mye tid på reising.

«Videregående er videregående, ikke sant? Tre år går fort uansett. Så er det universitetet, det er det som teller.» Sånt sa han. Eller: «Det er sikkert lettere å få bra karakterer der.»

Jeg tenkte han sikkert hadde rett, og at tre år går ganske fort.

Så jeg tar T-banen hver dag i ti minutter til Rødtvet og blir møtt av enda flere svære blokker. Jeg går under brua, forbi de høye piggtrådgjerdene til kvinnefengselet, helt til jeg kommer til et avlangt bygg i en skråning. Bredtvet videregående skole. Tre klasser på hvert trinn på allmenn, og en på hvert trinn på form og farge. Tolv til sammen. En liten skole, på alle måter. Lite bygg. Lite folk. Lite nytt. Jeg vet at det ikke er Katta eller Handelsgym, men likevel, da jeg kom dit første dagen, føltes det som den eneste forskjellen mellom Bredtvet og Rommen var T-baneturen. Bare enda et slitent, hvitt skolebygg fullt av folk fra Groruddalen.

Men jeg kunne røyke i skolegården. Akkurat det var ganske kult. Jeg var så nervøs første gangen jeg fyrte på en røyk rett utafor døra, selv om alle andre gjorde det. Jeg krøkte meg sammen, men lærerne ga blaffen, og da jeg retta ryggen og lente meg bakover mot gelenderet, føltes det ganske voksent, bare stå og røyke sånn foran voksne, men spenninga ga seg etter noen dager.

I friminuttene henger jeg med en som heter Özkan. En tyrker fra Ammerud. Fotballgal. Galatasaray og Real Madrid, men han kan ikke si «r» ordentlig, og så mener han helt alvorlig at Hakan Şükür er verdens beste spiss. Jeg følger ikke veldig mye med på fotball, jeg ser landskamper, EM, VM og noen tippekamper, stort sett det. Men jeg vet at det finnes i alle fall tjue spisser i verden som er bedre enn Hakan Şükür.

Vi er en til også. Raji fra Veitvet. Stor og stille sikh som spiller veldig mye tv-spill og vil jobbe med IT. Og så er han sulten hele tida. Når vi spiser bagetter, plukker han opp smulene fra bordplata med en våt finger. Vi tre fant hverandre på et gruppearbeid første uka i første klasse, men henger bare sammen på skolen, ikke ellers. Det er liksom noen å spise lunsj med.

Jeg kjenner andre som går der, folk fra Stovner. Jeg ser dem på T-banestasjonen, men vi snakker ikke sammen mer enn et nikk eller «skjer a?». Den eneste jeg snakker litt med, er Jamal. Han er fra Tante Ulrikkes vei han også. Samme blokka, men oppgangen ved siden av meg. Vi har fulgt hverandre i parallellklasser siden Rommen.

Vi går samme vei på morgenen. Han følger lillebroren sin til barnehagen først. De går over brua med hver sin sekk. Broren er vel like gammel som Asma, men mye lavere. Jeg vet ikke, han ser nesten litt syk ut. Tynn, som Jamal, men veldig stille. Han hvisker. Ikke bare når andre er i nærheten. Jeg ser dem ofte gå et stykke foran meg, og Jamal lener seg hele tida ned mot han for å høre ordentlig. Når jeg svinger inn til T-banestasjonen, fortsetter de oppover mot Tokerud. Noen ganger rekker Jamal å komme tilbake før T-banen kommer.

Han tar første klasse på nytt i år. Strøyk for mange fag og dumpa i fjor, regner jeg med, jeg vet ikke helt. Vi snakker ikke så mye sammen nå. Det er mest sånn: «Går bra elle? Hva skjer med at banen er forsinka a? Shit ass, kaldt ute.» Sånt. Ofte hører han bare på musikk, og vi sitter der på hvert vårt sete og ser ut av vinduet.

Så jeg vet ikke så mye nå. Men jeg vet noen ting. Som han vet, og jeg vet. Ting fra før. Som at han var hjemme og spiste middag hos oss i alle fall ti ganger da vi var små. Det var foreldrene mine som organiserte det, det begynte under ramadan et år, og første gangen han kom på døra for iftar, trodde jeg han skulle spørre meg om å være med ut og spille fotball.

«Jeg kan komme etterpå, jeg må bare spise først», sa jeg, og han så fårete ut, og virka mest lysten på å gå ned trappa igjen, men ble stående likevel.

«Jeg tror jeg skal spise her», sa han.

Så dukka moren min opp bak meg og vinka han inn.

Det var mest henne. Det er hun som kjente moren hans. Ikke godt, men litt. Jeg husker de sto og snakka sammen et par ganger, og at jeg maste på moren min om vi kunne gå snart. Men jeg husker knapt moren til Jamal. Jeg mener, jeg husker jo, de to var gravide samtidig, men ikke hvordan hun så ut, liksom hele henne var utydelig, bare en kropp som sto der med en stemme som var like ute av fokus som kroppen.

Moren og faren min snakka om dem, flere ganger.

«Vet du hva jeg fikk vite om den familien der?» kunne hun si, alltid på den måten. *Den* familien der. Eller bare den familien med problemene. Eller at noen måtte gjøre noe veldig snart, hvis ikke ... Og faren min, jeg vet ikke, det virka som han ikke likte å høre om det, han sa ofte at hun skulle la være å bry seg. «Det er ikke vår sak», pleide han å si, men til slutt husker jeg han banna, «men hva i helvete», sa han, og etter det hørte jeg også han si at noe måtte gjøres, for det var ikke bra det som skjedde der.

Og det skjedde noe. Han forsvant. Faren til Jamal. Jeg så han ikke lenger ute på gata, strenende til eller fra blokka, alltid alene, høy, som Jamal er nå, og en kjekk mann, kanskje det er litt rart å si, men jeg husker jeg tenkte det, og jeg syntes ikke han så skummel ut. Men når moren og faren min snakka om han, var det dempede stemmer og korte ord, som om han var ridder Kato, og da var jeg egentlig litt glad for at han forsvant med steinhjertet og jernkloa si.

De fortsatte likevel å snakke om *den* familien. Med problemer. De som ikke lenger hadde en mann, bare et spedbarn og et skolebarn og en mor. Med en sykdom som moren min uttalte gebrokkent, og som det tok flere år før jeg skjønte hva var. «Dipirisjån», fulgt av et sukkende «ya Allah».

Da han begynte å komme hjem til oss for å spise, trodde jeg det skulle være morsommere. Han var kul. Alle syntes det. Jeg også. Jeg husker han kunne danse som Michael Jackson og MC Hammer. Sånn ordentlig, ikke bare de halvveise bevegelsene alle andre fikk til. Og så var han ganske god i fotball, scorte masse mål og moonwalka alltid etterpå, og vi elska det alle sammen, å se beina liksom flyte over asfalten som om tyngdekraften ikke gjaldt for han. Men han var ikke sånn hos oss. Han var ganske stille da, sa lite, bare satt der og spiste og takka høflig for seg når han var ferdig. Jeg ville vise han ting, som hockeykorta jeg hadde vunnet fra en i klassen, men han ble aldri med inn på rommet, bare forsvant rett hjem med en Tupperware-boks med rester.

Det var egentlig greit. Vi spilte fotball sammen, i borettslaget, i skolegården eller nede på Rommensletta. Det spilte ingen rolle hvor det var egentlig, han valgte alltid meg, ikke fus, men noen ganger and og aldri senere enn tredd, hver eneste gang det var hans tur til å velge lag.

«Mo, kom hit a, du er på mitt lag», og så holdt han ut hånda for en high-five.

Han brydde seg ikke om dem som himla med øya eller sa det rett ut, og som helst så meg stå igjen der med Christian og feite-Tosif til slutt. «Hold kjeft a», sa han til dem. «Han kan spille.» Selv om jeg vet han visste det samme som både de og jeg. Jeg var ganske dårlig. Jeg har aldri vært en av dem som hiver seg inn i taklinger eller nikker utspillene fra keeper. Jeg likte meg best ute på vingen. Da kunne jeg stå der og slå innlegg til de andre uten å bli stressa av målsjanser og roping som fikk øyne og bein til å krysse seg. «Skyt a! Kjapp deg a! Kom igjen a!» Det gikk fem meter til side for mål hver eneste gang, føltes det som.

Han ropte til meg under kampene, som hvis jeg bomma på et skudd eller missa et innlegg. «Neste gang, Mo!» Og jeg traff med innleggene noen ganger. Jeg husker spesielt ett, da regnet fikk ballen til å fyke nedover mot kanten, og jeg traff bakken perfekt, bananskru utover mens han var på vei innover. Han møtte den med panna og stanga den i mål så det rista i nettet, og han lot være å moonwalke, men dro meg med seg og så stupte vi som Klinsmann begge to, og sklei bortover det våte gresset på Rommensletta med armene ut til sida og leire i ansiktet.

En annen gang, da vi hadde spilt ferdig og alle spredte seg, spurte jeg han, jeg ropte kanskje: «Skal du komme og spise hos oss i dag?» Moren min hadde sagt noe i forbifarta om at han skulle det, det var ikke mer, men han ilte til, jeg mener, han spurta bort til meg og stoppa ikke før han var helt oppi ansiktet på meg. Jeg trodde han skulle slå meg.

«Hæ? Nei! Hva snakker du om a?!» sa han høyt, og jeg skjønte ikke helt, og enda mindre da han kom og ringte på døra en time senere og sa han skulle spise hos oss likevel.

Han slutta med det. Jeg vet ikke hvorfor. Ingen ga meg noen forklaring. Men det stoppa i alle fall. Og foreldrene mine slutta å prate om *den* familien.

Jamal fortsatte å velge meg på laget sitt likevel, helt til jeg ikke var så mye ute og spilte lenger. Han fortsatte å være der.

Jeg ser han der nede hver eneste kveld.

Jeg ser ikke moren hans like ofte. Nesten aldri. Moren min har ikke noe særlig kontakt med henne lenger, ikke som jeg vet om i alle fall. Og når jeg ser henne, er hun fortsatt utydelig, helt dekka til, samme om det er sommer eller vinter, med skjerf langt oppover munnen og et slør langt nedover panna, og hun ser alle andre steder enn rundt seg. Jeg tenker på dipirisjån da.

Fra: Mo <mo.1@hotmail.com>
Sendt: 27. august 2001
Til: Lars Bakken <lars.bakken@nova.no>
Emne: Kartlegging av hverdagen til unge i Groruddalen

Tre år går ikke fort. Tre år er veldig lenge. Hele videregående føles som venting. Norsk, engelsk, matte, naturfag, samfunnsfag. Fag som gjentar seg, som de har gjort i ti år, hele tida føler jeg at jeg har hørt det læreren snakker om et eller annet sted, en eller annen gang, men husker det ikke godt nok til å si det hundre prosent sikkert, så jeg må liksom følge litt med likevel.

Jeg har heldigvis noen fordypningsfag også. Sosøk, bedøk og MY-matte. MY er mye ligninger, og derivasjon. Sosøk er mange grafer. Tilbud og etterspørsel. Likevekt. Bedøk er svære regneark med balanseregnskap som skal konteres og gå i balanse. Jeg liker alle tre. Kanskje sosøk aller best. Læreren er kul. Torstein. Han holdt på med boligspekulasjon på 80-tallet, men gikk på en smell da bobla sprakk. Han forteller historier fra den tida. Om hvordan han levde. Jeg liker å være med han på lunsjer på Aker Brygge, båtturer i skjærgården ved Hankø, høre om raske biler og champagne. Jeg liker å se det rynkete gamle ansiktet mykne så mye mer enn det gjør foran tavla, og noen ganger glemmer han den tavla også, helt til det ringer ut.

Det er egentlig mange gamle lærere på Bredtvet, når jeg tenker meg om. Trude, mattelærer og klasseforstanderen min. Veldig streng, med lange blomstrete kjoler og bluser kneppa pent rundt den hengende huden på halsen. Hun ligner veldig på Hyacinth Bucket, og skriver så hardt på tavla at krittet knekker. Og Edvard, som jeg hadde i naturfag i fjor. Tynn, med sølvfarga hår som er pent gredd i sideskill, som mennene i de Hollywood-filmene fra 60-tallet som går på tv i jula. Han er glad i historier, han også. Han snakka ofte om skolen, sånn det var lenge før noen av oss var der, lenge før miljøarbeiderne ble ansatt. Han kalte skolen gymnaset, og han snakka om stafettlaget fra 1987 som hadde vunnet et eller annet mesterskap på vanvittige 37:05, om den nesten ubrukte tennisbanen utafor, hvor en norgesmester hadde spilt, de gamle kollegene, de beste i by'n, og alle de tusenvis av artiumene de hadde stått bak. Folk gjespa mye i timene hans.

Vi fungerte ikke helt. Eller, én prøve fungerte ikke. Den første vi hadde. Den var vanskelig. Reaksjonsligninger. Plusse sammen ulike kjemiske formler for å danne nye. Bokstaver og tall i formlene skulle reagere med hverandre, men det sto aldri helt klart for meg hvordan, og det irriterte meg. Jeg pugga de vanligste kombinasjonene som sto i læreboka, og på prøven klarte jeg meg helt greit.

Uka etter kom Edvard inn med skinnmappe over skulderen og en tjukk bunke papirer under armen.

«Det her er prøvene», sa han, som noen kunne misforstått. «Mye bra. Mye bra. Flere her som kan være fornøyde.»

Han fukta tuppen på pekefingeren med leppene og bladde gjennom bunken. To prøver ble trukket ut. Han holdt dem opp mot oss.

«To stykker imponerte meg virkelig. Linn.» En syltynn jente med midtskill og hår ned til rumpa for opp og ropte «yes!», så for hun ned igjen og holdt seg for munnen.

«Og Mohammed.» Jeg skvatt av mitt eget navn, ikke over å være blant de beste, men jeg gjorde så lite ut av meg, bakerst og helt til siden i klasserommet, med et navn som bare ble brukt i oppropet. Nå så alle på meg. Som de gjorde på barneskolen, beundrende, så det kribla stolt i meg til langt ut i friminuttet. På ungdomsskolen, en eller annen gang i 8.

klasse, gikk det over i noe hånlig som gjorde meg litt flau, men ganske innbitt.

«Olø. Skolelys jo», sa en stemme, jeg tror det var Modassar. Et par andre lo. Edvard hadde begynt å bevege seg rundt. Det smalt i pulten da han slapp prøvene ned.

«Bra jobba», gjentok han da han kom til meg, så forsvant han videre mellom pultene. Jeg bladde rett til siste side, så sikker på å finne 6-tallet at jeg sjekka hver eneste side flere ganger før jeg forsto at det som sto på den bakerste var riktig.

5 minus.

«Hva fikk du a?» Modassar igjen. Jeg svarte ikke. Jeg hørte han ikke ordentlig. Ikke Edvard heller. Resten av timen satt jeg og tenkte på fem minus. På virkelig imponerende fem minus. Da timen var over, ble jeg sittende til alle de andre hadde gått ut.

Edvard var i ferd med å pakke sammen skinnmappa da jeg gikk opp til han.

«Skal du ikke ut?» spurte han uten å se på meg. Jeg svarte han ikke.

«Hvorfor fikk jeg fem minus?»

«Fordi det var en god besvarelse.» Han kikka overraska opp på meg.

«Hvorfor ga du meg fem minus og sa det var imponerende?» Stemmen min skalv.

«En fem minus er en god karakter.» Edvard strøk en hånd gjennom det sølvgrå håret. En lokk falt ned mot panna. Han lot den henge.

«Hva er imponerende med en fem minus?» Jeg hevet stemmen. Den skalv enda mer. Hele jeg skalv.

Edvard så paff ut. «Nå må du slappe litt av, tror jeg. Altså, du har ikke sett særlig interessert ut, så ærlig talt tenkte jeg at du var en av dem som ...»

«Du vet ingenting om meg, ok!?» Jeg skreik. Han skulle til å si noe, men jeg skalv så mye at jeg ikke klarte å stå stille lenger, og storma ut.

«Olø, skolelyset klikka jo. Hørte dere elle?» Jeg hadde

lyst til å skrike til Modassar også, men jeg hadde ikke flere skrik i meg. Jeg hadde nok med å holde nede klumpen som vokste i halsen.

Edvard og jeg snakka ikke mer om den prøven. Neste gang vi møttes, hilste han, lot blikket hvile litt på meg, men sa ikke noe. Prøven etter fikk jeg en sekser. Jeg tror det var fortjent. Jeg endte med en sekser i naturfag på karakterkortet også. I år har jeg han ikke i noen fag, men han pleier å smile og klappe meg på skulderen når vi passerer hverandre i gangen.

Respondent: Jamal
Bydel: Stovner
Innspillingsdato: 27. august 2001

Halla.

Går bra elle?

Hør a, du husker han Edvard-læreren jeg prata om. Jeg sverger, jeg har lyst til å gi han slag på det stygge trynet hans! Seriøst, han gjør meg så jævlig pissed. Han vil ta meg, jeg sverger.

Faen ass, hele skolegreia ...

Fuck det a. Gym er chill og sånn. Liksom, vi spiller basket og fotball og sånn, og det er ok liksom, selv om gymsalen er sånn dritliten. Men alle fag og sånn, det er bare pes ass, jeg sverger. Folka bare bitcher meg hele tida.

Arrggh ...

Liksom, lærer jeg viktige ting der? Bruker jeg brøk på ekte livet liksom?

Seriøst ass.

Jeg kan høre på én sang fra 2Pac og den sier ting bedre enn hundre bok på skolen gjør. Jeg har ikke lest hundre bok da, men du veit.

Skolen snakker ikke om dem ekte tinga ass, jeg lover deg. Dem snakker ikke om hvordan du blir smarteste på gata og hustler og sånn, skjønner du hva jeg mener? Dem snakker ikke om sånne ting. Eller om hva som er hva på verden og sånn.

Alltid dem snakker om vikinger eller middelalder på

Europa eller andre verdenskrig, men aldri dem snakker om andre ting. Liksom, hva med slavegreiene, kolonigreiene, og andre kriger? Hva med at USA er største gangster som fins, og alt kaos dem lager på så mange steder på verden? Eller hva med Palestina, hvorfor prater dem ikke om det? Jødene bare bøffer landet og fucker heftig med dem, men ingen gjør no, bare snakker bra om Israel og backer dem.

Nei ass, sånne ting, dem liker ikke å snakke om. Men vi veit, mann. Alle folka her har parabol liksom.

Fuck it ass.

Jeg er ikke hypp på å snakke mer om skole og sånt nå ass.

Jeg kan snakke om hun Sarah isteden. Hun tar sigg med meg ofte nå. Hva sa jeg? Ha ha, jeg sa jeg skal gjøre det, ikke sant? På den uka her, vi tok tre sigg sammen.

Hun er fra Haugen, sa hun til meg. Det er ikke langt. Det er sånn jeg kan gå der på kvarter liksom. Og så er hun halv marokk og halv norsk. Når hun sa det, jeg bare: «Så du får på keef da, ha ha?» For du veit hvordan marokker er, dem keefer så mye liksom, og hun bare: «Ja, noen ganger.» Jeg bare: «Heftig.»

«Na-na-na-na

The world is yours, the world is yours. It's mine, it's mine, it's mine.

I'm the young city bandit, hold myself down single-handed. For murder raps I kick my thoughts ...»

Shit, sorry, begynte å høre på den sangen og loka deg litt ass.

Digger den da.

Men hva snakka jeg om igjen. Ja, keef ass.

Keef, keef, keef.

Hei, skal jeg fortelle deg om første gangen jeg testa keef elle?

Eller, venta a, hva er klokka a? Elleve. Ok, fuck it, det går bra. Jeg kan fortelle deg sånn kjapt.

Ok, så jeg og Rash avor på sånn fest. Det var en år sia

eller no, kanskje litt mere. Bursdagen til en som heter Kaja. Vi var på klasse med hun på Rommen. Så vi avor bort der hun bor, bak senteret der, på dem blokkene, liksom nesten Jesperud. Jeg gleda meg så mye for å dra på den festen. Det var sånn jente som skal komme der, Lene. Jeg likte hun så mye, du veit ikke. Skikkelig schpaa og sånn. Liksom i niende klasse, vi hooka opp litt. Det var sånn på en annen fest da, hos André, han var alene og vi bomba leiligheten hans. Liksom, sikkert tretti stykker kom der og lagde fest, og da jeg dansa med hun Lene. Jeg husker ass, hun hadde sånn Adidasbukse og rumpa hennes var så bra på den og det var «California Love» og jeg var drita, så jeg rappa litt med sangen og hun digga det eller no, jeg veit ikke ass, liksom hvert fall vi rota inne på rommen til foreldra til André.

Like etter det, hun flytta til Godlia ass, sånn uka etter liksom. Etter det jeg så ikke hun, men så mange ganger jeg tenkte på hun etterpå. Liksom, faen ass, jeg må møte hun en gang til.

Derfor jeg var *så* glad når Rash sier at Kaja sier Lene kommer til bursdagsfesten.

Når vi kommer der, Kaja var drita. Hun hopper på Rash liksom. Du veit, klemmer han litt lenge og sier sånn, «Rashid, du må se hva jeg har gjort», og hun drar opp gensern sin foran alle og viser en tættis, liksom sånn tribal nede ved ræva. Skikkelig kæbegreier.

Egentlig hun er skikkelig snill jente, men hun er litt stakkar. Rashid har playa hun så lenge nå. Liksom siden åttende ass. Hun er så forelska i han, og han bare ringer for å arsko hun.

Men liksom, drit i Kaja, jeg sjofer for å finne Lene, men hun er ikke der. Kaja sier sånn, «ser du etter noen elle?» Jeg bare, «nei ass.» Hun bare, «hun kommer etterpå, slapp av.»

Jeg sitter og venter ass, drikker litt, sigger litt, men hele tida liksom jeg ser på døra, bare, kom igjen, den må bevege seg liksom. Og så den gjør det. Lene kommer der, så schpaa og sånn, nesten enda mere schpaa enn jeg huska. Jeg bare liksom, prøver å fikse håren min med hånda og jeg tenker, skal jeg dra til hun og gi klem eller skal jeg vente til hun kommer på stua? Og jeg venter, og hun kommer inn der, og jeg er sånn liksom, nesten stått opp for å gi klem, og kæba bare avor ut på verandaen ass. Jeg sverger, hun bare avor forbi meg liksom. Hun sjofer meg ikke engang. Som jeg er luft liksom.

Så dem står der på verandaen, Kaja og Lene. Jeg sitter der på sofaen. Liksom, hvor lenge skal dem stå der a? Til slutt jeg gidder ikke vente mere, jeg går ut der. Når jeg kommer ut, jeg er helt sånn, «å ja, du er her ja, shit, la ikke merke til deg liksom, går bra elle?» Hun bare sier til meg, «det er noe kjent med deg», og lager sånn ansikt, sånn som hun prøver å finne svaret på ting, skjønner du hva jeg mener? Jeg tenker liksom, hun kødder med meg, nå snart hun kommer til å bare le og gi meg klem og sånn. Men kæba bare fortsatt ser sånn rart på meg liksom, og jeg bare, «ehh... glem det», og etter det jeg går litt på sida på verandaen og jeg sier ikke noe, jeg bare står der liksom. Skikkelig fucka opplegg. Jeg tenker sånn, ok, hvorfor gidder jeg å stå her, men samtidig jeg klarer ikke gå bort med en gang heller. Så jeg tar sigg og sånn, og jeg hører hun Lene bare snakker om Godlia her og der. Alt er liksom så schpaa på Godlia. Bare:

«Jeg er så over Stovner da. Stovner er så slitsomt, herregud. Så mange barnslige folk.»

Sånne ting sier hun. Med sånn skikkelig sossemåte å snakke på, og hele tida liksom sånn, «dere» på Stovner, skjønner du? Som om kæba ikke bodde her i femten år liksom. Og hun sier til Kaja sånn:

«Men siden du spurte, så kom jeg jo selvfølgelig. Alt for deg vettu.» Og Kaja bare gir hun klem, for Kaja er for mye full til å sjofe ordentlig. Men jeg sjofer. Jeg sjofer hvor heftig fake hun er. Og jeg sverger, hun blir stygg da. Jeg kødder ikke, hun blir så stygg at jeg hadde ikke arsko hun om folka kasta flus på meg for å gjøre det. Jeg hadde spytta på hun. Liksom, yæk, gå bort. Og sånn en halvtime etterpå, hun skal gå, og hun sier sånn drithøyt til Kaja liksom så alle folka skal høre: «Jeg må dra for å møte typen min, vi skal på en annen fest.» Og så hun sier ha det til folka og en gang mere hun sjofer på meg sånn, ehh, hvem var du igjen, whatever.

Da jeg klikka. Jeg bare: «Gå da, fittekjerring. Gå til dem nye potetvenna dine a. Gå og stem på FrP du.» Hun bare:

«Herregud. Det var det jeg sa, barnslige.» Så avor hun.

Jeg var så pissed da, liksom hvis hun var en kar, jeg hadde løpt etter hun og sparka hun ned på trappa.

Fuck ass, jeg blir pissed nå liksom, bare for å snakke om det.

Så ja, etter hun fitta avor, jeg bare satt der og var pissed og sånn. Rash vil hooke opp med Kaja, men hun har gølva i en stol. Helt drita. Klokka er liksom, hva, ti eller elleve, og vi bare, skjedde med den kvelden her liksom? Da Rash plutselig blir helt sånn, som han plutselig blir helt våken.

«Majid kjøpte keef i dag.» Og bare: «Skal vi keefe i dag elle?» Og vi ser på hverandre og sånn og blir helt sånn gira, bare, ja ass, fuck it, fuck alt, vi går og spør Majid om å keefe. Så vi ringer han woriahen og han er helt fjern. Sier han er ødelagt og skal sove. Vi bare maser i telefonen til han: «Kom igjen a woriah, vi har hatt fucka kveld, hook oss opp a.» Til slutt han bare: «Fuck ass, greit.»

Halvtime etterpå vi står inni skogen nærme Rommensletta der. Vi driver og sjofer på Majid mens han lager joint liksom, lager notat på hodene våre. Lættis da, nå jeg kan rulle en L lett liksom, men da ass, jeg sjofer så nøyaktig på alt han gjør. Først ta en sigg og åpne den, så ta keefen på tobakken, så bruke lightern på keefen og få den myk, så blande sammen, så lage filter av den grønne plata i Rizzla-pakka, så rulle, så fyre på.

Det smakte jord ass, jeg sverger. Skikkelig rar smak liksom, ikke tæz, men ikke godt heller. Vi røyka den, og så vi setter oss på en tre inni på skogen. Og jeg tenkte sånn, ok, skal det ikke skje no? Majid bare sitter der, ser ut som han har sovna og bare sier sånn skikkelig lavt: «Slapp av, vent.» Liksom, jeg prøvde å kjenne no. Ingenting ass. Alt normalt. Alt bare skog og trær og mørkt.

Plutselig Rash sier: «Fy faen, jeg merker det ass.» Jeg bare:

«Hæ? Hvordan merker du?» Han bare: «Du bare merker det.» Jeg tenker liksom, veit ikke ass, fordi noen ganger liksom, jeg føler han liker å bare si ting for å høres rå ut. Og han reiser seg og roper høyt: «Jeg er så heftig stein!» Sikkert hele skogen kan høre det, men Majid, han har fuckings sovna på ordentlig, jeg kødder ikke, og jeg fortsatt er sånn, hva faen, jeg merker ingenting.

Jeg sier sånn: «Fuck det her, vi avor fra skogen», og vi begynner å tråkke, og Rash går bak meg og sier hele tida: «Shit, træra lever» og sånn, og jeg tenker hold kjeft a faen, sånn som Majid foran meg, han liksom sier ingenting. Og jeg starter å se på Majid, og jeg ser ikke mye av han, for han har på svarte klær og trynet hans er svart, bare Nikeene hans er hvite. Plutselig jeg klarer ikke slutte å se på dem skoa. Liksom, opp og ned går dem, og jeg bare: «Faen, det var gærne sko ass. Dem beveger seg fra seg selv ass. Det her er helt sykt.» Og så bare skjønte jeg det, shit ass, jeg er fuckings fjern jo! Og jeg bare til Rash: «Sjof skoa til Majid. Sjof dem!» Og Rash bare: «Jeg veit ass, jeg veit! Det er magiske sko!» Og så vi hadde helt lættis begge to inni på skogen der.

Ha ha.

Sånn var det ass. Første gang.

Nå jeg må ordne no heftig en dag, og så jeg kan ta med Sarah og røyke litt. Jeg sa det til hun ass: «Jeg kan ta med en dag, og vi kan røyke etter skolen eller no, eller på skolen. Samma for meg.» Hun bare: «Greit, bare si fra.»

Han pakkisen i klassen min har bare standard, så han går ikke. Men jeg veit om en annen kar også, på Vestli, han har no heftig brunt. Kong Hassan. Skikkelig boblings fra Marokko. Det passer da. Ha ha.

Jeg skal ringe han i morgen. Det er seint nå.

Snakkes.

Respondent: Jamal
Bydel: Stovner
Innspillingsdato: 30. august 2001

Yo! Jeg kødder ikke, du veit ikke hvordan jeg har stressa. Det er tørke på Stovner. Jeg sverger, ingen folk har noe å røyke på. Han karen jeg snakka om på Vestli, han var tom. En annen kar på Haugenstua hadde, men han bare, jeg er i byen, ring meg om noen timer. Jeg venta noen timer. Han bare, det tar noen timer til. Så ringte jeg, og da han sier, jeg kommer ikke til Haugenstua likevel, jeg skal henge med dama mi på fuckings Hauketo eller no sånt.

Liksom, til slutt jeg dro til hun ene speeda dama i første lavblokka. Hun er voksen liksom, sikkert sånn, jeg veit ikke, 40, men jeg sverger, hun tror hun er 16. Går med sånne ungdomsklær og sånn. Liksom, Adidas joggebukse, Buffalo-sko, rosa hettegenser, hele greia liksom. Stygg som faen også, men hun ga oss litt keef en gang for lenge sia, så jeg ringte på, og hun kom ut helt fjern. Øya bare helt røde og sånn. Og hun bare: «Jeg har ikke noe å selge, men du kan komme inn og røyke med meg hvis du vil.» Og jeg tenkte på Majid som mener han har knulla hun. Liksom, vi har tenkt sånn, han kødder, for noen ganger han juger litt mye, men faen, nå jeg tror ikke det var jug. Jeg sverger, hun gidde meg sånn blikk, litt sånn: «Kom igjen, bli med da». Jeg chilla med det ass. Nasty dama der ... Majid er ekkel kar ass, jeg sverger.

Rashid mente han visste om en kar. På Trosterud. Jeg tror han ble kjent med han på Bredtvet. Så Rashid ringte karen, han hadde ikke, men han gidde oss nummer til en annen kar på Trosterud som hadde. Og han karen kan møte oss. Så vi tar 25-bussen, og det er midt på natta og sånn, og vi går av på Trosterud, og han karen ber oss komme borte ved T-banen. Du veit, linje-2-stedene, det er ikke hooden vår, så det er litt stress. Vi kjenner ikke mange folk der, og vi står der midt på alle dem gærne høyblokkene, og det er helt mørkt og vi sjofer ikke en dritt, og vi tenker, hva skjer a, kanskje han karen skal tæsje oss? Du begynner å tenke sånn, ikke sant?

Det gikk bra da. Karen var ok liksom. Hadde sånn glassøye eller no. Det skinte når han stådde nærme lampa. Jeg blidde litt sånn, liksom jeg klarte ikke sjofe rett på han og sånn. Men han hadde bra keef. Etter det vi hoppa på banen til Furuset og tråkka til Stovner fra der. Og når vi tråkka forbi borte ved der Sarah bor på Haugen, jeg tenkte sånn, skal jeg tekste hun liksom, men bare nei ass, klokka er seint jo, og Rash er der. Fuck det.

Men vi stoppa borte ved Haugenstua og fikk på en. Og vi ble så steine, du veit ikke. Jeg sleit så heftig med gå opp til T.U.V. ass. Beina mine var helt fucka. Så liksom, jeg tenker sånn, jeg må ta det litt rolig når jeg røyker med Sarah ass. Kan ikke bli så stein med hun.

Jeg sendte melding til hun da. I stad. Yes, yes. Jeg har nummeret til hun liksom. Jeg spørte om det på skolen. Liksom, «jeg må ha nummeret ditt så jeg kan tekste deg når jeg ordner no keef.» Hun bare gidde meg det, som det ikke var noe stress liksom. Jeg teksta hun sånn: «Har ordna, møtes i morgen?». Hun teksta: «Ok.»

Så ja ass, i morgen jeg drar og møter hun. Heftig. Peace.

Respondent: Jamal
Bydel: Stovner
Innspillingsdato: 1. september 2001

Halla.
Jeg har møtt hun da. I går.

Jeg ringte og sa sånn: «Jeg kommer til å være på Haugenstua etterpå, jeg kan komme bort til Haugen.» Det var jug, jeg hadde ingen planer på Haugenstua ass. «Bare si fra når du er i nærheten», sa hun.

Jeg tråkka hele veien ned der istedenfor bussen. Jævlig varmt ass, dem dagene her, har du merka? Jeg tenkte ikke det skal være så varm sol, og du veit, jeg hadde liksom ikke lyst på å svette, så jeg måtte gå på skyggen og sakte og sånn, men jeg svetta masse uansett.

Når jeg kom til dem blokkene borte ved Haugenstuatogen, jeg ringte hun, og hun kom ut. Med joggebukse og sånn, og det var litt sprøtt å se hun sånn, for på skolen hun går med litt sånn brae klær, men hun passa den chille stilen også. Litt sånn, jeg starta å tenke hvordan hun ser ut når hun er hjemme, og da jeg starter å tenke enda mere, på hvordan hun ser ut på senga, du veit.

Uansett, hun bare: «Hvor skal vi gå?» Og jeg sa: «Du som er herfra.» Hun bare: «Vi sitter i sola», og jeg ble svett ass, men bare: «Ja, vi kan sitte på sola.»

Det er sånn barnehage der borte som vi avor til, og vi sitter på en benk med bord, sånn som egentlig er for barna liksom. Den var så lav, knæra mine traff borden. Og sola var dritvarm. Jeg sleit ass. Svetta som faen. Jeg tenkte, jeg må lage en svak joint, hvis den fenger sånn som forrige gang, da jeg gølver her, jeg kødder ikke. Jeg kommer til å ligge på sandkassa der med sand på hele trynet.

Så jeg blanda lite, kanskje en kvarting, men hun gidde meg sånn blikk, sånn, ok du mekker svakt ja. Og det går ikke, så jeg måtte liksom lage en feit en. Altfor feit ass. Det var sånn, bare to trekk og jeg skjønte, shit, det her blir ikke bra ass. Hun så litt stein ut hun også ass, men ikke som meg. Hun bare: «Det er så digg med sol ass.» Jeg bare: «Ja ass», for jeg klarte ikke prate mere enn det. Jeg var så heftig tørst, du veit ikke. Liksom, hele tida når vi røyka, jeg hadde ingen spytt på hele munnen.

Så vi røyka ferdig, og liksom hun var sånn, bare så på lufta, og jeg vil si noe, men munnen min var så tørr. Så jeg bare hosta litt og sier til hun: «Skal du være med bort på Rema på Haugenstua og kjøpe drikke elle?» Men hun bare: «Jeg må hjem.» Jeg tenkte liksom, hjem nå? Det er litt rart, ikke sant? Jeg møtte hun for fem minutter sia, og hun skal hjem? Jeg bare: «Ok, vi avor da», selv om jeg egentlig ville være der mer, men hva skal jeg si liksom? Jeg tigger ikke ass. Men når vi gikk, hun sa takk for jointen og smilte skikkelig og sånn, og hun ser så jævlig bra ut da ass, når hun smiler sånn. Akkurat som hun har hemmelighet eller no, skjønner du hva jeg mener, noe som jeg ikke veit helt, men på bra måte, liksom som den hemmeligheten er bra for meg. Jeg klarer ikke forklare ordentlig. Uansett da, det var heftig liksom.

Jeg tråkka tilbake igjen. Stein som faen fortsatt. Måtte ta pause ved T.U.V, dem grå blokkene, etter den bakken fra Stovnerbanen. Den knekte meg ass. Og jeg kommer nærme min T.U.V. og til garasjetaket liksom, det er en sånn sted der dem har tatt asfalt oppå taket til en svær garasje og det er gjerder rundt hele greia og noen råtne basketkurver, men uten det, egentlig det er ikke så mye der, men folka spiller enspretten der eller skyter litt hoops eller mest bare henger der, og når jeg kommer, jeg hører fotballen bare, dunk, dunk,

dunk. Det er kompisa mine. Dem driver og spiller enspretten. Navid vinner og sånn. Og du veit, vi spiller alltid med asshole. Jeg sjofer alle dem andre gutta bøyer seg mot gjerden og han legger ballen sånn ti meter fra og han tar masse fart og du ser dem har så noia for ræva si, og Navid kliner til, men ballen går pang i gjerden. Gutta bare: «Olø ass. Jeg kjente lufta fra den ass.» Og så dem sjofer meg. «Jamal, kom, vi tenkte å få på en nå.» Jeg tenkte sånn, røyke mere liksom, det skjer ikke. Jeg kommer opp der og sier til Rash: «Jeg har røyka allerede ass», men Rash bare: «Med hvem da?» Og jeg gidder ikke fortelle folka om Sarah, for da blir dem helt sånn, hooker du opp med hun? Hvor mange ganger har du knulla hun? Eller dem lager stress om å skaffe venninner, sier dem skal være med neste gang, og at jeg liksom blocker dem om jeg ikke gjør det. Jeg orker ikke dem bikkjene. Hadde hun vært sånn søplejente, jeg hadde gitt faen. Fortalt ting og sånt, men med hun, jeg gidder ikke ass.

Liksom, så jeg fant på ting til han. Jeg sier jeg hadde røyka alene liksom. Og han bare så litt sånn rart på meg og liksom: «Du keefer alene? Du er shkækk ass, kompis.» Jeg bare: «Jeg veit ass.» Så tar jeg AZ på han og bare: «Life's a bitch and then you die, that's why I get high, cause you never know when you gonna go.» Han ledde og sier: «Word ass».

Etter det jeg avor hjem. Skikkelig bra humør og sånn. Jeg var stein fortsatt, men det hadde blitt forvandling til sånn bra stein. Liksom, du er stein, og du merker det liksom, men det er ikke sånn sliten stein, skjønner du? Det er bare enkelt liksom, og du tenker masse sprø tanker, og det er digg, for du trenger liksom ikke stresse, det bare kommer sprø tanker hele tida og sprø bilder på hoden din. Jeg liker å høre på musikk når jeg er sånn fjern. Bare høre på det og drite i alt. Litt sånn chill musikk. Outkast eller no. Fra *Aquemini*-albumen. Sånn som den ... Åh ... sånn som den sangen på *Aquemini*, den som heter «Aquemini». «The sun goes down. Heroes eventually die. Horoscopes often lie.»

Jeg skjønner ikke hva dem prater om ass, men samma det. André 3000 sin andre vers er det heftigste han gjør noe sted. Og «Spottieottiedopalicous» er fet. Og «Rosa Parks». Eller egentlig, *ATLiens*-albumen også. «Jazzy Belle», den er chill. Dem damene som er på hooket der er sånn, jeg ønsker jeg hadde sånne damer inne på rommen min som kan synge for meg hver gang jeg skal sove. Jay-Z har noen skikkelig bra stein-sanger også. «Can I live». Åh fy faen, «Can I live» ass, når den beaten starter. Shit ass. Og «Dead Presidents». Ja, og Nas ass. Må ha Nas ass. Eller noen av dem chille 2Pac-sangene. Dem liker jeg når jeg er sånn stein. «Pour out a little liquor». «Old school». Dem der type Pac-sangene.

Sånn var jeg, og jeg går inn på rommen min og setter på discmanen og bare null stress, bra dag, bra fjern, bra dame på gang, dritchill alt. Ok liksom, jeg tenkte kanskje jeg skal ha snakka mer til hun Sarah, men liksom, jeg tenkte også på smilinga hennes når hun avor, og liksom, jeg skal prøve å møte hun mere ganger, og da vi kan snakke mere. Men liksom, alt bra, så begynner moren min å lage pes. Liksom, jeg har på musikken, og jeg hører: «Jamal!» Og jeg må ta av musikken, og du veit hvordan det er, liksom du hører på musikk og blir helt inni den, helt liksom, og så når den går av, du skjønner ikke, alt blir rart liksom, som livet uten den musikken er en annen og tæzere liv, skjønner du hva jeg mener? Sånn var det, og hun sier: «Gå i butikken og handle mat.» Og det er alltid sånn ass, jeg må gå mens hun er på sofaen. «Hvorfor kan ikke du gå?» sier jeg. Hun bare: «Jeg er sliten.» Jeg bare: «Jeg er sliten jeg òg», men hun brydde seg ikke liksom. «Gå nå», sier hun, «den stenger, kjapp deg.»

Noen ganger moren min ass. Jeg veit ikke hva skal jeg si ... Du veit, jeg er hard, jeg trenger ikke en dritt ass, egentlig, men Suli ... Han er liten vettu. Det er litt dårlig for han. Han bruker bleie fortsatt liksom, og han skal starte på skolen om en år.

Så liksom, jeg må stresse opp der til Stovner Senter før den stenger og kjøpe melk og cornflakes og sånn. Han kiden spiser mye cornflakes ass. Hele tida. Og jeg hadde skikkelig etis når jeg kom der. Om jeg hadde flus, jeg hadde kjøpt en feit Whopper på Burger King, men det var dårlig med det.

Du veit, jeg får sånn stipend for å gå på videregående liksom, fordi jeg bor med bare moren min og hun har ikke mye flus, jeg får 1000 spenn på måneden. Jeg pleier å gi sånn 300, kanskje 400 til moren min, resten jeg tar. Men det er ikke så mye når jeg må ordne sigg, keef, kontantkort, mat på skolen, alt mulig. Hele tida jeg er tom.

Og egentlig, jeg skal ha enda mindre, men jeg sparer litt fordi jeg ikke kjøper månedskort. Fuck it, jeg sniker ass. Thug life liksom. Uansett, dem har ikke mye kontroller på den veien fra Stovner til Rødtvet.

Ene gangen jeg ble busta på kontroll, det var når jeg hadde vært i byen og jeg tar banen hjem, og på veien fra Grønland til Tøyen jeg skjønner noe er feil fordi dem går der inne på vogna sammen, en gammel pakkismann med skjegg og sånn, en voksen norsk dame og en voksen svart dame. Du veit sånne folk går ikke sammen til vanlig liksom. Så dem kommer ass: «Billettkontroll», og jeg sier: «Ehh ... Jeg har glemt den.» Og dem spør hva jeg heter. Jeg sier «Jeg heter Rashid», og så jeg sier bursdagen hans og hele adressen. Liksom, slapp av, jeg prøvde ikke å tæsje Rash, men jeg veit Rash har månedskort, sånn med bilde og sånn, og da det er sånn regel om du glemmer den, du kan gå til Trafikanten dagen etterpå og vise dem du har månedskort, og da du betaler bare 50 spenn isteden.

Så liksom, jeg hustla dem heftig da!

Rash var litt sånn: «Fuck ass, jeg må dra helt der til byen fordi du snikte?» Men han gjorde det da.

Det er ikke digg med cornflakes ass. Jeg spiste liksom en skikkelig svær tallerken etter jeg kom hjem fra senteret, men du blir ikke bra mett, jeg lover deg, ikke sånn som med mat. Du blir sånn, jeg veit ikke, magen din blir bare full med luft og hard og sånn, og du blir bare heftig sulten halvtime seinere. Det er dritt ass. Men egentlig, jeg gidde litt faen også.

Jeg ordna discmanen min på nytt og chilla helt ass. Starta å tenke på brae ting igjen. Jeg tror jeg sovde liksom fire eller noe, og jeg kom til skolen tre timer for seint. Hvem bryr seg liksom. Peace

Fra: Mo <mo.1@hotmail.com>
Sendt: 1. september 2001
Til: Lars Bakken <lars.bakken@nova.no>
Emne: Kartlegging av hverdagen til unge i Groruddalen

Det har ikke skjedd så mye nytt. Jeg har prøvd å få meg en deltidsjobb, for å skaffe penger til en mobil. Ikke at jeg ringer så veldig mange, men det er greit å ha, og alle, virkelig alle, har en nå. Jeg har ikke råd til en uten jobb. Jeg får stipend fra Lånekassa, for elever fra lavinntektshusholdninger, 1000 kroner i måneden, og halvparten går til månedskort og den andre halvparten til lunsj på skolen og røyk.

Det er greit, jeg trenger ikke så mye. Jeg er vant til det, egentlig. Moren min får minimalt. Hun har aldri jobba utafor leiligheten. Faren min får litt mer i uføretrygd. Men det er ikke all verden. Han pleide å jobbe på Sønnak i Nydalen. Han dro i sjutida og kom hjem i sjutida. Jeg så han nesten ikke på hverdagene. Omtrent da jeg starta på skolen, tetta to av blodårene inn til hjertet hans seg, og han måtte gjennom en dobbel bypass. Etterpå var det bare å vente på trygda den tjuende, som så mange andre. Den dagen hver måned da moren og faren min kom fra butikken med flere handleposer enn vanlig og hele leiligheten lukta av plastposer og ferskt brød.

«Vi er hjemme!» De ropte alltid det, som om jeg ikke hadde sittet på kanten av sofaen og venta i minst en time allerede.

Jeg hang over moren min mens hun pakka ut, helt til den kom, den kom alltid, selv om hun venta med å ta den ut til slutt, og noen ganger tulla hun og krølla sammen posen uten å ha tatt den opp, og så hvordan ansiktet mitt ble lengre og lengre for hver krøll, til hun åpna den opp igjen, sa: «Bare tuller med deg, Mohammed», og tok den ut. En Firkløver, med 2 x 8 ruter.

Det var stort. Så vokste jeg, og den ble mindre. Jeg kunne vise fingeren til den og miste den av syne, på litt avstand. Jeg slutta å henge over henne, og tok den imot med et høflig smil.

«Du vet, det er ikke bra å spise for mye godteri uansett», pleide hun å si og klemte rundt hoftene mine. «Må passe på, ikke sant, så du ikke blir tjukk.»

Det er Asma og Ayan som henger over henne nå. Men de kjøper fortsatt Firkløver til meg hver tjuende.

Det er ikke bare fordi jeg vil kjøpe mobil at jeg har lyst på deltidsjobb. Det er tida også. Jeg har mer enn jeg trenger, selv nå som jeg har begynt å skrive til deg. Skolearbeidet blir jeg stort sett ferdig med i åttetida, så det betyr at jeg kunne jobba fra fire til åtte og lagt meg elleve, senest midnatt, og fortsatt brukt like mye tid på skolearbeid. Jeg ser uansett stort sett bare på tv de timene jeg har fri. Jeg gjør ingenting annet, egentlig. Noen ganger tenker jeg at det er litt kjedelig, livet mitt. Spesielt på onsdager. Da er tv-en helt død i tillegg. Det hender jeg blir rastløs, og at til og med ropene utafor får meg til å tvile litt på ting. Jeg pleier å ta en tur i skogen da, men nå kommer vinteren snart, og da er det ikke så lett å gå i skogen heller.

Jeg fortalte faren min om jobbplanene mine. Om mobilen. Og tidsregnskapet jeg hadde satt opp.

«Du skal studere, ikke jobbe», svarte han kort.

«Men jeg trenger en mobil», jamra jeg.

«Hva er det du ikke forstår? Du skal studere, ikke jobbe.» Ansiktet hans stivna, og øynene bora seg inn i meg. Bladet han leste i, ble lagt sakte ned, som om han venta på mitt svar og allerede satt på avtrekkeren med sitt. Det stansa der. Det gjør alltid det. Jeg tør ikke mer.

I går var det bursdagen min. Da jeg kom hjem fra skolen, kom han bort til meg med en innpakka eske. Jeg hadde allerede fått en gave på morningen, en tegning av Asma og Ayan og to manualer på tre kg hver fra foreldrene mine, så jeg skulle slippe å dra på treningsstudio for å trene.

«Her», sa han liksom likegyldig, «litt ekstra», men jeg forsto at det var mer enn litt ekstra, for moren min sverma rundt oss og skulle plutselig rydde alt mulig i nærheten. Under papiret var det en Nokia 3310.

Det er den dyreste gaven jeg noensinne har fått, bortsett fra pc-en, men den var egentlig til alle, selv om jeg tror den ble kjøpt mest for skolearbeidet mitt. Når jeg satt der med mobilen til øret foran dem alle sammen og poserte, visste jeg liksom ikke om jeg skulle smile eller skamme meg. Jeg vet fortsatt ikke helt.

Respondent: Jamal
Bydel: Stovner
Innspillingsdato: 12. september 2001

Oløøøh ass! Sinnssykt da?! Hæ?! Hvor fuckings syk har ikke den dagen her vært a?

Dem folka ass, dem er gærne, mann.

Dem lagde kaos ass.

Jeg kom fra skolen og tenkte jeg skal sove, jeg pleier å sove liksom en time eller noe etter skolen, men Rash ringer meg og bare: «Ser du på tv?! Det kræsjer fly i New York.» Jeg bare: «Hæ? Hva?» og han bare: «Ja, gå og sjof!» Da jeg løper inn på stua, og Suli sitter der og ser på noen greier på tv, og jeg tar fjernkontrollen og skal skifte til nyheter, men det er ikke batteri på den, og jeg trykker på den knappen på tv-en, men den funker ikke, liksom tv-en vår er hundre år gammel, og jeg bare, fuck det her a, og jeg avor hjem til Rash.

Der jeg sjofa det første gangen. På rommen til Rash og Mustafa. Liksom, fy faen, hva skjer a? Er det her på ekte liksom? Først, jeg tenkte sånn, nei, det her er ulykke, men etter det, nei, sånn ulykke skjer ikke med to fly.

Det var *så* heftig ass. Liksom, når dem flya bare flydde inn på dem svære blokkene og liksom, bæm, eksplosjon, og alt bare blæsta, det var som fuckings knulling, mann.

Vi var helt gira liksom. Rash skriker. Jeg skriker. Bare: «Det her er så heftig ass!»

Liksom, fuck dem a, når du slæpper folka tusen ganger,

til slutt en kar kommer til å slæppe deg tilbake, ikke sant? Og det der var ikke bare slæpp ass. Dem knocka dem heftig liksom.

Så kommer Mustafa hjem, og jeg tenker han skal si sånn, ok, ro dere ned a, eller dere veit ikke hva dere snakker om, men han bare var like heftig gira. Han bare, faen, hva sa han igjen, han sa tinga på sånn skikkelig bra måte. Ja ass, han bare: «De er vår tids Saladin.» Sånn sa han. Liksom, at Saladin var en kar som kriga for oss da vi pleide å være store, du veit, kalifatet og sånn. «Vi pleide å rule verden før i tida», sa han. «Bare at folk har glemt det. Fordi vi har blitt blitt fitter, gutta, seriøst. Pakkisfitter, araberfitter, negerfitter, alle sammen. Folk bare kødder med oss, er det ikke sant? Se på Palestina, Kasjmir, Irak, Tjetsjenia, overalt kødder dem med oss. Men nå, endelig lager vi litt kaos tilbake.»

Jeg måtte bare buste litt greier om i dag ass. Faen, klokka er liksom, hva er den a? Tre ass, jeg vekker sikkert folka her. Det er så lett å høre hva som skjer på dassen, tro meg. Veggene er sånn jeg kan slå hånda mi på den og brekke veggen.

Syk fuckings dag ass.

Peace

Fra: Mo <mo.1@hotmail.com>
Sendt: 12. september 2001
Til: Lars Bakken <lars.bakken@nova.no>
Emne: Kartlegging av hverdagen til unge i Groruddalen

Det er vanskelig ikke å tenke på det, ikke sant? Bildene forsvinner liksom ikke. Ikke fra oss som ikke visste hva som kom. Som bare fikk det slengt i ansiktet, og så har det blitt der, klistra fast. Som hos meg, som kom intentanende hjem fra skolen da faren min ropte fra stua:

«Et fly har kræsja midt i New York.» Han satt på kanten av sofaputa og myste mot skjermen.

Det ene flyet, så ett til, smalt inn i glassveggene. Store ildkuler sprengte seg ut. På bakken samla folk seg. Alle så opp. På at mennesker hang ut av vinduer. Noen kasta seg ut. Kroppene deres var så små, så stive, som om de ikke var mennesker lenger, men dukker som falt sakte gjennom lufta. Pentagon gapte. Åttekanten var ikke en hel lenke lenger. Så raste de. De to store tårnene, og flere små. Jeg husker den grå skyen som jagde de som sto på gata, og slukte de treigeste. Kamera rakk ikke å følge skyen lenge.

«Har du noe nytt, John? Om det siste flyet?» spurte den amerikanske nyhetsoppleseren TV2 hadde kobla seg på, men John bare sto der uten å si noe og så tomt på oss. «Jeg … Jeg vet ikke», mumla han. Minutter etter så vi et brennende krater på et jorde.

Asma og Ayan ble sendt på rommet. Bare tv-en snakka i

stua. Noen ganger på norsk, noen ganger på engelsk, og jeg visste det allerede da jeg satt der i går, at det her var større enn noe annet.

Utover ettermiddagen begynte de å spekulere i gjerningsmenn. Da kvelden kom, hadde alle kanalene samla seg om de samme. Jeg har ikke sett faren min sånn før. Han snakka nesten ikke hele gårsdagen, bare tromma på sofaputa med pekefingeren i timevis. Før han la seg, sa han til meg:

«Det her er ikke bra.» De få ordene holdt meg oppe til over midnatt, mens den blå himmelen i New York ble lyst opp av oransje ildkuler på skjermen, gang på gang.

I dag hadde jeg ikke time før etter storefri. Det var nesten ingen ute i gangene da jeg kom, men da jeg gikk den korte trappa opp til annen etasje, sto Jamal borte ved brusautomaten med to andre.

«Olø ass!» De ropte og lo og ga hverandre high fives som smalt mellom veggene i den trange passasjen. «*Så* sinnssykt da!»

Idioter, tenkte jeg. Jeg forstår ikke hvordan noen kan smile 12. september, enda mindre le.

Men jeg turte ikke si noe til dem, og da jeg kom inn i klasserommet, sto Trude der like alvorlig som meg. Hun snakka sakte til oss.

«De tragiske hendelsene i Amerika har gått inn på oss alle. Skolen synes derfor det er passende at vi avholder tre minutters stillhet for ofrene for dette fryktelige angrepet.»

Hun fortsatte å snakke. Om familier og barn som hadde mistet en kjær. Om brannfolk som ofra livet mellom flammer og støv. Alt handla om de døde for Trude, og det var egentlig først da jeg tenkte skikkelig på dem.

Klokka slo tolv nøyaktig. Trude holdt pekefingeren mot munnen. Vi reiste oss. Klokka tikka høyt, mye høyere enn den pleier. Jeg sto der og tenkte på de svære bygningene som skulle stå, men raste, og på lange lenker som var hele, men ble brutt.

De tre minuttene forsvant ikke. Jeg lente rumpa mot pulten. Den bevegde litt på seg. Trude så på meg. Jeg så på henne. Kragen rundt halsen hennes var stram, så stram at jeg nesten venta på at den skulle sprette opp. Den bare stramma seg mer. Huden på halsen tøt ut over den. Min egen føltes like stor. Som den fyltes innenfra og vokste utover.

«Da begynner vi undervisningen.»

Jeg sank ned på stolen og svelget.

Da jeg kom hjem i stad, var det til de samme bildene. Flyet som fløy rolig mot den blå himmelen og speilte seg i det skinnende glasset, de intense, flammende ildkulene. Det er, jeg vet ikke, pent, på en sinnssyk måte, pent og kjempeskremmende, som et vulkanutbrudd midt på natta. Stadig oftere ser jeg bilder av skjeggete menn i hvit kjortel. Nå nettopp talte president Bush om krig fra Det ovale kontor. Han så på oss. Han som pleier å se så morsom ut selv om han sikkert ikke vil, han fikk det til nå, å være fullstendig alvorlig. Fikk du med deg det? Hørte du han snakke om kampen mellom godt og ondt som står foran oss? En dyptgående, langvarig og monumental kamp.

Jeg klarer det ikke. Jeg skjønte det i stad. Det her går ikke lenger. Jeg har bestemt meg for at det er nok nå. Jeg kan ikke ha mer av sånt. Jeg kan ikke ha noen ting.

Respondent: Jamal
Bydel: Stovner
Innspillingsdato: 12. september 2001

Norske folk er fucka folk.

Sorry ass, jeg må si det. Dere er fucka folk.

Jeg kommer på skolen til første time i dag liksom, første time, mann! Og du veit hvor seint jeg var oppe i går. Til klokka tre, ikke sant, så jeg sovde, hva, fire timer eller noe, men jeg drar på skolen likevel. Det er bra, ikke sant? Skal jeg ikke få skryt da? Nei, nei. Fuck det. Ikke si no bra til Jamal liksom. Bare lag pes for han hele fuckings tida liksom.

Du veit, nå det er starta å være jævlig kaldt på morningen, ikke sant? Og så det blir varmere på dagen. Men på morningen det er kaldt som faen, og vi har naturfag med Edvard i første time, og han bare, i dag skal vi ut og se på naturen og finne noe greier borte i skogen ved Rødtvet der. Jeg tenkte bare, ut liksom? Jeg kom nettopp inn ass, og så skal vi dra ut igjen? Hvorfor måtte jeg gå fra Rødtvet til skolen da? Liksom, hadde jeg visst, jeg hadde møtt dem der, og da kan jeg ta en T-bane seinere og sove mer, skjønner du hva jeg mener? Så jeg bare sa sånn «fuck ass», lavt og sånn, men han hørte det eller no og gidde meg blikk.

Så vi går til den steden og jeg tar sigg på veien, og han starter med enda mere blikk. «Kast den sigaretten.» Og jeg liksom, fuck ass, men ok, jeg tar to trekk til, og jeg skal kaste den, og da han sier: «Nå!» Skikkelig høyt og sånn.

Liksom, det er kaldt og jeg prøver å gå på sola, men vi kommer på skogen og det er bare skog. Det er ikke sol der liksom, og jeg fryser, og jeg er trøtt, og du veit hvordan du bare fryser mere da. Så jeg bare: «Fuck, det er kaldt ass!» og Edvard kommer til meg og sier: «Hva er problemet?» Jeg sier: «Problemen er det er kaldt.» Og veit du hva han sier? Han bare: «Sånn er det her i Norge. Fryser du, må du kle deg bedre.»

Jeg sverger, han sa det. Sånn er det i Norge liksom? Som jeg ikke veit? Hva faen? Du skal lære meg om å bo her liksom? Fuck han, og jeg sier det til han ass. Jeg bare klikka helt. Bare: «fuck deg a, jeg stikker fra den jævla skogen her. Stikk den treen opp i ræva di a, soper.» Så avor jeg tilbake til skolen ass.

Og liksom, det var ikke hele greia engang. Kompis, det var mere. Jeg kommer tilbake til skolen og møter Rash og sånn, og vi henger litt der, og vi møter Arsalan og han var sånn som oss, bare helt gira på å snakke om dem gutta som lagde kaos i Statene. Så vi snakker om det og tar sigg og ordner oss noe mat og sånn, helt til storefrien blir ferdig.

Jeg er ikke så pissed mere da. Men jeg kommer der etter storefri til geotimen og alle sitter der og hun dama som er geolærer, Karin, hun er skikkelig trist og sånn. Og jeg bare, hva skjer liksom? Og hun sier til oss:

«Nå skal vi ha tre minutters stillhet for å hedre alle de uskyldige ofrene etter gårsdagens tragedie i USA.»

Og alle må reise seg, og folka blir stille og vi står der liksom, og hun Karin, lærern, blir helt sånn, liksom du ser hun holder på å grine. Plutselig, jeg hører Carina som har plass bak for meg griner også. Du veit sånn når dem liksom, som du hoster på en måte og du prøver å ikke gjøre det, men du gjør det, sånn grein hun. Og når jeg sjofer dem grine sånn, liksom grine sånn skikkelig for dem i Statene, jeg blir pissed. Liksom, dem griner så heftig for dem, men ikke for andre, aldri for andre ass, og det får meg til å tenke enda mere sånn, liksom dem der og meg, nei ass, vi er ikke det samma, skjønner du hva jeg mener? For da dem hadde grini litt for andre også. Men nå vi skal stå her ikke én minutt, men tre fuckings minutter for uskyldige på USA?

Hør a, seriøst, noen uskyldige folk daua der, men liksom, uskyldige folk dauer mere på svartinger sine land på grunn av USA, ikke sant? Så hvordan er dem på USA helt uskyldige da? Er ikke vi mere uskyldige enn dem?

Jeg tenkte sånn, det her går ikke. Jeg kan ikke stå her og gjøre ingenting. Gutta har knocka fuckings USA, og jeg skal stå her og være bitch? Så jeg snakka ass. Liksom: «Det her er bullshit ass», sier jeg til dem. «Dere veit ikke en dritt ass. Hvor er tre minutter for alle på Palestina a?» Jeg sverger, hun Karin virka som hun skal daue ass. Hun bare, øya hennes var så svære ass, du veit ikke, og jeg var litt sjokka jeg også liksom. Faen, kroppen min rista og sånn, og hjertet er som jeg løpte Cooper-testen, bare ba-bank, ba-bank. Men jeg stoppa ikke ass, liksom: «Hadde det her skjedd med svartinger, dere hadde gitt så faen.» Og hun Carina starter å skrike, liksom skrike sånn skikkelig opp i trynet på meg. «Du er så jævlig respektløs!» Og jeg bare: «*Jeg* er respektløs, er du skada elle? Dere er respektløse! Ikke kall meg respektløs, jævla drittkjerring.»

Hun Karin tar armen min, og sier liksom, hva sa hun igjen a, sånn skikkelig norsk ord, ja: «Makan!», og hun klypte skikkelig på armen min. Sånn hardt, du veit, neglene var inni på huden, og jeg sier til hun: «Slipp armen min, faen ass.» Og hun slipper, men sier bare: «Ut på gangen, nå med en gang!» Jeg bare: «Fuck ut på gangen, bitch, jeg skal ut av skolen.»

Snakkes a, Bredtvet.

Jævla drittsted med bare drittfolk.

Ferdig med det fucka stedet der ass.

Snakkes.

Fra: Mo <mo.1@hotmail.com>
Sendt: 25. september 2001
Til: Lars Bakken <lars.bakken@nova.no>
Emne: Kartlegging av hverdagen til unge i Groruddalen

Jeg tenker ikke like mye på det nå. Bush og krig, med oss eller mot oss, alt det der. Altså, jeg tenker på det, jeg klarer ikke *ikke* å gjøre det. Men ikke like mye.

Jeg har begynt å snu hodet en annen vei når jeg går forbi Narvesen på vei til T-banen, så jeg slipper å se forsidene på avisene. Jeg bruker ikke nettet mer enn jeg må, og i hvert fall ikke nettaviser. Jeg bytter kanal når nyhetene kommer på. Hvis jeg hører noen diskutere noe som ligner noe som kan bære feil av sted, flytter jeg meg vekk fra det så fort jeg kan. Jeg finner på unnskyldninger til folk, som at jeg plutselig må et sted, eller avbryter dem midt i det de sier, som Özkan, som skal etterligne Bush hele tida. Han er ikke flink til det engang. Jeg mista en sitteplass på T-banen forrige uke da det satt en mann med VG rett fremfor meg. Hele forsida var et bilde av World Trade Center, og jeg stirra rett i den brennende skyskraperen. Jeg prøvde å se ut av vinduet, men da så jeg den i gjenskinnet. Jeg måtte bytte til ståplass i midtgangen.

I går skulka jeg nesten en hel historietime. Jeg pleier ikke å gjøre sånt, bare så du vet. Og det er ikke noe problem, jeg har nesten ikke noe fravær, og jeg måtte. Finn, historielæreren, delte oss opp i grupper da vi kom. «I dag er dere historikere», sa han. «Velg dere en hendelse dere vil presentere for klassen. Se om dere klarer å tolke hendelsen i et historisk perspektiv. Hvordan startet den? Hvem var aktørene? Vet vi noe om ettervirkningene?»

Jeg ble satt sammen med Hans Christian og Modassar.

«11. september», sa Modassar. «Terrorangrepet i New York», sa Hans Christian. De sa det omtrent i munnen på hverandre, de to største kverulantene i klassen. Da unnskyldte jeg meg med at jeg måtte på do, og kom meg vekk.

Jeg gikk på do. Så røyka jeg en røyk ute i skolegården og så inn gjennom vinduene på alle som satt med albuene på pulten eller vippa med stolen. Jeg gikk opp til administrasjonsfløyen og spiste et par overmodne moreller fra treet utafor.

Det skurra hele veien. Som om rektor hvert øyeblikk skulle stå i døråpningen og spørre om hva i all verden jeg holdt på med der ute. Jeg så bakhodet hans inne på kontoret. Han gjorde ingen tegn til å reise seg fra stolen. Jeg tror ikke han hadde brydd seg uansett, men jeg ble litt stressa av hele den skulkinga.

Jeg håper jeg ikke trenger å skulke mer.

Det er litt slitsomt, men jeg har det bedre nå.

Respondent: Jamal
Bydel: Stovner
Innspillingsdato: 22. oktober 2001

Halla.

Føler meg så bra da.

Jeg har ikke vært på Bredtvet igjen ass. Han ene rådgiverkaren ringte meg og sa jeg må komme og snakke med han, men jeg chillern med det ass. Hva skal han fortelle meg liksom? Jeg er ferdig med den steden.

Moren min backer meg da. Eller liksom, først hun var sånn, det er ikke bra. Mange ganger, hun sa til meg sånn, Jamal, du *må* gjøre ferdig skolen. Jeg sa til hun liksom, jeg tar en pause bare, og liksom, jeg skal skaffe en jobb og sånn isteden. Da hun var mere sånn, ok, du kan ta litt pause, men du må hjelpe til her med penger og sånn når du får jobb, og du må fortsatt ta med Suli på morningen til barnehagen hvert fall noen ganger på uka.

Egentlig jeg tenkte at jeg kan sove litt lenge når jeg ikke går på skolen, men liksom, ok, siden hun ikke lagde kaos på meg, jeg skal ikke lage kaos jeg heller. Det går bra å ta med han på barnehagen liksom, du veit, jeg passer på han, alltid, men også på en måte jeg syns egentlig hun skal ta med han litt mere, ikke sant? Det er hun som vil mest at han går på barnehagen. Jeg veit ikke ass, jeg tror meste grunnen til hun vil han skal gå der, er sånn at hun skal være alene hjemme og slappe av.

Men ja, skal prøve å skaffe en jobb. Du veit, jeg skal ikke si fra til Lånekassa, så liksom, jeg håper dem ikke finner ut enda ass, og fortsatt dem sender meg flus, men sikkert dem finner ut til slutt. Så liksom, jeg må ordne jobb uansett.

Jeg snakka med han chippern på Burger King om jobb og sånn. Han er sjef der. Jeg tenkte sånn liksom, hvor stress er det å lage burger? Og jeg kan spise masse Whopper hele tida. Han bare, nei, vi har ingen ledig jobb her. Sorry.

Jeg veit ikke ass. Nå på mandag jeg sjofa en jente på kassa der jeg ikke har sett før, skjønner du?

Men jeg skal finne no, ikke no stress.

Imens jeg chillern. Hører på musikk. Får på noen morningser. Chillern med Sarah og sånn. Ting går bra der ass.

Jeg sa til hun jeg er ferdig på skolen. Samma dagen. Hun var ute på skolegården, og jeg var fortsatt helt sånn fuck off til alle folka, så jeg bare liksom kom ut der og:

«Jeg er ferdig på den drittsteden her.»

Hun bare: «Hva mener du?»

Jeg bare: «Dem tisharene her, jeg klarer dem ikke mere, skjønner du? Jeg får fuckings vondt i hoden av den steden her. Fuck skolen liksom.»

Hun bare: «Ok ...», men hun sa det på sånn måte, du skjønte liksom det var ikke bra.

Så jeg bare: «Liksom, jeg skal se og sånn. Det her er bare pause og sånn, du veit, samle tankene.» Jeg hørte en kar si det på tv, samle tankene, det hørtes fett ut, så jeg sa det liksom. Og hun bare «ok» en gang til, men den var bedre ok.

Så jeg sa: «Men vi chattes da.» Og hun bare: «Ja, vi gjør det.»

Etter det jeg har møtt hun mange ganger for å keefe. En uke, jeg var med hun tre ganger. Til sammen, kanskje jeg har vært med hun åtte ganger eller noe, jeg veit ikke, jeg har ikke gjort matte på det. Liksom, jeg tar med keefen og så vi møtes. Det går bra. Joint betyr dele, skjønner du hva jeg mener? Uansett, sikkert senere hun kjøper også.

Første gangen hun avor med en gang, husker du? Etter det, det har vært bedre. Liksom, vi har chilla hvert fall en halvtime, siste gangene litt mere. For litt sia, vi røyka tre jointer.

Vi har sånn sted vi har pleid å gå på hver gang, det er liksom sånn ikke for langt for hun, ikke for langt for meg. Stovnerbanen. Du veit, den løpebanen. Eller du veit ikke, men det er en svær løpebane der, og det er vei liksom rundt hele greia, og på den veien det er masse benk. Det er Haugenstua skole ikke langt borte, men det er ingen folk etter skolen.

Noen ganger det har kommi folk der med hunden sin, men dem lager ikke kaos. Dem bare går forbi oss liksom. En gang dem lankerne hadde lankalympics der. Vi kødder med lankerne og sier det. Lankalympics. Det er sånn alle lankerne i Oslo møtes der og løper mot hverandre og sånne ting. Plutselig han ene lankern på blokka mi kommer hjem med fem medaljer og sånn. Jeg sier til han: «Er det ekte gull elle?» Han bare: «Ja ass, tror det», men jeg kjente på den, den veide ikke en dritt.

Men liksom, vi har pleid å sitte der, sånn kanskje klokka sju, etter middag. På sånn soldager, eller liksom det er mer som solkveld da. Jeg liker den tida jævlig mye ass. Du veit, når sola er sånn varm, men ikke dritvarm, og den har sånn skikkelig bra farge? Liksom, ting ser fine ut da, skyggene blir sånn lange, og kidsa leker overalt og spiller fotball, voksne folka chiller og går tur og lager piknik på gresset og sånn, alt rolig, alt chill, og jeg sitter med hun og vi hører på musikk og jeg tenker liksom, shit ass, det her er bra liv, skjønner du hva jeg mener?

Det beste da, shit, jeg glemte å si til deg det beste. Hun hører på hiphop jo! Hun har peil også liksom. Hun kan ting om Pac og Biggie og sånn, men mest jeg tror hun hører på The Roots og Common og Talib Kweli og sånn. Sånn smarte rappere. Jeg liker smarte folk, sa hun.

Før jeg pleide ikke høre mye på dem ass, helt ærlig liksom. Sånn som når hun kom med den albumen *Train of Thought* med Talib Kweli, hun sier til meg: «Den er så heftig.» Jeg bare: «Ja ass», men egentlig jeg veit ikke hvem han er. Men nå, jeg digger han, jeg sverger. «The Blast» og sånn, den sangen vi har hørt mye på. Liksom, på en måte det er som den er sangen vår. Sånn alltid før vi avor, vi hører på den sammen. Hun tar den ene øregreia, jeg tar den andre øregreia, og vi sitter på benken der og hører.

Mest av alt hun liker Erykah Badu. Jeg sverger, hun digger hun. Hele tida, hvis jeg sier sånn, bare sett på hva du vil, hun setter på den ene albumen fra Erykah Badu, med den «Didn't Cha Know». Liksom, en gang jeg sa til hun:

«Hør a, den sangen er litt døv ass.» Den er det. Hvert fall når du har hørt den liksom ti ganger.

Hun bare ser på meg, ikke sur, mest liksom sånn, som jeg er dum.

«Det er fordi du ikke forstår den», sier hun. Så liksom, jeg kom hjem og prøvde å forstå den. Jeg hørte på den fem ganger mere, men fortsatt jeg forstår ikke hvorfor den er schpaa.

Noen ganger hun kommer med albumer fra andre folk også. Ludacris og sånn. Jeg veit du ikke veit noe om Ludacris, men liksom, det er grove greier noen ganger, tro meg. Det er sånn gutta hører på når dem er drita liksom, skjønner du? Plutselig en gang vi sitter på benken og den kommer på, den «Area Codes», og jeg var litt sånn, liksom flau ass, på en måte, jeg bare tenkte, skal jenter høre på sånt? Jeg veit ikke helt ass. Men liksom hun bare gidde faen og starta å synge: «I got hoes, in different area codes.» Og liksom en annen gang, vi snakka om hva som var kult på tv og sånn, og hun sa, jeg liker *Sex og singelliv*. Liksom, jeg har ikke sett den, men er ikke det sånn program der damene er skikkelig kæber og knuller masse karer og sånn?

Noen ganger, jeg sverger, jeg glemmer hun er en dame. Jeg glemmer jeg skal prøve å hooke opp med hun liksom. Liksom, hun er kul, skjønner du? Måten hun er på og sånn. Liksom, som jeg henger med en av kompisa mine. Men når hun smiler og sånn, da hun er skikkelig dame. Den pene dama. Jeg lover deg, hun er så heftig.

Jeg skal prøve meg på hun snart. Sånn ordentlig. Nå, vi bare snakker. Gir klem når vi sier hei og ha det. Liksom, jeg må bare finne en sted vi kan gå. Det er litt problemen nå. Det er kaldt, har du merka? Kan ikke sitte ute på benk liksom. Eller kan det, jeg gjør det med kompisa mine, men liksom, alle fryser som faen, og forrige gang jeg var med Sarah på Stovnerbanen, hun klagde så mye på at hun fryste på beina. Så det er litt sånn, ok, hva gjør jeg nå liksom? Snart, det kommer sikkert snø, hun gidder ikke sitte på benk med meg da.

Jeg skal finne på en idé.

Kanskje ... Det er sånt sted i byen, ved Grønland T-bane der. Jeg var der en gang med en kompis. Det er liksom pub da, men dem sjekker ikke leg så mye. Så jeg tenker liksom, kanskje jeg kan spørre Sarah om hun vil dra der.

Kanskje. Får se. Trøtt nå ass. Så, ok mann, prata lenge nok til deg. Snakkes.

Respondent: Jamal
Bydel: Stovner
Innspillingsdato: 6. november 2001

Halla.

Det var så bra da! Jeg tok hun med der jeg snakka om. På Grønland.

Jeg kødder ikke, det var *så* bra kveld. Du veit ikke.

Ok, jeg skal fortelle deg nå.

Jeg møtte hun ved T-banen der, utafor den steden. Men liksom, når vi kom der, jeg tenkte bare, fuck ass, fordi forrige gangen, da jeg tenkte ikke så masse på det, liksom jeg var litt drita, men nå jeg var ikke det, og den steden er tæz ass. Liksom, bare sånn utlendinger som kom på Norge i går liksom, og sånne norske, du veit, sånne skikkelige alkiser. På bakken inne der det ligger masse øl. Sånn når du går, skoa din sitter fast som med lim, skjønner du? Skikkelig nasty. Jeg tenkte liksom, fuck det her a, jeg er ghetto som faen, men det her er for søppel. Jeg kan ikke ta hun med på sånn sted. Og jeg var litt stressa liksom, ok, hvor skal jeg ta med hun nå? Men hun liksom bare så glad:

«Åh! Dem har jukeboks her.»

I starten det var sånn, vi hørte bare på musikken. Michael Jackson, Bob Marley, og noen andre gamle sanger, du veit, sånn Beatles og sånne, og hun kan mange av dem sangene. Bare synger sånn lavt på Elvis-sang og sånn, «ta-ta-ta-ta-taa-taa-taa ... with suspicious minds». Jeg liksom bare sjofa på hun og sånn, og hun så jævlig bra ut, liksom brae klær, sminke, hele greia, og jeg prøvde å finne på ting å si til hun, men liksom, det var vanskelig. Når vi får på, du trenger ikke si mye. Bare små ting her og der. Eller du får skikkelig pratekick, og ting ordner seg, du veit. Nå, det var sånn rart, plutselig vi sitter der på en bord, og det er sånn seriøst, så liksom, jeg starta å snakke til hun om seriøse greier.

Sånn: «Har du sjofa at USA bomber Afghanistan elle? Afghanistan har ikke gjort USA no liksom. Det er så fucka da. Dem bomber barn og sånn.»

Hun bare: «11. september er bøff.»

Jeg sier: «Hæ? Hva mener du?»

Hun bare: «De gjorde det selv. For å lage kaos. Nå kan de gjøre hva de vil de neste tjue åra. Afghanistan er bare starten liksom.»

Jeg trodde ikke på hun. «Ok, men hvorfor er det ikke på tv og sånn da? Noen folk må vite det hvis det er sånn.»

Og hun sjofer på meg, liksom sånn som jeg sjofer på Suli noen ganger, hvis han spør om ting, sånn skikkelig skada ting, sånn som for litt sia han spurte hvorfor vi kan ikke fly helikopter til barnehagen.

«Det er hemmelig da», sier hun.

Og jeg bare: «Hvorfor veit du det her liksom, når det er hemmelig?»

Hun sier: «Bare tenk på hvordan de bygningene raste. De raste som om noen putta en bombe inni dem, ikke sant?» Og hun forteller at fettern er sånn datakar. Han er skikkelig bra på internett, og han kan hacking og sånn. Han snakker med masse folk på sånn hemmelige chatsteder på nettet. Han har sagt til hun at folk sier det til han, folk som veit sånt.

Liksom, jeg tror på det ass. USA er så fucka at dem kan gjøre sånn ting, er det ikke sant?

Etter det, jeg prøvde å kjøpe øl. Jeg går bort til han karen som jobber der, sånn gammel pakkis liksom. «To øl.»

Han bare: «Hvor gammel er du?»

«Jeg er 21.» Jeg lekte smart vettu, tenkte liksom da jeg kan kjøpe sprit og sånn også, men han pakkisen bare ledde.

Han bare: «Glem det, du kan få kjøpe cola.» Jeg tenkte,

faen ass, om jeg sa til han jeg var atten, han hadde trodd på det og jeg hadde fått øl i hvert fall. Nå jeg måtte kjøpe cola.

Men hun jenta, hun er rå ass, jeg kødder ikke. Veit du hva hun gjorde elle? Jeg kommer der med cola, og jeg sier til hun sånn:

«Det her er fucka. Jeg får ikke øl her», og hun bare: «Det går bra, gi meg glasset ditt.»

Og hun smilte liksom på sånn smart måte og viste meg fra veska si. Hun hadde en flaske Absolut Vodka der. Så vi blanda den med cola.

Funka som faen ass. Etter da, ting ble enda bedre.

Liksom, vi ble begge full og sånn, og hun snakka om alt ass, jeg fikk vite mange ting. Sånn som med faren hennes.

«De skilte seg for lenge sia. Nå har jeg nesten ikke no kontakt med han liksom», sier hun. «Men jeg bryr meg ikke, seriøst. Jeg liker typen til mamma. Han har blitt litt som faren min i stedet.»

Når hun sier det, jeg tenker først liksom, hør a, glad moren min ikke er sånn ass. «Typen» liksom, det høres ikke riktig ut når du snakker om moren din ass. At hun har type. Men liksom, jeg sier ikke det til hun, jeg sier sånn: «Jeg veit hva du snakker om ass, faren min er borte også ass», og liksom, kanskje hun vil jeg skal snakke mere om det og sånn, men liksom, jeg snakker ikke mye til folk om han tisharen og sånne ting, men samtidig jeg ser hun likte skikkelig jeg sa det, liksom som nå, hun veit vi begge to veit ting.

Jeg spørte hun om hun er muslim liksom, jeg lurte på det, fordi faren til hun er det, derfor jeg tenkte kanskje hun er det også, men samtidig hun sier han ikke har vært mye på livet til hun, derfor jeg tenkte kanskje hun er ikke det. Liksom, jeg spørte ikke for å være bauers med hun eller no, mest jeg bare lagde ting å snakke om, men hun virka litt sånn liksom, som nå det er hun som ikke vil snakke mere, så da jeg sier: «Samma, det går bra. Du veit jeg ikke kjører mullastilen heller.» Hun tenker og sånn, så hun sier: «Alle må få kjøre sin egen stil ass.»

Etter det vi snakker ikke mere om seriøse ting. Hun sier vi

kan lage sånn lek, liksom vi velger andrehver sang på jukeboksen, og så skal vi synge høyt. Først det var hun, og hun tar den Michael Jackson, «Billie Jean», og hun lager skikkelig show, liksom kødder mye og sånn, du veit, lager sånn lyder Michael Jackson lager, til og med hun tar noen av moovsa hans. Hun kan dem ganske bra, men jeg kan dem bedre da, og jeg stådde opp og gidde hun sånn blikk, liksom på kødd: «Såpass, du vil battle meg elle? Kom igjen da», og jeg gjorde litt dansing mens hun syngte, og til slutt dem alkisene starta å klappe for oss, jeg kødder ikke.

Jeg syngte den Bob Marley «Buffalo Soldier», og helt ærlig ass, om jeg ikke hadde drikki, jeg hadde bitcha ut kjapt da, jeg synger tæz liksom. Sånn som en gang på skolen, det var sånn kulturkveld og liksom jeg var litt tøff, jeg sa jeg og kompis kan rappe «Ain't nothing but a G' thang», men liksom, den dagen jeg var så svett, jeg gadd ikke gå der likevel. Jeg bare: «Jeg var syk ass.» Men liksom nå, jeg gidde faen, bare starta å synge sånn høyt, «Buffalo soldier, stolen from Africa, brought to America. Said he was fighting on arrival ...»

Ha ha, trynet ditt nå er sikkert som hun. Hun bare fikk helt lættis ass, og da, jeg fikk lættis jeg også og loka med lyricsa, og alkisa så på meg og ropte liksom: «Dama di er flinkere enn deg, vi vil høre henne», men liksom, det var litt fett når dem sa dama di, og når sangen var ferdig, dem ville gi meg øl, men da han pakkisen kom og sa nei ass.

Dem kasta oss ut derfra liksom tolv eller no. Og vi tar siste togen til Haugenstua. Egentlig, jeg kan ta T-bane til Stovner, men liksom, jeg gidder ikke si det. Jeg bare går med hun til togen.

Når vi kom der på Haugenstua, det er sånn når du går av, det er en bro, liksom du kan gå til Haugen den veien, og du kan gå til Haugenstua og Stovner og sånn den andre veien. Vi stådde der ved den broa og jeg tenkte sånn, vi kan ikke gå hjem nå liksom, det her må bli mere. Så jeg sier til hun: «Vi går og får på nattings», for jeg hadde en liten kicker med boblings i lomma.

Hun bare: «Seff.»

Vi avor til den barnehagen fra første gangen. Med dem små borda. Det var helt mørkt der. I starten, liksom jeg sjofa hun ikke, til øya mine skjønte greia. Jeg mekka og sånn. Vi røyka, og du veit hvordan det er når du røyker og er drita, det blir litt vaskemaskin på hoden din. Liksom, jeg bare: «Jeg må legge meg ned litt ass.» Og hun bare: «Jeg også.» Så vi var på ryggen på borden der og bare prata sånn, liksom rolig, liksom vi kjente hverandre i ti år, skjønner du? Jeg sier til hun sånn:

«Det er heftig å henge sammen, og vi må fortsette med det liksom, selv om det er mer kaldt og sånn nå.»

Hun sier ja, og liksom litt etter det hun sier: «Mamma skal kanskje flytte til Sandefjord.»

Jeg bare: «Hva skal hun på Sandefjord?»

Hun sier: «Typen er derfra. De har snakka om å flytte dit.»

Jeg blir helt sånn, det her er ikke bra ass, og jeg spør hun:

«Skal du også flytte der?» Hun sier hun veit ikke.

Jeg bare: «Glem Sandefjord a. Stovner er så mye bedre enn Sandefjord.»

Hun bare: «Har du vært der?»

Jeg bare: «Nei ass, trenger ikke det.»

Etter det hun sier til meg: «Jeg veit ikke liksom, kanskje jeg ordner meg en en Ungbo-hybel eller noe hvis dem flytter. På Stovner-senteret er det masse av dem.»

Jeg bare, kjapt liksom: «Fett, kan besøke deg der.» Da hun ledde en gang til.

«Sandefjord videregående har bra musikklinje da», sier hun. «Mamma sier det hvert fall.»

«Glem Sandefjord. Du kan lage musikk her. Jeg kan lage beats og sånn.» Jeg prøver å gjøre beatbox, men liksom, jeg er ikke så flink på det, så jeg bare spytta, og siden jeg var på ryggen, spyttinga mi traff trynet mitt nesten. Hun ledde.

Jeg sier til hun: «Ok, du ler. Få høre du synger da. Ikke sånn køddete liksom. Sånn seriøst.»

Hun sier: «Hva skal jeg synge liksom?» Jeg bare: «Hva du vil, men ikke Erykah Badu.»

Hun ledde mere, og så sier hun orker ikke, men jeg sa sånn: «Kom igjen a», og egentlig ass, jeg tror hun bare lekte smart, for liksom jeg maste bare én gang og så hun starta å synge «Fallin».

Jeg veit ikke ass, liksom, kanskje jeg var litt for drita og stein og sånn, men wallah, aldri noen har syngi så bra. Det var bedre enn Alicia Keys liksom. Jeg sverger, jeg var sånn, jeg kan grine nesten jo. Når hun er ferdig, på mørket jeg ser hun smile liksom, litt sånn sjenert, og bare er dritpen liksom, og sier: «Var det bra?»

Jeg bare: «Så heftig ass», og liksom jeg klarer bare å tenke på jeg vil rote med hun nå.

Jeg sier til hun: «Jeg er med på forskning da, jeg hjelper en forskerkar med å forske. Jeg snakker til han om hvordan ting er. Liksom, det er ikke rapping da, men liksom, jeg buster for han om livet mitt liksom. Og han sier til meg jeg er jævlig viktig for forskinga hans.»

Hun bare: «Seriøst? Er du med på forskning?» og jeg ser hun digga det masse, liksom hun blidde sånn, hun trodde ikke jeg kan gjøre sånne ting. Og jeg bare, helt rå og sånn: «Jeg kan gjøre masse ting, du veit ikke» og liksom ansikten til hun er ikke langt borte fra min, og når jeg tar leppa min mot hun, jeg tror hun var på vei også.

Så vi rota ass. Yes, mann, vi gjorde det ass. Jeg sa det til deg, jeg ordner det! Det var sikkert sånn, jeg veit ikke, to minutter eller no vi rota, og leppa til hun var så brae ass, du veit ikke. Litt tjukke og sånn. Myk.

Shit ass. Jeg måtte bare si det til noen liksom. Jeg skal fortelle dem andre folka. Snart. Møter hun et par ganger til først. Jeg tenker liksom, hun er sånn, jeg kan bli sammen med hun, skjønner du hva jeg mener? Hun er sånn ass. Schpaa og sånn. Kul og sånn. Og smart og sånn også. Alt liksom. Jeg kan gå med hun og være stolt. Snart, mann, snart jeg skal fortelle folka om hun. Kanskje jeg tar hun med til T.U.V. og sånn. Lar dem møte hun.

Heftig, heftig, heftig.

Og mann, forskningsgreia funka så bra da, så liksom, takk for hook up-en.

Shit ass. Får ikke sove. Men ok, må prøve da. Må følge broren min på barnehagen om liksom fire timer.

Peace

Fra: Mo <mo.1@hotmail.com>
Sendt: 7. november 2001
Til: Lars Bakken <lars.bakken@nova.no>
Emne: Kartlegging av hverdagen til unge i Groruddalen

Det har ikke skjedd så mye siden sist, derfor har jeg ikke skrevet noe heller. Bare Bredtvet, men det er ikke noe å fortelle om derfra, egentlig. Skoleball, men jeg har en svær prøve i bedøk om et par dager, så jeg tror ikke jeg kommer til å gå.

Foreldrene mine krangla i går. Skikkelig. De pleier å krangle om småting. Sånn som oppvask. Eller at faren min skal få henta opp vinterklærne fra boden. Store ting er det ikke så ofte de krangler om. Nå. Det var mer før. Spesielt de første årene etter faren min slutta å jobbe. Mer tid, jeg vet ikke. Jeg hørte mest bruddstykker, de var flinke sånn. De var aldri foran meg, de store tinga. Som da faren min slo i bordet inne på stua så tallerkenene klirra da de snakka om barn. Eller penger. Eller kanskje det var begge deler.

«Når skal du skjønne at ting ikke er de samme?» ropte han. Jeg skvatt til inne på badet og skrudde ned strålen i dusjen. Det gikk en stund før moren min bistert sa:

«Det blir ikke bedre av at du sier det hele tida.»

Jeg hata kranglene deres, selvfølgelig. Jeg gjør det fortsatt, selv om jeg ikke blir like påvirka. Jeg vet liksom ikke hvem jeg skal heie på. Om jeg skal heie på noen. Dagen etter pleide jeg å være så snill jeg klarte mot den jeg tenkte hadde tapt. Som helt frivillig å tilby moren min å gå i butikken. Eller hjelpe faren min med å bære opp de klærne fra boden. Jeg vet ikke om de merka det.

Etter Asma og Ayan kom, roa det seg. Det tok ikke helt slutt, men nok til at jeg skvatt igjen i går, selv om det bare var bruddstykker da også. De begynte sent. Inne på sitt rom. Kanskje de tenkte at vi sov. Asma og Ayan gjorde det iallfall. Pusten deres gikk inn og ut i kor.

Moren min sin stemme brøt gjennom veggen først.

«Folk tror vi ikke liker dem! Folk sier vi ikke bryr oss lenger. Du ringer dem to ganger i året, på id. Aldri mer enn det. Din egen familie!»

Faren min brumma lavt. Hun fortsatte.

«Se på Mohammed. Han husker ikke engang, så lenge siden er det! Ingenting husker han. Og Asma og Ayan, de kan ikke finne det på kartet. Hva skal folk tro, si meg det?»

«Hvor mange ganger skal vi snakke om det her? Folk får tro hva de vil», sa faren min, høyere og tydeligere nå. «Hva vet de uansett?»

Døra til soverommet deres gikk opp. Jeg hørte skrittene hans innover gangen og bort til badet, så flytta de seg tilbake igjen.

«*Du* vet ikke. Tror du det er du som får høre? Tror du noen venter noe fra deg? *Jeg* vet. Ok? Det er *jeg* som vet.»

«Lever hele livet ditt uten noen ting å tenke på, du vet ingenting ...» Det siste ble mumla ute i gangen igjen, jeg tror ikke moren min hørte det.

Toalettet ble trukket opp. Vannet rant i vasken.

«Vi må spare, kanskje.» Han var i gangen igjen.

«Alltid spare ...», sukka moren min.

«Å ja, så du kan du trylle?» Faren min lo. Han ler egentlig veldig fint. Jeg har alltid hatt lyst til å le som han, ikke den uhørbare latteren min, det høyeste jeg får til, er klukking, men jeg vil ha hans dype latter. Den som får alle andre til å le. Men den var ikke fin da. For skarp. Og ingen andre lo.

«Vis meg hvordan da, trollmann, hvis du vet hvordan man tryller.»

Så ble døra lukka igjen og jeg hørte ikke mer.

Det er ikke helt sant det moren min sa, at jeg ikke husker noe. Jeg gjør det. Men ikke mye. Jeg husker en støvete gårdsplass med en rusten sykkel i et hjørne. Et hus i murstein med flatt tak. Lukta av jord og noe brent. Det husker jeg. Jeg vet ikke om det er riktig engang, eller om jeg blander mine egne bilder med de fra albumene i kommoden på stua.

De reiste ned for å vise meg frem, som en tre år gammel prins. Det høres i alle fall sånn ut når moren min forteller om det.

«Så dro vi til henne, og så dro vi til han.» Sånn snakker hun om det, hus til hus, slektning til slektning, som om vi var på turné. «Husker du hjemme hos den eller den, de som hadde et appelsintre i hagen?» Sånn kan hun si, men jeg husker ikke.

«Du husker vel det?» sier hun da, nesten oppgitt. «Du var jo så opptatt av det appelsintreet.» Jeg husker det ikke likevel.

Hun spør meg noen ganger om jeg har lyst til å dra dit. Om jeg ikke savner det. Jeg gjør ikke det heller. Hvorfor skulle jeg? Det er uansett så mange andre steder jeg vil reise til. Jeg har vært i Sverige et par ganger, det er det. Ikke Paris, London, New York. Sånne steder. Jeg vil mye heller dit enn dit moren min vil ha meg. Jeg sier ikke det til henne, da. Til henne sier jeg:

«Ja, det hadde sikkert vært fint om vi dro en gang.»

Asma og Ayan maser om å reise iblant, dem også. Til Disneyland. Faren min blir irritert. Moren min sier «kanskje» når han ikke hører.

Jeg må bli ferdig å skrive nå. Skal i butikken for moren min. Så må jeg lese til bedøk.

Respondent: Jamal
Bydel: Stovner
Innspillingsdato: 13. november 2001

Du veit ikke. Seriøst, du veit ikke. Hvor lenge sia er det? En uke. Skjønner du elle …

En uke ass, da vi var på Grønland og sånn. En uke er det sia.

Fuck hun jævla hora der, seriøst.

Liksom, jeg hadde ikke snakka med hun så mye, bare en melding, sånn, det var kult i går, ja, det syns jeg også. Så liksom, på fredagen, jeg sendte hun ny melding. Ikke no spes, liksom sånn: «Hva skjer? Skal vi finne på no?» Hun tar skikkelig lang tid på å svare. Liksom, hun pleier å svare ganske kjapt, men nå hun svarte sånn klokka tolv, og jeg sendte melding sånn klokka åtte eller no. Hun bare: «Jeg er på skoleballet i dag.» Med smiley. Og jeg tenkte, sant det, Rash også sa til meg det var skoleball på Bredtvet. Så jeg tenkte, ok, greit nok liksom, selv om egentlig, det hadde vært ganske kult å være med på den ballen og være drita med hun igjen, men liksom uansett, jeg tenkte jeg snakker med hun i morgen.

Lørdagen jeg våkner. Moren min sender meg på senteret for å ordne melk og masse greier. Så jeg går der, og det er helt vanlig dag, helt vanlig, men liksom noen ganger, du veit det blir drittdag, skjønner du hva jeg mener? Det er som, jeg veit ikke ass, liksom jeg bare husker det litt da. Han tisharen faren min, vi var hjemme hos moren hans, liksom bestemoren min da, ikke her i Norge, og jeg var liksom liten og sånn. Og det var id, og du veit på den ene id så dreper vi lam. Det er historien med Ibrahim. Du veit sikkert. Han skal drepe sønnen sin, så stoppa Gud han, nå vi dreper en lam i steden. Og jeg husker den lammen. Dem kjøpte den dagen før og den står ute ved husen vår og chillern. Jeg blidde så kompis med den ass. Gidde gress til den og tok bilde med den og sånn.

Dagen etter, da det er tida for at den skal dø. Og jeg sverger, den skjønte det. Ingen hadde kommi nær den ass, ingen så på den, ingen hadde fiksa kniven eller no, men den våkna, og den skjønte greia. Jeg skal dø nå liksom. Og den begynte å fryse. Liksom, hele kroppen dens ass. Frøys som faen. Og den ville ikke flytte seg da dem begynte å dra på den. Den lagde masse fucked up lyder og sånn. Som den skreik, liksom, skjønner du? Liksom, ikke skreik egentlig, mer sånn, som den grein eller no. Og da jeg starta å grine så mye også, og jeg sier til faren min, hvorfor må dem drepe den? Og han bare: «Slapp av, sånn er det. Hvis vi skal spise, den må dø.» Men etterpå, jeg ville ikke spise den ass. Jeg husker det. Dem prøvde å gi meg sånn kjøttbit, jeg bare, nei, ikke faen ass. Og faren min var så sur. Sa sånn: «Han drittungen der er bortskjemt. Han får gå på en annen rom og sitte der og være sulten.»

Jeg var der inne og jeg grein så mye mere, men liksom, han tisharen, jeg hørte han si ute der sånn: «Hva i helvete er det han griner for? Det er ikke noe synd på han.»

Alltid han var sånn, hjemme også, klikka hvis jeg griner. Kjefter mer og sånn. «Vær stille for faen. Orker ikke det bråket ditt.» Eller kjefter på moren min. «Få han jævla ungen til å holde kjeft.»

Heldigvis den dagen, moren min kom med mat til meg, han visste ikke, liksom hun bare: «Her, spis fort.»

Så, ja, uansett, sånn som den lammen, sånn jeg var på lørdag. Liksom når jeg gikk opp til senteret, jeg tenkte, det her blir fucka dag.

Når jeg kommer borte ved Burger King, jeg ser Rashid

snakker i mobilen sin, og han lager sånn med henda, sånn, bare vent, jeg er ferdig snart. Og jeg tar sigg, og han blir ferdig, og han sier til meg: «Du veit hun Sarah, ikke sant?»

Og jeg bare skjønte ikke en dritt, så jeg bare: «Hæ, hvem Sarah?»

Han bare: «Du veit, du pleide å snakke med hun litt på Bredtvet.»

Jeg skjønte fortsatt ikke en dritt, og jeg liker ikke at han sier navnet til hun, så liksom jeg spør: «Ok, hva med hun?»

Han bare: «Jeg knulla hun i går ass. På nachspiel etter skoleballet. Blæsta inni hun. Nå jeg må kjøpe angrepiller og få hun til å tygge dem.»

Jeg sverger, sånn sa han. Jeg bare, liksom, jeg sa ingenting ass. Jeg klarte ikke, jeg lover deg. Du veit jeg snakker hele tida liksom, men liksom, det var som kroppen min blidde helt fucka og jeg må sitte eller noe. Han prøvde å gi meg «give me five» og sånn, jeg merka det ikke liksom. Jeg bare tenkte sånn hundre millioner ting på en gang. Liksom, det her må være bullshit. Kanskje han snakka om en annen dame? Jeg begynner å tenke om det var noen andre Sarah på Bredtvet jeg snakka med. Liksom, det kan ikke være hun. Hun arsko ikke Rash liksom. Nei, nei, det går ikke. Plutselig, jeg merker jeg driver og går etter han på apoteket liksom og leiter etter angrepille.

Så jeg avor ass. Jeg takla ikke trynet hans mer ass. Jeg avor hjem og sa til moren min sånn, få Suli til å kjøpe melk. Hun sier: «Men han klarer ikke bære så mye.» Jeg sier: «Samma for meg.» Og jeg bare går inn på dassen, jeg orker ikke prate mere med folk.

I starten, jeg tenkte mye sånn, faen, det var ikke bra at jeg slutta på Bredtvet ass. Skikkelig mye jeg tenkte det. Rashid snakka sikkert med hun på Bredtvet og sånn. Liksom, hvis jeg var der fortsatt, kanskje jeg kan stoppe ting. Men nå bare Sarah er der. Og Rashid er der. Jeg hadde sånn syke tanker, jeg sverger. At han arsko hun inne på den råtne dassen der og sånn.

Liksom etter det, jeg blir skikkelig pissed på han. Liksom, jeg sa ikke til han, men jeg tenkte liksom, han der? Jeg veit noen damer digger han, med dem store øya hans og sånn, og han snakker mye piss. Han får folk til å tro han er så rå kar, som veit alt om alt liksom, men egentlig mye av tida jeg føler han bare hermer fra broren sin. Sikkert han snakka sånn piss til hun, og hun tenkte sånn, åh, han er skikkelig smart. Og liksom, fuck Jamal, han er ingenting. Går ikke på skole, og har ikke jobb.

Det verste ass, jeg sverger, det *verste* med hele den greia her, det er sånn som i går. Vi sitter der og røyker liksom, på garasjetaket, Majid og Tosif og Abel og meg. Og Rashid var der. Stygge trynet hans. Og jeg var sånn dårlig stein. Du veit jeg fortalte deg om bra stein? Det her var dårlig. Sånn der du bare tenker så masse noiatanker liksom, og du prøver liksom stoppe dem, men det bare kommer mere. Og dem starter å snakke om kæber liksom. Abel først. Han snakker om en kæbe han har arsko, om titsa til hun og alt mulig. Og jeg tenker, fuck det her, jeg vil ikke høre, skjønner du hva jeg mener? For jeg veit liksom, ok, nå alle gutta kommer til å begynne med historier. Så jeg tenker liksom, jeg avor, jeg må bare finne på no, og selvfølgelig, akkurat da, Rash begynner med liksom Sarah sånn og sånn. Sa noe om rumpa til hun. Og jeg bare, begynte å snakke med Tosif skikkelig høyt, bare: «Vi mekker en til a, Tosif», liksom få dem til å tenke på joint, men dem gutta var helt på kæber. Plutselig, jeg hører Abel si Sarah også. Han bare: «Hun halv marokk-kæba fra Haugen? En kompis av meg har vært der han også liksom.»

Jeg sverger, aldri jeg har blitt sånn før ass. Kanskje den keefen var brutal, eller, jeg veit ikke. Jeg fikk sånn heftig svetting og sånn, og det var kaldt ute. Det kom røyk fra trynet mitt liksom inn på lufta. Dem sjofa på meg liksom: «Shit ass mann, hva skjer med deg? Trynet ditt er helt hvit liksom.» Jeg bare: «Jeg er syk ass.» Så avor jeg.

Etter det, når jeg kommer hjem, jeg starter å tenke nye ting, liksom, hva er fuckings problemen til hun kæba? Liksom, hva er gærent med hodet til hun? Liksom, jeg veit hun veit at jeg veit, for hun har ikke sendt meg noen meldinger. Og hun veit Rash er kompisen min. Hun veit han forteller meg ting.

Liksom, hva faen, hvorfor sender hun ikke noen melding. Hun burde si sånn sorry, i hvert fall, syns du ikke?

Snakkes.

Respondent: Jamal
Bydel: Stovner
Innspillingsdato: 21. november 2001

Hør a, jeg skal ikke snakke mye om hun dama lenger. Jeg snakker ikke med hun. Hun sender ikke melding. Jeg sender ikke melding. Glem det. *Glem* det. Nå, det er, hva da, tre uker eller no.

Jeg orker ikke være pissed på Rash nå. Før, helt ærlig, jeg ville slå han liksom. Liksom, hvorfor hun? Finn en annen liksom. Men nå jeg tenker, hør a, fortsatt jeg blir litt kvalm av trynet hans, men liksom, han visste ikke. Han visste jeg kjente hun liksom, men ikke mere, skjønner du hva jeg mener?

Det er hun bitchen som er bitchen.

Kjører sånn norsk kæbestil liksom. Bare knuller masse karer her og der. Fuckings Jazzy Belle.

Sikkert hun spiser gris også.

Jeg tenker ikke mye på hun nå ass. Fuck hun a, seriøst.

Respondent: Jamal
Bydel: Stovner
Innspillingsdato: 3. desember 2001

Hun ringte til meg da. Jeg skjønte ikke en dritt ass, jeg sverger. Jeg var på vorspiel i tredje høyblokka. Ikke sånn drita liksom, men du veit, god stemning og sånn. Plutselig, det ringer på mobilen. Jeg ser «Sarah». Liksom, egentlig jeg tenkte å slette nummeret til hun, jeg veit ikke ass, liksom, jeg glemte det. Først det var sånn, jeg skjønte ikke. Hva, hvorfor ringer hun liksom? Jeg tenkte, jeg gir faen med å svare, men liksom, jeg må høre hva hun vil si også, skjønner du hva jeg mener? Så jeg bare var litt hard og sånn, liksom: «Ja?». Ikke hallo, bare: «Ja?»

Hun spør meg: «Hva gjør du?»

Jeg sier: «Er på fest.»

Hun bare: «Å ja.»

Jeg bare: «Hvordan det?»

Hun sier sånn: «Det var ikke noe spes. Jeg tenkte liksom bare, hvis du ville, så kan du komme bort hit, og vi kan snakke litt.» Hun sier det på sånn måte, sånn liksom, litt trist, men også litt sånn, whatever.

Jeg sier en gang til: «Jeg er på fest ass.» Og hun sier på samme måten, liksom: «Ok, hadde vært kult å få snakka med deg.» Til slutt jeg tenker, ok, veit du hva elle, hun vil snakke, ok, jeg skal dra der, og jeg skal faen meg fortelle hun ting, skjønner du? Så jeg sier: «Greit, jeg kommer der om halvtime eller no.»

På vei der, jeg var så pissed, du veit ikke. Bare tenkte på alle tinga jeg skal si til hun. Liksom, kanskje jeg bare skal ringe på der, og så være helt Kurupt: «Fuck deg a. Can't make a hoe a housewife», og så avor igjen. Sånne ting.

Så jeg kom der og ringte på, og hun åpna, og hun smiler liksom, du veit jeg blir ødelagt når hun gjør sånn, og det var like bra som det pleier liksom, bare litt mer sånn, jeg veit ikke ass, sjenert, som når hun syngte. Og når jeg ser hun, jeg bare, liksom, faen ass, jeg klarer ikke si alle dem tinga jeg tenkte å si, skjønner du hva jeg mener?

Jeg går inn der, og det er ingen folk. Moren er med han karen sin. Det ser ut som hjemme hos poteter der. Liksom, svartinger har alltid masse greier. Svære tepper og sånn. Ord fra Koranen på veggen, du veit, sånne ting, men der det var bare vanlige ting. Sofa og bord og sånn. Og bøker og sånn. Og det lukter sånn norsk. Liksom, jeg kan ikke forklare for deg, men norske folk, ikke noe diss liksom, men dere lukter rart, liksom som dårlig melk eller no.

Uansett, vi sitter på sofaen der, og rommen er helt mørk. Tv-en var på da, MTV, men bare det. Hun sier til meg: «Er du hypp på vodka?» Og det er sånn skap der med så mange flasker med alkohol. Hun bare:

«Jeg får lov av mamma, bare jeg ikke bånner flaskene.»

Jeg sier liksom: «Greit.»

Hun lagde heftig sterke drinker, sånn 50/50. Hun tok sin glass på sånn fire slurk. Og bare fyrte på sigg inne, liksom, det er ikke no stress.

Etter vi har tatt sigg, hun tar av lyden på tv-en. Hun sier: «Jeg har tenkt den siste tida.» Og så hun starter å snakke masse, liksom, at hun likte meg så godt, og at jeg var så snill, så mange schpaae ting om meg hun sier. Og så hun sier masse ting om oss, sånn som hvor mye hun savna når vi hengte sammen og når vi var på Grønland og sånn. At det var skikkelig kul kveld. Og hun sier ikke no om Rash og sånn, hun bare sier, noen ganger ting skjer, uten at dem betyr en dritt.

Kanskje en kvarter hun snakka. Hele tida jeg holder kjeft. Jeg veit ikke hva jeg skal si til hun.

Til slutt hun sier til meg: «Hva tenker du?»

«Jeg veit ikke ass», sier jeg til hun, men jeg sier ikke mere ting, bare liksom, tenker. Plutselig hun legger hoden sin oppå beina mine, og liksom, hoden er skikkelig varm, og jeg veit ikke hvorfor ass, jeg starter å ta hånda på håren til hun sånn fram og tilbake. Liksom hun ser ut som ... Jeg veit ikke ass, som hun er litt stakkars. Som hun er Suli, når han griner altfor mye. Da jeg gjør sånn med han også. Og vi sitter sånn og hånda går fram og tilbake på håren og jeg tenker på så mye ting. Liksom, fuck ass, hva vil du? Det var du som fucka opp ting. Hvorfor lager du kaos nå? Jeg hadde starta å gi så faen liksom, hvorfor fucker du opp det? Hvorfor knulla du Rash? Og andre folk? Hva, du tror liksom du skal gå rundt og knulle karer, og jeg skal bare være snill og si drit i det, det gjør ikke noe, kom her, jeg skal stryke håren din? Og jeg starter å tenke enda mere sånn, og jeg blir pissed igjen, liksom, hva, jeg skal gå rundt med en dame som har knulla kompisen min, og kalle hun dama mi? Det går ikke.

Liksom, jeg flytter hånda. Sånn fra håren og ned til, du veit, lenger ned. Hun ser på meg og sånn. På sånn rar måte. Shit, jeg veit ikke ass. Liksom, sånn som hun bare: «Sikker på det her?» eller no. Jeg veit ikke. Jeg fortsetter liksom. Tar av gensern hennes. BH. Men hun sier ikke no, skjønner du? Bare helt sånn, som hun gir faen, ikke glad, ikke pissed, ikke en dritt liksom. Jeg tar av dem andre klærne til hun. Mine også. Liksom, hele tida jeg er så pissed, hoden min bare er helt sånn, hvorfor jeg skal være mer pingle enn dem andre folka, skjønner du? Hvorfor jeg skal være englebarn når ikke hun er englebarn? Så jeg begynner med, du veit ...

Shit, jeg veit ikke hvorfor jeg sier dem tinga her til deg ass. Liksom, knulla, faen, men jeg klarer ikke lenge. Det funka ikke ass. Der nede, ting bare stoppa. Jeg klarte ikke bli ferdig liksom.

Etter det, vi bare sitter der. Ser på MTV uten lyd. Jeg ser på den, men jeg ser ikke på den, skjønner du hva jeg mener? Liksom jeg husker ikke én sang som var på den da. Mens hele tida hun bare sitter der med ingen klær og ser på tv-en også. Og hun sier ikke en dritt, liksom ansikten er fortsatt helt sånn: Jeg gir faen i alt.

Jeg sier til hun, syng da. Jeg veit ikke hvorfor jeg sa sånn ass. Eller liksom, jeg vil hun skal synge no fint eller no. Hun bare sier ikke no.

Jeg sverger, jeg klarte ikke være der mere. Jeg tar på klæra, og jeg går på doen og vasker meg, og jeg går ut, nesten til stua, og jeg ser hun, hun tar ikke på klær, bare sitter der fortsatt uten klær, og jeg bare …

Shit.

Jeg veit ikke ass. Jeg var ikke pissed da ass, jeg var bare sånn … Egentlig, jeg hadde lyst til å gå til hun og gi klem til hun eller no, men liksom, jeg klarte ikke ass. Det går ikke. Det er ikke vits å tenke at ting som fins, er ting som ikke fins, skjønner du hva jeg mener? Selv om du skikkelig vil gjøre det liksom. Og da hun tar på lyden på tv-en igjen, og jeg roper til hun liksom: «Vi snakkes a.» Jeg veit ikke om hun hørte det ass.

Hele greia var så fucka, mann, du veit ikke.

Snakkes.

Fra: Mo <mo.1@hotmail.com>
Sendt: 7. januar 2002
Til: Lars Bakken <lars.bakken@nova.no>
Emne: Kartlegging av hverdagen til unge i Groruddalen

Godt nytt år.

Skjer fortsatt ikke så mye, eller, ikke før nå. Før jul fikk jeg med meg et skriv hjem. Alle på Bredtvet fikk det, og alle la det i sekken eller kasta det i søpla da de gikk, og glemte hele greia. Jeg tenkte ikke over det jeg heller. Det ble liggende i en stabel med andre papirer på skrivebordet. Det var først da Ayan brukte det til å tegne på og jeg snappa det fra han, og for n-te gang ba han om ikke å rote med tinga mine, at jeg leste det ordentlig.

Jeg sitter med det foran meg nå. Det er fra bydelen. De skriver at regjeringen har lansert en Groruddalspakke, og at kommunen har fått egne midler øremerket til tiltak for spesielle innsatsområder, som Fossum, der Tante Ulrikkes vei ligger. De lister opp flere av tiltakene som er planlagt. Dere står der. Midler til NOVA for forskning på minoritetsungdom fra Groruddalen. Rett under forsøk med gratis barnehage for enkelte aldersgrupper, som Asma og Ayan uansett er for gamle for. Ellers er det mye utseende. Tilskudd til utbedring av boområdene, som fasaden på blokkene, nye lekestativ og uteområder, og så skal noen skoler rehabiliteres. Men ett av tiltakene, som står nesten helt nederst, fikk meg til å stanse helt opp første gang jeg leste det. I siste avsnitt, like over *Med vennlig hilsen Bente Øverli, kommunaldirektør*, står det:

Som del av tiltakspakken ønsker regjeringen å øke gutter med innvandrerbakgrunns deltakelse i høyere utdanning gjennom særskilte stipend. Stipendet vil være et incentiv til å søke seg til og gjennomføre høyere utdanning. De vil tildeles etter søknad, og ungdom fra ressurssvake familier vil prioriteres. Det vil være et begrenset antall stipender tilgjengelig.

Det er en nettadresse der, men når jeg går inn, står det bare at mer informasjon om søknadsprosessen vil komme snart.

Jeg håper jeg får det.

Respondent: Jamal
Bydel: Stovner
Innspillingsdato: 9. januar 2002

Halla, Nova-mann.

Går bra?

Jeg veit du ikke snakker tilbake da, bare sånn liksom, hvis du tror jeg er blitt gæren eller no. Men vi hilser sånn. Sånn, går bra elle? Eller, hva skjer a? Eller noen ganger bare, skjer a eller skjer? Det er ikke meninga at du skal svare liksom. Det er bare sånn, what's up, skjønner du hva jeg mener? Så shaker vi hender sånn kjapt. Alltid shaker hender. Må det. Poteter gjør ikke det så mye. Dere shaker ikke liksom, bare når det er sånn skikkelig seriøst. Eller, sånn som André, han shaker, liksom han er potet og sånn, men han er herfra, skjønner du? Jeg sverger, karen snakker mer ghetto enn meg liksom.

Men nei ass, skjer ikke så mye. Skjer egentlig ikke en dritt, jeg sverger. Prøver fortsatt å ordne meg jobb og sånn. Ganske fucka opplegg. Jeg har gått til mange steder på senteret nå, sånn som Ultra, dem bare: «Nei, vi har ikke noe, men du kan sende søknad.» Liksom, hvorfor jeg skal sende søknad om dem ikke har no? Jeg går til Narvesen, samma der, nei, vi har ikke no.

Heldigvis Lånekassa fortsatt payer meg en høvding på måneden.

Så nå jeg er hjemme ass. Eller, jeg er ute og sånn. Men du veit, folk er på skolen, så liksom, jeg møter ikke mange folk før på kvelden. Bare Majid noen ganger da, liksom, han går ikke på skole heller. Noen ganger vi får på mornings sammen, og så vi bare går hjem etter det, eller vi går rundt på senteret.

Noen ganger jeg går på senteret alene også. For litt sia jeg var der i fem timer. Bare var der, spilte litt på automat, liksom en tier, og tapte ass, og så jeg går på forskjellige butikker og sjofer klær og sånn. Det er sånn Adidas-jakke på G-sport. Du veit, sånn med glidelås på midten og striper på arma og sånn. I en år nå, jeg vil ha den, jeg kødder ikke. Mange ganger jeg tenker jeg skal bøffe den, jeg sverger, jeg vil ha den så mye. Og jeg går der igjen, og jeg sjofer på jakka, og jeg tenker sånn, jeg skal lite kjøpe den a, når jeg ordner jobb. Da en kar som jobber kommer til meg, potetkar, seff han er det, liksom, G-sport er hviteste sjappa på senteret, og karen sier: «Kan jeg hjelpe deg?», men ikke på sånn bra måte, og liksom, alltid det er sånn på den sjappa, dem følger etter meg, jeg sverger. Jeg går en sted, dem kommer dit to sekunder etterpå. Alltid. Eller dem later som dem hjelper andre folk, men jeg sjofer dem sjofer på meg. Så liksom, jeg bare: «Ehh ... Nei ass, skal bare sjofe den jakka her ass.» Han bare: «Ok, si fra hvis det er noe», men han avor ikke, han bare står der, skjønner du, og jeg sier sånn: «Eller ja ass, forresten, har dere ledig jobb her elle?» Han bare: «Nei, beklager.»

Etter det jeg følte meg tæz ass. Liksom, hvorfor jeg sa sånn til han? Fuck han og rasiststedet hans a. Jeg vil ikke jobbe der uansett.

Så liksom, jeg går litt mere på senteret og sjofer litt på flere butikker og bare venter på at folka er ferdig på skolen, og når dem blir ferdige, jeg er på senteret med dem helt til alle folka skal avor hjem og spise.

Noen ganger jeg går på biblo også, og låner data der. Liksom, dem har blokka masse sider, ikke noe Napster og sånne ting ass, så liksom, jeg bare går og leser litt på sånn hiphopsteder, hva er brae nye albumer som kommer og sånn, og jeg tar litt chat på MSN, den har dem der. Liksom, jeg tar chat med family og sånn, du veit, på landet der foreldra mine avor fra. Egentlig mest med han ene fettern min da.

Det er sånn, jeg veit ikke ass, dem folka der nede, dem er litt fucka. Sånn som nå forrige gang, vi chatter, og jeg sier til han jeg sliter med jobb her. Han sier til meg, det er ikke no problem for deg da. På Europa det er så mange jobb. Jeg bare tenkte sånn, hva prater du om liksom? Har du vært her? Og så han begynner å si, liksom, her ting er mye mere fucka. Det er ikke no å gjøre her. Ingen folk får jobb og sånn. Det er så masse heftig dritt som skjer. Kidnapping, ekplosjoner, dårlige politikere, ting er crazy. Liksom, la meg komme til dere. Du må hjelpe meg å fikse det og sånn. Jeg bare, hvordan jeg skal fikse det liksom?

Jeg sverger, han tror jeg kan fikse alt her. Jeg ville si til han sånn, hør a, jeg er ikke statsministern, jeg er en svarting på Stovner liksom, hva skal jeg gjøre for deg?

Så det er sånn ass.

Egentlig. Mange ganger også, jeg veit ikke hva jeg skal chatte med han om. Det er, hva, ti år sia jeg var på den steden eller no. Liksom, jeg veit ikke ass, etter vi har sagt sånn hva skjer, alt bra, vi har ikke så mange ting å chatte om.

Noen ganger han logger på og sier halla, jeg bare sier til han fake ting, bare, sorry ass, mann, jeg må avor nå, men egentlig jeg må ikke.

Eller han sier: «Når kommer du her? Så mange ganger han spør. Alltid ass. Selv om han veit hva som er hva. Liksom, hva jeg skal si til han?

Hvor jeg skal finne flus, skjønner du? Reising er dyrt ass, mann. Glem det.

Og liksom …

Det er mere ting også.

Jeg skal si til deg, så du skjønner hvor fucka det er. Det er sånn. Du veit han tisharen. Fordi han tisharen var tishar, dem behandler oss tishar. Så fucka er opplegget. Liksom, han tisharen sin familie, dem sier fuck dere etter dem greiene som skjedde. Men liksom, mange på moren min sin familie, dem sier også fuck dere.

Jeg sverger. Faren til moren min og sånn. Bestefaren min ass. Han sier fuck dere til oss.

Hun har ikke gjort no dårlig liksom. Ingenting ass. Bare dårlige ting har blitt gjort på hun.

Liksom, fordi dem slutta å være gift, hun er tishar? Han tar skilsmisse og finner ny kone og lager nye barn, men vi er tisharene?

Fucka greier ass.

Hvem skal vi dra til når vi drar der? Han fettern min? Liksom, jeg tror ikke han sier til familyen han chatter med meg engang.

Sikkert han hadde ikke chatta heller om ikke back in the days vi var skikkelig homies. Jeg likte å dra der egentlig ass. Masse fettere og sånn. Men han ene her, alltid vi var sammen. Liksom, stådde opp samtidig, gikk og sovde samtidig. Vi pleide å gjøre masse sprøe ting. Liksom spille fotball på gata der, eller gå rundt på butikker, eller vi fikk sitte på motorsykkel sammen med onkelen min. Bare kjøre rundt der, helt gæren stil, mellom folk og mellom bil og mellom sau på gata. Dritfett da, men samtidig vi pissa på oss litt.

Når jeg tenker på dem tinga der, fy faen ass, jeg tenker han er enda mer tishar. Så mye han har fucka opp for meg. Jeg har ingen å dra til på den landen der engang.

Men fuck it.

Det går bra da. Jeg sverger.

Den landen er landen min og sånn også, men liksom, hør a, jeg har hooden og folka mine her da. Det her er steden min liksom. Stovner ass. T.U.V.

Du veit, jeg har merka liksom, du blir sånn mere lat når du er lat. Jeg kødder ikke. Jeg er sånn kar som gjør ganske mye ting. Liksom, alltid jeg gjør no. Ikke hele tida da, men mye. Nå, jeg gidder ikke. Bare ligger og chiller på rommet. Og jeg sover så heftig. Liksom, jeg sliter med å stå opp og ta med Suli på barnehagen. Det var sånn, moren min sa til meg jeg må ta han med noen dager på uka, husker du ikke? Nå hun vil jeg skal ta han hver dag. Hun sier hun er sliten. Noen ganger jeg kommer litt seint med han, sånn elleve og sånn. Dem blir litt pissed på meg. Sier sånn: «Du kan ikke komme så seint. Vi får ikke planlagt noe.» Noen ganger vi bare sover alle sammen ass, og det blir ikke barnehage.

Ja, jeg har begynt å sigge på rommet forresten. Orker ikke gå helt ut. Liksom, jeg åpner vinduen, så tar jeg sigg der inne. Moren min gir faen, hun veit at jeg sigger uansett liksom, så jeg tenker sånn, hvis hun gir faen, jeg gir faen. Og liksom, uansett, hun lager kaos på meg hele tida nå, så jeg fortjener å røyke inne, skjønner du? Ikke bare det med barnehage, hun maser så mye om jobb. «Jamal, har du fått deg jobb?» Hver eneste dag. Eller: «Hvis du er her, da du kan gjøre sånn og sånn.» Jeg tenker liksom, hva faen, hun bare ligger på sofaen eller på rommen der, og hun sier til meg jeg må gjøre noe? Hun sier jeg må lage mat noen ganger. Jeg bare: «Hva veit jeg om mat liksom? Jeg kan gå og ordne noen kebab på Regnbuen.» Det er sånn sted liksom under broa der T-banen kjører mellom Rommen og Stovner. Skikkelig råtten sjappe, men kebaben er bra. Liksom, den er ikke så bra som Vinnys og Lett og Mett og sånn, men den har masse kjøtt og koster 39 spenn, så liksom, den funker.

Men hun bare: «Nei, det er dyrt. Kjøp noe annet.»

Mange ganger, når vi har litt dårlig med flus, vi går på sånn sjappe her på T.U.V, den heter Vivo. Det er pakkiser som eier den. Dem er chille. Hele livet jeg har kjøpt ting der, så dem kjenner meg vettu. Jeg kan gå der og krite liksom: «Onkel, jeg betaler om en uke», og dem bare: «Ok.» Liksom, ikke ofte vi kriter da, bare noen ganger når ting er litt sånn ekstra dårlig med flus, da vi har gjort det, men uansett, den var stengt, så jeg må gå helt på Rema på Haugenstua og der jeg kjøpte sånne pizza som koster 19 spenn, sånn fake Grandiosa greier. Jeg tenkte, det er billig, og det er ikke vanskelig å lage.

Det smakte tæz ass, mann. Jeg sverger, jeg starta å tenke på ungdomsskolen, når vi pleide å sende sånn lapper til hverandre. Liksom skrive sånn, hun dama sjofer på deg, eller sende den til en dame, du ser bra ut i dag. Og noen ganger, lærerne kommer for å ta lappen og dem sier dem skal lese den høyt for alle på klassen, så vi spiser den istedenfor. Og den pizzaen smakte sånn.

Ellers ... Jeg veit ikke ...

Blitt forkjøla og sånn også, tror jeg. Halsen min er fucka. Dårlige tider, mann, jeg sier til deg.

Det er vanlig da, alle har sånn tid, ikke sant? Jeg tror det ass. Alle har en dårlig tid noen ganger. Det som er bra da, nå det er ikke så lenge til vinterferie, da har folka fri fra skolen. Da vi kan henge på dagen og sånn også.

Ok, mann, snakkes.

Fra: Mo <mo.1@hotmail.com>
Sendt: 3. mars 2002
Til: Lars Bakken <lars.bakken@nova.no>
Emne: Kartlegging av hverdagen til unge i Groruddalen

«Mohammed, har du sjekka om det har kommet noe mer?» Faren min har spurt meg om det i alle fall én gang i uka. Jeg fortalte han om det stipendet, skjønner du. Det tok nesten to måneder før det kom noe informasjon. Men nå er det her.

Jeg må søke neste vår, samtidig som jeg søker Lånekassen om vanlig utdanningsstøtte. Det er et tilleggsskjema, og jeg må ha en anbefaling fra rektor. Ellers er kriteriene at jeg er gutt, har minoritetsbakgrunn, foreldre med lav inntekt, bor i en av bydelene i Groruddalen og har gode skoleresultater. Ikke noe problem.

Jeg vet det fortsatt er lenge til, men jeg spurte Edvard likevel. Han er alltid så vennlig når jeg møter han i gangen, så jeg stoppa han og spurte om han trodde rektor ville skrive en anbefaling til meg. Han ba meg ta med brevet, og da han leste det dagen etter, sa han at han absolutt trodde jeg hadde en sjanse til å få stipendet, og lovet å snakke med rektor for meg.

Fra: Mo <mo.1@hotmail.com>
Sendt: 2. mai 2002
Til: Lars Bakken <lars.bakken@nova.no>
Emne: Kartlegging av hverdagen til unge i Groruddalen

Edvard fikk snakka med rektor. «Bare stikk innom han på kontoret etter skoletid en dag», sa han. Jeg stakk innom i dag.

Jeg banka på, helt innerst i en lang, lukka gang. «Kom inn», ropte han. Døra knirka svakt da jeg gikk inn. I solstrålene som skinte gjennom den halvveis lukka persiennen, fløy hundrevis av støvkorn gjennom lufta. Det var varmt der og lukta papir, som på Deichman på Stovner. Veggene var dekka med hyller i gult tre, fulle av ringpermer i blå, rød og grønn plast. Rektor satt foran en pc og trykka hardt på tastaturet med pekefingrene. Han er rundt seksti, tippper jeg, og en liten mann. Stolen sto på høyeste, men ermene på den grå blazeren han alltid går med, iallfall de få gangene jeg har sett han, var strukket halvveis opp på underarmene. Han så ikke opp på meg.

«Unnskyld, jeg trenger en anbefaling», sa jeg og tok et skritt over terskelen.

«Ehh ... Anbefaling?» Han så fortsatt ikke på meg.

«Ja, du vet liksom, til det stipendet i Groruddalspakka. Edvard har kanskje ...»

Tastingen stoppa. Ermene gled ned til håndleddene. «Selvfølgelig vet jeg hvilket stipend du mener!» Han snudde seg mot meg og strålte. «Sitt. Sitt». Han skjøv en krakk bort til meg. «Anbefaling skal vi fikse. Er du gæren. Det er en smal sak. Edvard har nevnt deg, ja. Bare gode ting. Hva heter du?»

«Mohammed», sa jeg. Han skrev det og en hel masse annet inn på pc-en i en rasende fart. En printer knirka høyere enn døra hadde gjort. Rektor reiste seg fra kontorstolen og gikk utålmodig rundt printeren. Han knipset den i siden. Et ark ble slukt og sakte spytta ut igjen.

«Sånn.» Han la arket i hånda mi. «Det er bra at du søker. Utrolig bra, altså. Veldig viktig for hele skolen.»

Han fulgte meg helt til døra. Jeg takka høflig, men han ville ikke vite av det. «Ingenting å takke for. Virkelig ikke. Ikke nøl med å komme innom om du trenger noe mer.» Han trykka hånda mi hjertelig.

Jeg kommer ikke til å komme innom han flere ganger. Det er ikke noe vits. Det er en hyllest, fra en mann jeg aldri hadde veksla et ord med før i dag. Som Özkan skulle skrevet stil om Hakan Şükür. Rektor skriver at jeg er særdeles pliktoppfyllende, usedvanlig skarp og en ressurs for hele skolen. Sånn holder han på over en halv side. Slike unge menn vokser ikke på trær, står det til slutt. Til og med jeg synes nesten det er litt for mye. Men jeg leste det høyt for foreldrene mine med en gang jeg kom hjem.

Respondent: Jamal
Bydel: Stovner
Innspillingsdato: 21. august 2002

Skjer a, mann?

Du har vært på ferie og sånn elle? Sikkert på Syden og sånn. Alle norske folka går på Syden og er på stranda og sånn.

Jeg sjofa noen bilder fra Spania en gang, fra André. Det virka litt heftig der ass. Masse palme og strand og deilige damer og sånn. Han sier damene blir gærne når dem kommer ned der. Knuller alt liksom.

Faen ass, en gang jeg må få dratt der.

Jeg har vært på Stemmern. Nesten samma da. Ha ha. Liksom, vi går der noen ganger og chiller. Tar med stereoanlegg og litt røykings. Bader og sånn. Ikke meg så mye da. Liksom, har du sett den vannen elle? Det er sånn helt svart liksom. Jeg sverger, jeg får noia av å tenke på å gå på den. Som det er monster der eller no, plutselig den tar beinet ditt og sånn.

Også jeg er ikke så god på svømming. Rash, Abel og André, dem er gode, Tosif, Majid og meg, nei ass, vi sitter der på den lille fjellen og chiller på sola mens dem andre gutta er på den svarte vannen.

Shit ass. Har du sjofa på Jackass elle? Det er sånn fucka greier ass, jeg sverger. Dem tar handlevogn på nedoverbakke og sitter inni den. Helt gærne. Tryner masse og sånn. Eller dem setter ting i ræva på hverandre og får lættis. Kinaputt og sånn.

Ikke no sånn ass, men jeg tror dere hvite folka har en greie med ræva til folk, jeg kødder ikke. På Bredvet, jeg husker noen sånn potetgutter hadde fest på helga, og vi kommer der på skolen mandag og ser dem stå og sjofe på noe greier, og dem har helt lættis. Så vi sier til dem sånn: «Få sjofe a.» Og først dem bare: «Nei, nei, det er ikke no», og dem vil gå. Så vi sier: «Ikke vær tisharer, få sjofe a», og til slutt dem lar oss gjøre det. Og det er bilde av han ene karen som ligger på gulven med gulrot på ræva. Sånn inne på ræva liksom, skjønner du? Vi bare: «Hva faen?» Og dem sier, «Hansa blei drita, så vi kødda med han», og dem står der alle sammen, og du ser dem vil le mere, syke menneskene der. Jeg sa til dem: «Hadde dere gjort sånn på Stovner, mann, dere hadde blitt kæza så hardt ass, dere veit ikke.» Da, dem blei helt sånn: «Det var bare kødd da. Slapp av.»

Jackass liksom ...

Tv-en er død ass, jeg sverger.

Suli har starta på skolen nå da. Shit ass, mann. Det er så mange ting dem har sagt vi skal kjøpe. Veit du hvor mye det koster elle? Sekk, penal, skriveblokk, blyanter, farger, linjal, lim. Liksom, lim? Vi har ikke kjøpt alle tinga. Men sekk, ja. Og så han trengte noen nye klær, så det vi ordna. Og en blyant. Dem andre greiene liksom, hva skal vi gjøre ...

Det er litt kaos nå. Lånekassa har skjønt tæsjaen min. Plutselig det kom en brev på postkassa der det står sånn at dem har stansa flusa. Så liksom, sliter ass.

Jeg veit ikke om jeg skal ta en sigg nå eller vente til morningen. Jeg har bare én.

Liksom, den siggen på morningen, den er den schpaaeste på hele dagen, men jeg skal ikke sove før om kanskje en time eller no, så det er litt lenge, og jeg trenger sigg før jeg sover også, ellers jeg sliter med å sove.

I morgen kan jeg kjøpe da. Rash skylder meg 40 spenn fra

lenge sia, og han sier han skal komme med dem når han går på skolen i morgen.

Liksom, om han sigga, da han bare kan gi meg en sigg, men han sigger ikke. Bare keefer. Jeg kødder med han og sier, du er avhengig av nikotin, kompis, selv om du ikke sigger, fordi det er masse tobakk på jointer, og du får på masse. Han bare: «Nei ass», men egentlig, jeg tror han er det.

Kanskje jeg skal spare den. Ja ass, jeg sparer den. Liksom, selv om jeg får flus av Rash i morgen, fortsatt jeg må til butikken og kjøpe sigg, ikke sant, og det tar tid, og jeg vil ikke at det skal gå mye tid fra jeg står opp til jeg tar sigg, for liksom, jeg liker å ta sigg med en gang jeg står opp på morningen.

Veit ikke ass.

Og den er Barclay's. Liksom, den er digg og sånn, men filtern er sånn rar ass, liksom, det er småehull på den. Jeg pleier å kjøpe Prince mild liksom. Jeg bomma den Barclayen av en kar her. Mo heter han. Han bor på oppgangen på siden fra meg og går på Bredvet og sånn.

Jeg sverger, det er sånn typisk at han røyker rar sigg. Liksom, han er litt rar kar.

Men han er snill da, jeg sverger. Jeg har kjent han sånn, jeg veit ikke, dødslenge. Vi pleide å kjenne hverandre mere før. Spilte fotball og sånn ute her. Noen ganger jeg var på leiligheten hans også. Spiste der. Det var sånn greie vi hadde med familien hans. Liksom før vettu, moren min og moren hans, dem kjente hverandre litt dem også. Så en tid, når moren min var mye syk, jeg var hjemme hos dem og dem lagde mat for meg.

I starten, jeg ville ikke gå der. Jeg var sånn: «Hvorfor skal jeg gå hjem til dem og spise?» Liksom, du veit, gå hjem til folk og spise og sånn, folk jeg ikke kjenner så mye, kanskje dem starter å tenke ting liksom, sånn ting som ikke er bra, som hva er gærent med dem folka?

Men moren min sier: «Du skal gå. Du trenger ordentlig mat. Det er bra for deg.» Og når jeg går der, alltid hun sier:

«Husk å være høflig. Ikke vær grådig. Ikke prat for mye om ting.» Jeg sier: «Jeg veit.»

Helt ærlig, det var så bra der. Liksom, alt var så ryddig ass. Sånn, ikke søppel og klær overalt. Og moren hans, hun var jævlig flink på mat ass. Liksom, hver gang jeg kommer der, hun lager en ny type mat. Kylling, kjøtt, grønnsaker, kake, alt mulig ass. Faren hans, noen ganger han er streng, liksom: «Ikke snakk med mat i munnen», han sier til Mo, eller han sier til oss: «Hei, husk å vaske henda før dere spiser», men liksom, det går bra med folk som er litt streng noen ganger når dem også er snille meste av tida, skjønner du hva jeg mener? Da, streng er ok liksom. Og alltid han og moren til Mo var sånn når jeg kom der: «Hei, Jamal, går det bra, kom inn, sitt ned, Mo, hent glass med saft for han.»

Alt var så bra stemning der liksom. Rolig. Chill. Men liksom, selv om ting er chill der, jeg kan ikke chille helt.

Det er sånn, du veit, når du skal på fest og sånn, og du tar på bukse, liksom, jeg veit ikke, fra H&M eller no, og du tenker du ser schpaa ut og sånn, ikke dritschpaa, men ok, du føler deg litt schpaa hvert fall, men når du kommer der på festen, alle folka har Levi's og du bare, olø ass, jeg var ikke litt schpaa ass, jeg var bare heftig tæz liksom, og du bare sitter der med ræva din på sofaen hele festen så folka ikke skal sjofe bak på lomma di at det er ikke Levi's.

Liksom, hele tida når jeg er der hjemme hos Mo, jeg prøver å tenke på at dem ikke tenker dårlige ting. Så liksom jeg holder kjeft liksom, sånn at jeg ikke skal si dårlige ting. Og jeg er ikke der lenge, sånn at dem begynner å tenke, ok, vil han ikke hjem til sin hjem, er det så dårlig der? Og mange ganger, selv om jeg er mere sulten, jeg sier bare: «Det går bra, jeg trenger ikke mere. Takk for maten.»

Likevel, dem gir meg mere i sånn boks så jeg kan ta med hjem.

Bra folk ass, jeg sier til deg.

Men jeg slutta å være der da. Moren min var litt mindre syk og sånn. Hun sier: «Jeg skal lage maten til deg nå hver dag», og noen ganger hun gjør det, mange ganger hun gjør det ikke.

Nå, Mo er blitt sånn skolelys ... Jeg er blitt sånn ... Du veit, andre ting.

Men ja ass, han er litt rar. Eller, litt nerd. På en måte da. Ikke sånn nerd på grunn av klæra hans er stygge og sånn og han går med buksa oppi ræva som Urkel. Stilen hans er ok liksom. Jeg mente mer sånn nerd med skole, du veit, fester ikke mye, er viggo, liksom henger ikke så mye ute her eller keefer og sånn, ikke slåss og lager kaos med folk, aldri gjør noe kødd liksom. Liksom, når jeg sjofer han på gata her, jeg tenker noen ganger, han karen, han passer ikke helt her liksom, skjønner du hva jeg mener? Liksom han gjør det, han bor her hele livet og sånn, han er svarting som meg og sånn, men han er litt, jeg veit ikke ass, liksom, potet eller no, men ikke sånn Stovner-potet heller. Liksom, han snakker sånn som folka på NRK jo, jeg kødder ikke.

Jeg veit ikke, jeg klarer ikke forklare ass.

Noen av folka her, dem liker ikke trynet hans mye. Dem sier han er overlegen kar. «Leker så deilig, og så er han bare den nerden liksom.» Sånne ting sier folka. Noen ganger han irriterer meg også da, helt ærlig ass. Liksom, du veit, det er ikke bra å tro du er bedre enn andre folk, skjønner du hva jeg mener? Men liksom, jeg kjenner han mere enn dem andre folka, og jeg veit han egentlig bare er snill kar, skjønner du? Jeg veit det. Hele familien er det. Hør a, fortsatt ass, foreldrene hans, dem sier: «Går det bra, Jamal?» når dem møter meg ute. På sånn ordentlig måte, ikke fake. Med dem, du hører dem seriøst vil vite. Liksom, som dem vil jeg skal si mere, men jeg bare sier: «Ja, alt bra, onkel og tante.» Jeg sier ikke mere.

Men liksom ... Dem greiene med jobb og flus og sånn.

En kompis sa til meg, du kan starte å pushe da. Han sier han kjenner kar som ordner meg opplegg. Helt ærlig ass, jeg har tenkt på det mye. Det er flus liksom. Men greia er, du veit jeg gjør noen gærne ting og sånn, men liksom, jeg kan ikke gjøre for gærne ting heller, liksom, det er ikke bra om jeg blir bøsta og må gå på jailern. Sånn som Chris, han ble bøsta med en hekker, nå han må sitte i to måneder. Jeg tenker liksom, for Suli det er ikke så bra om jeg blir borte lenge liksom.

Uansett da, det er ikke bare det. Liksom, jeg har sett andre folk som pusher også. Jeg sverger, telefonen dems ringer hele tida. Dem går her og der for å møte folk tjuefire sju. Og egentlig, dem tjener ikke så masse flus. Liksom, han karen kompisen kjenner, han gir hekkere for 6500. Så hvis jeg selger hele plata, med bonus på femmern og sånn, jeg tjener kanskje, hva ... jeg veit ikke ... 2000 spenn på en opplegg? Og det tar sikkert sånn to uker å bli ferdig med den, kanskje mere. Det er ikke nok da ass, med så mye pes. Og liksom, du må være litt bra på matte også. Ellers folka kan tæsje deg. Og du veit matte og meg ...

Nei ass, jeg er bedre på å røyke enn å pushe, det var det jeg sa til kompisen ass.

Men jeg sliter. *Må* finne jobb nå ass.

Kanskje jeg kan spørre Rash om å låne no flus. Han kan ta med det også i morgen kanskje. Hvis han har da.

Fuck it, jeg tar den siggen nå.

Prates

Fra: Mo <mo.1@hotmail.com>
Sendt: 1. september 2002
Til: Lars Bakken <lars.bakken@nova.no>
Emne: Kartlegging av hverdagen til unge i Groruddalen

Sommeren er ferdig. Gjorde ingenting spesielt. Var mye hjemme. Gikk en del i skogen. Så på tv. Sånne ting.

Skolen har begynt igjen. Jeg har fortsatt med fordypning i matte, bedøk og sosøk. Nå er virkelig ingenting nytt lenger. Lærerne sier det selv, det året her er stort sett repetering av alt dere allerede har lært.

Jeg håper det går fort.

Ellers er det ikke så mye å fortelle, egentlig.

Skriver igjen når det skjer mer.

Respondent: Jamal
Bydel: Stovner
Innspillingsdato: 15. oktober 2002

I'm a hustler baby, I just want you to know. It ain't where I've been, but where I'm about to go.

Ja ass, hustler som faen. Har ordna meg jobb, mann! Jeg skal begynne om litt. En albaner på oppgangen min som hooka meg opp med en han kjenner. På sånn bilsted. Dem fikser biler der, og vasker dem. Nede ved Rommen, liksom ved Motorsenteret, men ikke så langt. Så jeg kan bare tråkke dit. Dem skal gi meg femti spenn timen, mann. Og jeg kan jobbe der hver dag hvis jeg vil. Så hvis jeg jobber seks timer hver dag, fem ganger, da blir det sånn, jeg veit ikke, det blir flus, mann. Og dem folka der, dem chillern med skatt ass, kompis. Han sa det til meg, sjefen. Albaner, han også. Liten kar med bart og sånn. Ser helt sånn mafia ut, skjønner du? Han bare: «Du får penger cash en gang på måneden.» Jeg bare: «Fett.» Liksom, hvorfor skal jeg betale skatt til staten. Hva gjør staten for meg liksom? Ikke en dritt. Gir ikke moren min skikkelig uføretrygd engang.

Uansett, jeg skal ta litt flus selv, og så jeg skal gi litt til hun også. Og vi skal få kjøpt dem tinga til skolen for Suli som vi ikke har kjøpt.

Fy faen, trengte det her ass! Det blir bra ass. Jævlig glad nå.

Snakkes.

Respondent: Jamal
Bydel: Stovner
Innspillingsdato: 1. desember 2002

Halla.

Skjer a?

Jeg har jobba i dag da. Det var mest sånn lære ting. Liksom, sånn funker den høytrykksspylern. Den såpa er til sånn, den andre er til sånn. Jeg skjønte greia ganske kjapt. Det var litt kult med høytrykksspylern. Liksom den er så sterk, du ser møkka bare går av når du spruter med den. På slutten på dagen, jeg vaska en bil bare jeg. Hele bilen. Utvendig vask. Ikke liten bil, svær bil. Mazda 323 stasjonsvogn. Første dagen og jeg klarte det, det er ikke dårlig da? Sjefen sa jeg gjorde bra jobb. Det var litt kult da.

Ellers ass ...

Suli har begynt å gå til skolen helt alene da. Han klarer det. Jeg har sagt til han han skal ta den veien over kryssen, ikke under broa. Han bare: «Hvorfor ikke der?» Jeg vil ikke si til han det er fordi det har vært blotter der og sånn, så jeg bare: «Det er monster der.» Han sier: «Hva slags monster mener du?» Jeg bare: «Sånn monster som er på under broer. Bakken der åpner seg, og du faller på munnen dens.» Han bare: «Jeg skal aldri gå der.»

Liksom, det er litt sånn digg, liksom nå jeg slipper å ta med han sånn som på barnehagetida. Men også, det er litt sånn tæz. Du veit, det var tida vår. Vi tråkka der på veien og bare prata om ting. Han forteller ting, sånn, han gleder seg å gå se på tegnefilm senere. Eller han er skikkelig glad fordi det skal være turdag på barnehage og dem skal på skogen. Sånne ting. Eller han sier spørsmål, sånn, hvorfor det er så mange stjerner, og jeg lager historie for han om hvorfor det er sånn. Liksom, egentlig det var bare én, men da, dem så den bare fra ene sida av jorda, så Gud sprengte den til mange så det skal se fint ut for alle på jorda.

Slapp av, jeg veit det ikke er sånn da, men liksom, mange ganger han spør om ting, jeg kan ikke svarene på dem tinga, så jeg lager historier.

Men jeg lagde frokost for han i dag da. Cornflakes. Og matboks lagde jeg. Sånn to brød, en med syltetøy og en med Nugatti. Jeg har lagd sånn avtale med moren min at jeg kan gjøre det hver dag, for uansett jeg skal stå opp tidlig til jobb og sånn.

Shit, Suli banker på dassen her. Håper han ikke har pissa på seg ass. Han har slutta med bleie, jeg har glemt å si til deg. Det er litt sia, men liksom, han skjønner ikke greia helt, jeg sverger. Mange ganger han pisser på seg.

Vi må ta Rimi-poser på senga hans, jeg lover. Moren min blir så heftig lei ass. Noen ganger når han kommer der med våte buksa si, hun sier til han: «Nå igjen? Nå orker jeg ikke mer», og når hun skifter på han, du ser hele hun bare ser helt ødelagt ut, liksom helt sliten og sur og sånn. Andre ganger, hun ligger der på sofaen og bare: «Jamal, gå og hjelp broren din med å skifte.»

En gang, han klagde så masse, «Posene lager lyd når jeg sover. Jeg får ikke sove». Da hun klikka: «Suli, vær stille, gå og legg deg! Nå orker jeg ikke mer.» Men liksom, jeg skjønte han da. Jeg hørte dem lydene også. Og han grein og sånn. «Men jeg klarer ikke sove jo», sier han til meg på rommen der. Så jeg sa til han sånn: «Slapp av, det går bra», og jeg går til senga hans og sitter på sida på den og liksom bare snakker om alt mulig ting mens jeg venter på han skal sove. Liksom, mye Arsenal, for han digger dem, og jeg snakker om hvem som er beste spiller av Ljungberg og Pires, hvem som kommer til å starte på neste kampen, alt mulig sånne ting, og til slutt han sovde ass.

Jeg også har klikka på han. Helt ærlig, jeg har gjort det noen ganger. Liksom, når det har vært sånn to ganger på samme natta han har pissa. Da jeg har sagt sånne ting, liksom: «Fuck ass, hva er problemen, Suli? Det er ikke vanskelig å gå til doen liksom. Alle andre barna klarer det.» Sånne ting jeg har sagt til han. Da han har starta å grine også.

Liksom, det er ikke sånn at jeg liker å bæde han, skjønner du? Det er mest sånn, du veit ikke, jeg har så mye noia han skal plutselig gjøre det på skolen og dem andre kidsa skal disse han hele tida, skjønner du?

Ok, nå jeg må seriøst avor før han pisser på gulven.

Snakkes.

Fra: Mo <mo.1@hotmail.com>
Sendt: 8. januar 2003
Til: Lars Bakken <lars.bakken@nova.no>
Emne: Kartlegging av hverdagen til unge i Groruddalen

Godt nytt år.

I dag har jeg vært hos rådgiveren på skolen for å snakke om hvilket universitet eller høyskole jeg burde søke meg til. Jeg tror det blir universitet. Egentlig har jeg bestemt meg. Det blir samfunnsøkonomi på Universitetet i Oslo. Det er visst det beste stedet å studere det på. BI og Høgskolen i Oslo har økonomi, de også, men de er ikke like bra. Og BI koster masse. Faren min var helt enig. Rådgiveren også. Så det blir nok UiO. Alle tror jeg kommer inn. I fjor var det snitt på 4,5 for å bli tatt opp. Jeg har over det, så får håpe det holder.

Jeg må søke Lånekassen også, om vanlig stipend og det spesielle stipendet. Jeg dro ned til kontorene deres på Risløkka i dag og henta alle skjemaene jeg trenger. Det var ganske mange, men nå har jeg dem klare. Mangler bare å fylle dem ut. Fristen er ikke før 1. april, så det er ganske god tid.

Jeg har fått sendt unna en søknad allerede. Til militæret. Utsettelse av førstegangstjenesten. Jeg ble veldig bekymra da jeg fikk innkalling til sesjon. Jeg mener, bruke ett år på militæret, det har jeg ikke tid til. Ikke snakk om. Og krig, krig er virkelig ikke noe for meg. Jeg blir stressa bare av å tenke på det. Men det sto heldigvis at høyere utdanning var en gyldig grunn til utsettelse, og faren min mente de sikkert kommer til å glemme meg i løpet av de årene uansett, sånn at jeg til slutt slipper hele greia.

Jeg puster lettere nå iallfall.

Ellers har folk på skolen allerede begynt å snakke om russetida. Vi fikk en katalog med klær og utstyr her om dagen. Jeg kommer til å kjøpe buksa. Det er nok. Mange av de fra Veitvet og Årvoll skal spleise på en van. Det koster 5000 per pers, hørte jeg. Og så kommer bensin og lønn til sjåføren i tillegg.

Jeg klarer meg fint uten. Jeg har ikke lyst heller. Det er eksamener rett etter. Jeg må lese til dem.

Respondent: Jamal
Bydel: Stovner
Innspillingsdato: 9. januar 2003

Har fått første lønna da. Fem lapper liksom. Shit ass, jeg tok av litt for heftig ass.

Først jeg gir moren min to lapper. Bare kommer hjem og hun våkner når jeg kommer inn der, og jeg legger flusa på borden, liksom: «Vær så god.» Det var så bra følelse da.

Etter det jeg avor til T-banen og tar den til Romsås og kjøpte den heftigste Orange bud-en fra Amster. Karen ville ha 150 spenn for en ener og ingen rabatt på femmern liksom. Jeg kjøpte femmer likevel ass. Fuck it. Jeg tar banen tilbake til Stovner og drar på senteret og kjøper meg den Adidas-gensern, du veit den schpaae. Liksom, du veit hvordan dem pleide å sjofe på meg på G-sport. Nå, dem sjofa også, men jeg bare henta den og gikk på kassa der, liksom, jeg skal ha den her ass, bitch.

Liksom, jeg sa ikke bitch da.

Den kosta 600 spenn ass. Men jeg ser så heftig ut.

Så jeg ringte kompisa: «Gutta, kom til garasjetaket», og dem sitter der, Abel, Tosif og Rash, og jeg kommer der med jakka mi og er helt superfly, og dem bare: «Heftig jakke», og så jeg tar fram posen med weed og sier: «Orange bud fra Amster ass.» Da dem bare: «Olø, Jamal er julenissen jo.»

Ha ha, det var kult da. Gutta var helt på den weeden, som dem aldri har fått på joint før. Jeg bare: «Ok, slapp av a, dere veit greia, tre trekk og pæs.»

Når vi er ferdig, liksom, klokka er åtte eller no, og noen sier: «Vi finner på no a.» Og vi sitter der liksom og tenker masse, hva skal vi gjøre, liksom det er ingenting å gjøre. Abel sier: «Vi kan leie film på Mix eller no.»

Alle er sånn: «Nei ass, har sett alt som er bra der.»

«Vi kan gå på bowling på Veitvet», sier jeg. «Jeg kan spandere.»

Alle bare: «Ja, vi gjør det.»

«Det er ikke vitsi, den stenger ni», sier Tosif.

Alle blir sånn, fuck ass, men så Abel sier: «Nedi byen, ved Handelsgym der, der er det bowling som er åpen til elleve.»

Vi bare, det er langt da, liksom, en time bare å komme der, men jeg sjofer på Rash han tenker på no, og han sier: «Kanskje jeg kan ordne bilen.»

Svartingen der har fått lappen vettu. Kødder ikke. Broren hans kjørte opp for han og sånn. Jeg sverger, karen tok ingen kjøretimer nesten, bare fikk Mustafa til å gå der og si han var Rashid. Liksom, dem ligner ikke så masse engang.

Men han må bruke faren sin bil, og egentlig han får ikke bruke den mye. Bare veldig få ganger. Første gangen, jeg sverger, jeg var litt redd. Han karen kan ikke kjøre, jeg sier til deg. Han er farlig. Plutselig vi står på oppoverbakken på rødt lys på kryssen til Trondheimsveien der, og den blir grønn lys, og da bilen starter å gå nedover istedenfor oppover.

Men vi alle går til blokka til Rash og vi venter utafor oppgangen hans mens han går inn og han kommer tilbake ganske kjapt og ser trist ut, liksom, «faen ass ...», men så han starter å le og tar opp nøkla.

Vi kjører til byen ass, bumper musikk og synger sånn, just four dope boys in a Toyota, bom, bom. Men så bommen kommer, og Rash sier: «Hvem har bompenger a?» Jeg sverger, alle gutta sjofer ut av vinduen. Til slutt jeg gir han tjuekroning.

Du veit, når du kommer til bowlinga der, du kommer ikke rett på bowlinga, du må gjennom en Peppes først. Jeg sier til deg, den lukta der ass ... Alle gutta er helt sånn, vi går og sjofer på borden til alle som sitter der, sjofer når dem løsner pizzabit og osten lager sånn lang tråd, og jeg bare, fuck it ass, spread love is the T.U.V. way. «Gutta, julenissen er ikke ferdig. Vi spiser pizza a.»

Peppes er schpaa pizza ass, mann. Vi tok sånn med biff, løk, paprika og jalapeños. Så heftig. Men når hun dama kommer med regninga, da jeg blir svett. 400 spenn. Jeg kødder ikke. En pizza og fire drikke liksom. Etter det, jeg måtte si til dem: «Hør a, vi har ikke flus til bowling ass.»

Så liksom, det blidde ikke no bowling på oss, men vi spilte sånn annen spill dem har der. Jeg husker ikke hva den heter. Liksom, det er som en biljardbord, bare den er glatt og du slår sånn puck som på hockey med en greie på hånda, og du skal score på en hull på andre sida, men der han andre prøver å stoppe pucken. Jævlig kult ass.

Etterpå, vi går fra det steden, og klokka er sånn ti eller no, og vi tenker vi kan få på en nattings i byen før vi kjører hjem. Abel sier vi kan gå på Handelsgym, ingen sjofer oss der. Jeg bare, hvor er det? Og han peker, liksom, nesten vi står der.

Seriøst, jeg trodde Handelsgym var så schpaa skole. Du veit, når folka snakker om den, alltid det er på sånn måte, som den er en av dem heftigste, men den var så liten ass, og gammel, og skolegården var sånn trang. Til og med Bredtvet er mere stor enn den.

Liksom, alt på byen er liten. På Stovner, det er så mye plass overalt. Jeg liker det mere. Men det funka å få på en der da.

Så kjører vi hjemover. Mett og fjern. Kommer helt til borte ved T.U.V., nesten skal parkere, da kommer blå lysen og lyden. Bauersen. Liksom, vi har kjørt med Rash kanskje fem ganger, og det her er andre gangen det skjer. Slutt å plag oss a, skjønner du hva jeg mener? Vi gjør ikke noe gærent liksom. Kommer der og snakker sånn fra Trondheim alle sammen. Liksom, sjofer henda til en svarting og alt dem tenker, er hvordan dem skal sette håndjern på.

Karen kommer: «Ja ja, gutter. Hva gjør dere i kveld?» Vi bare: «Slapper av og sånn, du veit. Spist litt og sånn.» Han bare: «Sikker på dere ikke har gjort noe mer enn det da?» Og vi bare: «Hæ, nei ass. Bare spist.» Men da kommer han andre bausersen og starter å lyse med lommelykt på trynet vårt inni på bilen og jeg sitter der, svett som faen, liksom shit, shit, shit, håper han ikke ser den weeden som ligger under seten foran.

Dem gjorde ikke det ass. «God kveld videre», sier dem. Vi bare: «God kveld ja.»

Phew …

Flaks liksom.

Ja ja.

Brukte litt mye flus ass.

Men det var jævlig bra.

Helt sånn Ice Cube nå:

«Du-da, today was a good day.»

Respondent: Jamal
Bydel: Stovner
Innspillingsdato: 18. mars 2003

Halla.

Har du sjofa elle? Hun hadde riktig ass! Hun hadde helt riktig. Dem skal gå på krig mot Irak nå. Sier Saddam hjelpte til på 11. september. Alle veit det er piss. Dem skal bare tæsje olje fra dem.

Fucka dem greiene der ass.

Fra: Mo <mo.1@hotmail.com>
Sendt: 25. mars 2003
Til: Lars Bakken <lars.bakken@nova.no>
Emne: Kartlegging av hverdagen til unge i Groruddalen

Faren min og jeg satt bøyd over stuebordet med skjemaer fulle av rubrikker. I øyekroken fikk jeg ufrivillige glimt av tv-en som summa i bakgrunn. Oljerigger brant. Svære søyler av røyk steg opp fra bakken som svarte larver. Bomber ble sluppet ut av fly i det grønne lyset fra en nattlinse. Små prikker som ble til lyskuler som til slutt dekka hele skjermen. En arabisk mann i militæruniform og beret kjefta på pressefolk. Det er han de kaller komisk. Jeg ser ikke det. Jeg så bildene for mer enn ti år siden også. Hos naboen over gangen, da moren min sendte meg for å låne matolje. Hun som alltid søler når hun heller olje fra den svære metallkanna over til en mye mindre plastflaske. Hun irriterer meg. Hun gidder ikke å gjøre en innsats engang for å holde strålen innafor flasketuten. Hun liksom bare skvulper på. Men jeg glemte å irritere meg da, for mannen hennes, han jeg kaller onkel Hameed, satt foran tv-en og bytta på å smatte med tunga og å slenge dritt mot Bush senior som talte til troppene sine.

«Jævla bikkjer!»

«Det der, *det* er en banditt», sa han da han så meg stå i døråpningen. «Husk det, Mohammed, det der er ingenting annet enn noen jævla banditter.»

Da jeg kom tilbake, spurte jeg faren min hva som egentlig skjedde i Irak og hvorfor onkel Hameed sa at presidenten i USA var en banditt. Han kasta et oppgitt blikk over gangen.

«Du skal ikke bry deg om sånt, Mohammed», svarte han og kutta tvert, men på skolen et par dager senere sa Christian at faren hans hadde sagt at Saddam Hussein var ond, og at amerikanerne gjorde det rette.

Etter det slet jeg med å gjøre det faren min ba meg om.

Mens Baghdad ble til kaos igjen, ble vi ferdig med søknadsskjemaene. Jeg la alt i konvolutter, en tynn en til Samordna opptak og en tjukk en til Lånekassa med anbefalingen fra rektor på Bredtvet, søknadsskjema og ligningen til foreldra mine. Faren min henta den siste fra en mappe inne på soverommet deres.

«Nei», sa han da jeg sa jeg kunne stikke bort på Deichman for å ta kopier. Han kunne fikse det selv. Han skulle noe på senteret dagen etter uansett. Han bretta ligningene, la de i konvolutten og tok det med seg inn på rommet igjen.

Nå er i alle fall alt av søknader sendt av gårde.

Det er så lenge å vente før svarene kommer.

Fra: Mo <mo.1@hotmail.com>
Sendt: 6. mai 2003
Til: Lars Bakken <lars.bakken@nova.no>
Emne: Kartlegging av hverdagen til unge i Groruddalen

Det er russetid på skolen. Førsteklassinger blir hivd inn i en rød van og dumpa i Stemmern. De er livredde for alle med røde bukser. Til og med meg. Jeg jager dem opp av gresset bare jeg nærmer meg, først forsiktig trippende vekk, så flaksende av gårde som duer. Det kommer folk fra Hellerud og Stovner videregående og kaster egg som hevn for at noen hos oss har gjort det samme. Hellerud var verst. Eggene regna som hagl. Folk løp i panikk inn på skolen og forskansa seg. Etterpå knaste det i eggeskall når vi gikk i skolegården, og slimet fra plommene satte seg fast under skoa våre og ble dratt med inn på skolen. Det lukta der inne.

Jeg går med buksa mi hver dag. Det er greit, jeg slipper å tenke på hvilken bukse jeg skal ha på. Et par av jentene i klassen har skrevet på den. Helene og Kathrine. Altså, de skrev på alle sin da. Jeg tror de hadde drukket i skoletida. De kom tilbake etter en fritime og skravla i munnen på hverandre og fniste. Så gikk de fra pult til pult med svart tusj.

Skolelyset vårt, skrev Helene og tegna et hjerte ved siden av.

Kat(h)^2*+Kat(h)*^{2} *= Hyp(p) på Mo*^{2}*???*, skrev Kathrine. Hun har fordypningsmatte, hun også. Jeg begynte å le da jeg så det.

«Uuuh. Jeg klarte å få Mo til å få lættis jo», ropte hun til Helene.

Det var litt på grunn av det hun skrev, selv om hun sikkert tulla litt, men mest var det fordi hun satt så veldig nærme meg mens hun skrev, liksom lente hele kroppen over min så de tunge brystene hennes sveipa over lårene mine, at jeg angra på at jeg ikke hadde snakka mer med henne enn et par ganger gjennom tre år. Det sto helt stille da hun ba meg om å skrive på hennes bukse.

«Jeg vet ikke helt hva jeg skal skrive», sa jeg til henne. Hun geipa.

«Kom igjen da». Hun satte foten på kanten av stolen min og lente låret mot meg. «Bare skriv noe.» Jeg satte tusjen til benet hennes, forsiktig.

«Det kiler, det kiler», lo hun så beina rista, og skriften ble skjev.

Vær som du er ☺ – Mo.

Det var det jeg kom på. Jeg kunne ikke bomme med det.

«Shå shøt.» Hun kløyp meg i kinnet.

Gangene er fulle av summing om russefester. Hvert friminutt er en strategisamling. Vi møtes der, vi henter den, vi fikser det, vi drar dit.

Til slutt gikk det gjennom hos oss også.

«Vi må dra til Tryvann da, gutta», sa Raji da vi satt i skolegården og spiste bagettene våre. Sola skinte på kirkespiret femti meter unna oss. Noen barnehagebarn var ute med spader og spann.

«Vi kan dra på fredag», sa Özkan. «Mo?»

Hodet mitt spant ganske vilt i den sola. Jeg tenkte på Kathrine igjen, på fulle Kathrine som fniste i klasserommet, og vekta av henne på lårene mine, og så fortsatte det å spinne, til det begynte å spinne ganske vilt og hun sto uten topp bak en russebuss.

«Ja, fredag funker det», sa jeg.

Vi kom tidlig og hang rundt vanen fra Bredtvet, et lite stykke unna alle de store bussene fra vestkanten. Det var kaldt og regna. Noen satt inne i vanen og drakk, mens en klynge sto utafor. Raji hadde med seg whisky. Jeg tror han hadde stjålet den hjemmefra.

«Alle sikher drikker whisky», sa han, og den litt hvesende stemmen hans hadde blitt dypere. «Jeg har drikki det på masse brylluper.» Det så egentlig ikke sånn ut. Ansiktet hans skar grimaser. Jeg tok en slurk. Det holdt. Özkan ville ikke smake. Han drakk litt på en øl, han drikker egentlig ikke i det hele tatt, og jeg så han spytte ut den ene slurken han tok. Jeg fikk resten.

Jeg så ikke Kathrine noe sted. Bare Helene. Jeg turte ikke spørre henne hvor Kathrine var. Folk i klynga hadde begynt å danse til en technosang. De hylte og blåste i fløytene sine mens de hoppa opp og ned. Özkan og jeg holdt oss i ytterkanten. Jeg følte meg stiv som en stokk og vugga mest frem og tilbake fra fot til fot. Raji tok av. Han bhangra-dansa til technoen, spant rundt i sirkler med armene strukket i været og rista på skuldrene som om de ikke lenger satt fast i kroppen hans, men var hekta løs og fritatt for fysiske lover. Folk jubla og lo om hverandre og ropte: «Go Raji, go Raji, go!», og Raji gikk, han, mens jeg så Kathrine dukke opp i skogholtet sammen med en eller annen fyr som gliste og forsvant til sida, og da hun kom nærmere, så jeg at russedressen hennes nesten ikke hadde rødt igjen bak, bare møkk på hele rumpa og oppover ryggen.

«Skjer a, Mo», sa hun og nikka smilende da hun så meg, og gikk bort til Helene. De fniste som i klassen. Jeg fortsatte å vugge stiv som en stokk.

Så kom det ordentlige regnet. Iskaldt mairegn hølja ned på Tryvann. Folk flykta inn i bilene. Ingen av dem hadde plass til oss. Vi ble stående der ute i regnet. Ølen min fyltes opp igjen som saft. Det smakte for jævlig. Etter ti minutter følte jeg knapt fingerne som holdt rundt flaska.

Raji sto og svaia.

«Gutta, jeg er full», sa han og så på oss. Turbanen var

gjennomvåt. Det dryppet fra kanten på den og rant nedover ansiktet hans. Øynene så forvirra og bedende på oss.

Han kasta opp på dekket til vanen.

«Jeg tror jeg bare drar hjem», sa Özkan.

«Jeg også», sa jeg.

Også ved de store bussene hadde folk flykta. Musikken fra de enorme lydanleggene spilte for tom og våt asfalt. Vi var på vei ned mot utgangen da Jamal dukka opp med noen andre folk fra Stovner. De var klissvåte, de også.

«Olø, T.U.V. jo», sa han da han så meg. «Skjer a, Mo? Du er her elle?»

«Ja», svarte jeg.

«Veit du hvor Bredvet-bilen er?» spurte han.

Jeg pekte i retningen vi kom fra.

«Fett, mann, prates a», sa han. Så forvant hele gjengen.

Raji ble verre på vei til T-banen. Han skråna ut av fortauet og havna i en grøft. Leire ble smurt utover klærne og ansiktet hans. Albuen ble skrubba ganske ille opp. Vi fikk dratt han opp av grøfta og inn på T-banen. Der sovna han. Han nekta å reise seg da vi nærma oss Veitvet.

«Jeg sover», sa han, selv om vi rista alt vi kunne i han. «Bare la meg sove.»

Vi måtte hive han ut med makt og slepe den svære kroppen med oss, nedover gata, forbi senteret og bowlinghallen, sikkert et par hundre meter, frem til blokka hans. Vi kom oss inn i oppgangen og slepte han oppover, trappetrinn for trappetrinn, til det svei i bicepsene og svetten silte. Utslitte dumpa vi han ned på dørmatta.

«Hva skal vi gjøre nå a?» sa Özkan. «Vi kan ikke la han sove her.»

«Ringe på?», sa jeg, men tenkte på faren min idet jeg sa det, og Özkan kanskje på sin, og nesten samtidig kom vi frem til at vi måtte ringe på, og stikke av.

Dørklokka hørtes ut som den hørte til et herskapshus. Ding, dong, dong. Skritt subba i gangen og nærma seg døra. Vi spurta alt vi kunne ned trappa igjen.

På T-banen, de få stoppene mellom Veitvet og Grorud, sa Özkan det samme tre ganger på rad.

«Faen ass, skulle ikke ha drikki». Han så ned på det grå gulvet på T-banen. «Faen ass, skulle ikke ha gjort det.»

«Det går bra», sa jeg. Han hørte meg ikke.

«Stinker det? Seriøst, stinker det?»

Han pusta på meg. Jeg lukta ingenting, men jeg tok ut to tyggis til meg selv og ga han resten av pakka mi.

Det har ikke blitt mer russetid på meg. Ikke på Raji eller Özkan heller. Jeg har fått lest masse, så det er bra. Jeg fikk vite i dag at jeg er kommet opp i matte skriftlig og historie muntlig. Om en måned får vi vitnemålene våre.

Tre år har egentlig gått litt fort likevel.

Respondent: Jamal
Bydel: Stovner
Innspillingsdato: 14. mai 2003

Yo.

Russetid ass. Liksom, jeg er ikke russ da. Andre folk er det. Rash og sånn. Karen der ass ... Liksom, han har irritert meg så mye, du veit ikke. Hele tida han skal snakke om russeting. Og han går med den buksa på kvelden og sånn. Liksom, slapp av a, mann. Trenger ikke leke helt rå bare fordi du er russ nå. Karakterene hans er ikke så brae engang, liksom, kanskje han ikke skal få vitnemål. Så egentlig, han kan ikke få være russ.

«Vi kasta tre i Stemmern i dag.» «Vi kasta sju i Stemmern i går.» Liksom, hvem bryr seg a?

Eller: «Dere veit ikke ass, gutta, Tryvann er så schpaa. Helt gærent. Masse gærne russedamer.»

Da, jeg sverger, jeg klikka litt på han. Jeg sier til han: «Hvorfor sier du sånn til oss? Prøver du å disse meg fordi jeg ikke er russ?»

Han bare, litt sjokka og sånn: «Nei ass. Hva er problemet ditt a, Jamal? Hvorfor hater du på meg?»

Jeg bare: «Jeg hater ikke. Men hele tida du snakker om russegreiene dine. Hvorfor skal du snakke om det hele tida?»

Etter det vi begge var litt pissed ass.

Men han hooka opp etter det da. Jeg sverger, han gjorde det.

Han ringer meg, sånn: «Halla, det er Tryvann i kveld da.»

Og jeg bare tenker, hva faen er problemen hans? Men han sier sånn: «Det er noen på klassen min som ikke skal på Tryvann. Dere kan låne bukser fra dem og gå der som privatruss.» Eller nei, piratruss sa han. Men helt ærlig, jeg lekte litt deilig når han sa det, bare: «Nei ass, jeg veit ikke, jeg har ting å gjøre», men egentlig jeg var så hypp på å dra der, så jeg sa til han: «Ok da, jeg joiner.»

Der oppe det skjedde så mange ting, du veit ikke. Først, den russebuksa Rash ordna meg, den var så liten. Jeg så skikkelig lættis ut. Når jeg sitter, den går nesten på knæra mine. Men liksom, på Majid sin, det står navn til en jente. Ha ha. Vi hadde så mye lættis av det. Liksom kødda med han hele tida, sånn: «Hva skjer a, Amina?» Han bare: «Hold kjeft a, faen.»

Jeg sverger, jeg trodde Tryvann var sånn borte ved Grorud eller no. Liksom, folka sier det er der det er svær tv-antenne. Og jeg veit det er mange russ som pleier å gå på borte på Stemmern, så liksom, jeg tenkte ok, det er sikkert borti der. Nei ass. Det er på vestkanten jo. Det var så langt dit da. Liksom, vi fikk tid til en hel vorspiel inni banen og sånn. Bare tok masse vodka med Fanta og blanda. Majid tok noen hyppere og sånn også. Han bare: «Skal dere ha elle? Får bra form» Vi bare: «Nei ass, er ikke *så* shkække ass, mann.» Men vi tar sigg inne på banen og sånn, helt gærne. Liksom, du veit hvordan det er når du drikker og sånn, du må ta sigg. Du *må*, skjønner du hva jeg mener?

Hele tida vi ser to gamle folk driver og sjofer på oss. Liksom, først dem flytter seg til andre seter lenger borte, så når dem går av, dem sier «at det går an», sånn høyt, så vi skal høre det.

Majid bare, helt shkække og sånn: «Fuck dere a, thug life biaatch!»

Når vi kommer bort der vi må gå *den* lange bakken, og så vi må gå på kø. Vi venter der lenge ass, og hva skjer? Han tishar vakta bare: «La meg se russebevis.» Og ingen av oss har. Rash sin er ødelagt fordi det kom øl på den, sier han.

Vakta bare: «Sorry, jeg må se russebevisene deres.». Jeg bare: «Hva mener du? Sjofer du ikke buksa våre liksom? Han bare: «Det kan være en annen sin bukse.» Jeg bare: «Hør a, du tror vi er så gæren at vi kommer helt her og ikke er russ elle?» Karen sier: «Ok, få se russekort eller noe da», og jeg sier til Rash sånn lavt: «Pæs meg noen kort a», men han har ikke russekort heller, liksom, han gidde bort alle korta til barna på T.U.V.

Så vi ble nekta ass. Jeg kødder ikke. Skikkelig tæz. Folk bare går forbi oss og inn, masse folk liksom, og vi står der og er helt sånn, fuck, fuck, fuck, vi kan ikke gå hele den veien og bli nekta. Hva skal vi gjøre nå?

Jeg husker ikke, jeg tror det var Rash, han sier sånn: «Vi går på skogen. Folka sier det er vei der vi kan snike inn på.» Så vi går litt tilbake sånn at vaktene ikke kan sjofe oss, og så vi løper inn på skogen.

Det var mørkt der ass. Jeg kødder ikke. Jeg kan ikke se en dritt liksom. Og det starta å regne der. Det var dritkaldt og dritglatt. Vi måtte gå og holde på henda til hverandre. Liksom, hør a, Majid var så shkækk, han klarte ikke gå, liksom, da vi måtte holde henda hans, ellers han bare hadde gølva og blitt borte på skogen der. Og dem jævlene, dem lekte så smarte, dem hadde setti opp sånn gjerde midt på skogen. Sånn, jeg veit ikke, en meter høy eller no. Så vi måtte klatre på den, men den var myk, du veit sånn oransje med hull på, og jeg prøvde å klatre på den og tryna så heftig på bakken. Hele armen min ble dritt på.

Men da skjønte vi liksom, ok, det her er bra, for hvorfor skal dem ta gjerde der hvis ikke det er der ting skjer, skjønner du hva jeg mener? Og akkurat sånn, kanskje fem minutter etterpå, vi starta å høre musikken, og lysa kom, og vi gikk der, litt sånn undercover og sjofa masse først, så går vi ut fra skogen.

Det var så masse folk ass. Masse svære busser og folk som dansa til drithøy musikk. Jeg kødder ikke, vi var så glad for å komme bort fra den fuckings skogen, selv om vi alle folka hater techno, vi bare starta å danse, vi også.

Ti ti ti tiiti, ti ti ti titii. Jeg sverger, dem greiene der er ikke musikk ass, men liksom, vi bare var helt gærne og gjør technodansing, du veit, hoppe opp og ned og gjøre karate med henda.

På den tida, det var bra. Vi hadde noen flus og kjøpte øl og sånn. Bra form, dansa litt mer. Så kom den jævla regnen ass. Liksom, den tok av. Bare, pang, pang, pang på bakken liksom. Alle klæra mine var våte på fem sekunder, sånn dem sitter fast på kroppen min liksom. Folk bare fløy ass. Plutselig vi står der aleine bare, hva faen skjedde her a?

Så vi står der litt sånn en gang til, hva skal vi gjøre nå?

Rash sier: «Vi går og finner Bredtvet-bilen.» Og vi går der, men liksom det er svært der og Rash ringer folk, men dem svarer ikke på telefon, og vi finner ikke Bredvet-folka, vi bare loker.

Men da vi møter på Mo ass, han fra T.U.V. Først jeg tenkte, hæ? Mo på fest? Men han skal avor hjem og sånn, og jeg spør han, hvor er Bredvet-folka, og han sier til oss hvor dem er. Og endelig liksom, vi finner dem. Jeg sverger, vi var så glad for å komme en sted og slippe den regnen.

Når vi kommer der, ingen folk er ute. Liksom, vi må gå og banke på vinduene. Dem tar skikkelig lang tid på å svare, og så sånn feit degos, Juan, kommer ut.

«Skjer a, gutta?» sier han og shaker med oss og er helt kompis.

Rash sier til han: «Hvorfor svarte du ikke a, jeg ringte deg mange ganger.» Juan bare tar opp telefonen sin og sjofer på den, liksom: «Åh, shit ass, sorry ass, jeg så det ikke før nå.»

Så vi sier til han: «Så la oss komme inn der a. Det regner som faen, mann.» Men karen blir helt sånn, du ser han er stressa liksom, bare: «Ehh ... Det er ikke plass.»

Vi bare: «Kom igjen a, mann. Liksom, la oss være der hvertfall til den regnen her stopper.»

Han bare, enda mer stressa og sånn. «Det er ikke for å være dust ass, gutta, men dem som har betalt for å være med, må få plass.»

Vi bare: «Du kødder elle?»

Liksom, jeg kan sjofe inn der, og det er fullt der, men liksom, dem hadde klart å lage plass også, seriøst liksom, jeg syns det var nok plass. Når jeg sjofer på dem, dem ser det liksom, og dem ser sånn stressa ut også, og et par av folka jeg gikk på klasse med og sånn, liksom dem var ikke kompiser, men vi var på samme klasse og noen ganger snakka litt her og der, dem bare gjør sånn «halla» med hånda når dem sjofer at jeg sjofer dem, men etter det dem vil ikke sjofe på meg, dem bare sjofer en annen sted.

Juan sier til oss: «Liksom, hvis det bare var meg, jeg hadde lagd plass for dere, jeg sverger.» Og så han begynner å sverge enda mer, liksom mor og far i døden og sånn. Han sier: «Sorry ass, seriøst, gutta. Jeg får ikke gjort no liksom. Alle der inne har betalt og sånn.»

Rash bare: «Det her er tishar stil ass, Juan. Skikkelig tishar.»

Juan blir sånn: «Slapp av a, gutta. Det er ikke sånn ...»

Rash bare, da han klikker litt, liksom: «Det er ikke sånn? Hva mener du, det er akkurat sånn det er ass.»

Majid, han fryste så mye da, liksom hele kroppen hans var på vibrasjon, han var på den nedturen: «Fuck det her a, Rash. Vi avor. Fuck dem, vi finner andre steder.»

Når vi avor, Juan prøvde å shake med oss og sånn. Jeg sverger. Da jeg også ble sånn klikka, jeg orka ikke det jævla trynet hans mer ass, jeg bare: «Fjern deg a, hore.» Og Rash bare: «Gå og sett deg med potetvenna dine du, fitte.»

Liksom, etter det, jeg er enda mer sånn, fuck Bredtvet.

Du veit når du blir så mye våt at når du tråkker, skoa din lager plasking? Sånn var det inni på skoa mine. Og tåa mine og fingra mine var så kalde dem kan ikke bevege seg. Vi tråkka lenge ass, du veit ikke. Vi starta å bli sur på Rash og sånn. Bare sa til han sånn: «Skjer a? Du sa det var så schpaa her, og det er opplegget liksom?» Liksom, på en måte jeg likte å si det til han da, liksom disse han litt.

«Er ikke sånn hver gang da», sier Rash, sånn lavt, liksom han er ikke så tøff med russegreiene sine nå.

Jeg var jævla glad ass, når vi hooka opp med hun jenta ass. Hun var fjern ass. Du veit sånn, hun sto utafor en buss og liksom, hvis bussen ikke var der, hun hadde tryna. Hun bare: «Har dere røyk?» Og jeg henter sigg fra lomma, og først jeg mister den ene fordi fingra mine ikke føler no, men liksom neste jeg holder på å gi til hun, men da Rash er smart, han sier: «Du får sigg, men da vi får gå på bussen.»

Hun bare helt fjern fortsatt og sånn: «Ja, det går bra.»

Så vi tar sigg med hun ute og hun er nice og sånn, liksom litt stygg da, jeg digger ikke sånn prikker i ansiktet noen norske damer har, du veit sånn, hva heter det igjen, sånn som damer med rødt hår har? Uansett liksom, hun var chill og snakka med oss og sånn. Bare chatta liksom: «Hvilken skole er dere fra?» Rash sier: «Bredtvet», og hun sier sånn: «Jeg har aldri hørt om Bredtvet.» Jeg sier: «Glem Bredtvet, vi er fra Stovner.» Hun bare: «Stovner, er ikke det i Groruddalen eller noe?» Vi bare: «Ja ass.» Veit du hva hun sier elle? Hun bare: «Så dere kjenner B-gjengen da?» Vi bare ler ass, og sier til hun: «Ja, vi kjenner dem. Dem er kompisa våre.» Liksom, vi kjenner mange folk som kjenner dem, så liksom, det er ikke helt jug, du veit hva jeg mener.

«Tøffe gutter», sier hun til oss, og liksom, vi syns det er litt kult hun sier sånne ting, så vi bare: «Ja ass, du veit.»

Så vi spør hun om det samma, og hun sier dem er fra Persbråten. Jeg bare: «Hvor er det? Hun bare, det er ... Det er der det er.» Fjern vettu, hun dama. «Det er sånn potetsted på vestkanten der», sier Rash til oss, og hun hører det, og hun sier: «Hæ? Potet? Hvorfor snakker dere om poteter?» Vi får lættis, bare shit, dama veit ikke vi snakker om hun engang, og hun bare: «Hva ler dere av?» «Vi ler av poteter», sier vi, og hun sier: «Æsj, jeg liker ikke poteter så godt.» Da vi knekker helt ass.

Så vi tar sigg ferdig og vi går inn der på bussen. Bare jenter der, jeg lover deg. Vi er liksom sånn, «hva skjer a», mens dem er liksom «hvem er dere, hva gjør dere her?» på sånn litt breial måte. Skikkelig sosser, jeg sier til deg. Tror dem er så deilige. Vi bare: «Hør a, venninna deres sa det var greit, det regner som faen liksom.» Og da hun dama fra ute sa sånn til dem, «la de sitte foran der da», og liksom dem andre digga det ikke, men vi avor til foran der. Når vi kom der, vi finner en sixpack. Og vi tar den. Den var der jo, ingen av folka der ville ha den, liksom. Dem var helt bak, ikke sant? Og den lå der oppå setet helt foran. Liksom, dem hadde tatt den hvis dem ville ha den, ikke sant?

Da, vi koste oss. Ble mere drita og sånn. Dem jentene begynte å danse. Og vi dansa litt til den ræva technomusikken dems, og prøvde å danse litt med jentene, men dem hadde fortsatt litt for heftig attitude liksom. Eneste dama som var kul, var hun fra utafor. Hun dansa med oss og sånn. Liksom, jeg tror Rash kunne hooka opp med hun, men så kom masse karer. Kanskje sånn ti, og dem er også fra den bussen. Dem starter å si samma greiene: «Hva gjør dere her, hvem er dere?» Og vi sier samme greia. «Se, det regner fortsatt. Hun dama sa vi fikk lov.» Hun sier liksom: «Slapp av, de er kule.» Men du ser liksom, dem digger ikke det heller.

Men greit liksom, vi sitter foran der litt til. Og plutselig dem setter på hiphop. Jeg kødder ikke. Dem setter på «Next Episode». Og vi bare, liksom vi var så glad. Endelig schpaa musikk, skjønner du, men samtidig vi er litt sånn, hva faen, se på dem potetene der, tror dem kan danse til hiphop. Du veit ikke hvor tæze dem var. Liksom, det her er ikke riktig ass. Dem folka der er ikke hiphop. Dem har feit buss og så mange ting, nå dem skal bøffe hiphop også? Vi er hiphop, liksom. Det er vår greie. Så vi bare jumpa inn der ass. Liksom, fløtt dere a, og vi starta å Crip-walke og sånn, jeg sverger. Liksom, la oss vise dere hvordan det her funker. Mest meg da, for jeg er beste på Crip-walk. Liksom, ikke skryt eller no, men det er sant liksom.

Litt etter det, alt drama starta. Først, vi skjønner det skjer no. Vi ser dem starter å snakke mye. Og dem begynner å sjofe etter no. En av damene blir helt sånn, nesten griner. Folka starter å se på oss. Plutselig dem skrur på lysen inni der, og dem slår av musikken. Og dem kommer, sånn sju av dem gutta, liksom går til oss og sier: «Vi har et problem her, har dere stjålet mobilen hennes?» og dem peker på hun dama som nesten griner. Vi bare: «Hva faen snakker dere om a?» Og han ene karen, ekte sånn stygg soss ass, du veit, med håret bak og snakker skikkelig sossete og sånn, han bare: «Vi vet dere stjal øl, og nå mangler hun mobilen sin. Dere har stjålet den også.» Og vi bare, lekte litt smarte først, liksom: «Bøffa øl, hva prater du om a, mann?» Men han ene karen, han bare går bort, og han finner en tom øl, og han holder den sånn mot trynet vårt, liksom, se her: «Hva er det her da?» Og han stygge karen bare: «Så, hvor er mobilen?» Starta å holde ut hånda sin, liksom som vi skal ta den fra lomma vår og gi den til han.

Jeg tenkte, hva faen liksom. Vi har ikke bøffa en jævla mobil. Liksom, hva, kaller du meg tyv elle, jævla fitte? Sånn tenkte jeg, for du blir gæren ass, du veit hva jeg mener, når noen sier du har gjort ting, og du veit du ikke har gjort ting. Jeg hater den dritten der. Så vi sier: «Hør a, fuck deg a, kompis», og vi skal gå, liksom, vi skal ikke tigge dem folka om å få være der mere. Men dem bare: «Gi oss mobilen.» Og hun dama som eide den, hun starta å skrike bak der: «Gi meg mobilen min! Gi meg den da!» Jeg sverger hun skrikte som vi har drept ungen til hun liksom. Og veit du hva han stygge karen sier? Han vil vite hvem som er kontaktpersonen vår. Jeg sverger, sånn her sa han: «Jeg krever å få navnet og nummeret til kontaktpersonen deres.» Vi bare, liksom, vi skjønte ikke. «Kontaktpersonen vår? Hva faen snakker du om liksom?». Og Rash bare: «Kontaktperson, her er kontaktperson», og så holdte han hånda si på, du veit, på greia si. Vi hadde lættis da og starta å gå fra hele dramaen, men han stygge karen holder Rash. Jeg kødder ikke. Han tar armen hans ass, og liksom: «Nei, vi skal finne ut av det her før dere går, hent vaktene.» Og plutselig dem andre folka prøver å gjøre sånn at vi ikke kan gå ut på døra før vaktene kommer. Rash sier: «Ikke rør meg. Slipp armen.» Og vi andre skriker masse dritt til han, sånn: «Slipp armen hans a, din fitte. Vi kæzer deg, jeg sverger.» Men han karen gjør det ikke ass, og plutselig Rash kliner til han og treffer karen rett på nesa.

Det blir kaos. Helt kaos. Blod og sånn. Han stygge karen holdte på nesa og skrikte som den bitchen. «Den er knekt. Den er knekt!» skrikte han. Folk skriker til oss. «Er dere helt gale eller?!» Jeg tenker, shit, ok, nå skjer det. Dem er mange flere enn oss liksom. Liksom, mange av dem backa kjapt når blod kom, men fortsatt noen av dem står der. Og han ene karen, han bare, liksom han står der rett mot meg, skjønner du, liksom som det er cowboyfilm. Jeg ser på trynet hans, og du ser han har så heftig noia, og jeg også er litt sånn, du veit, du blir litt sånn, ikke redd, jeg veit ikke, du får sånn heftig dunking i kroppen og sånn, og egentlig jeg vil ikke slå han, jeg sverger, men samtidig jeg vil slå han også, skjønner du hva jeg mener? Og han karen bare står der og gjør sånn at jeg ikke kan gå ut, og jeg ser Rash og Majid har kommi seg ut, og bare: «Jamal, vi avor, kom igjen», men han karen fløtter seg ikke, og jeg sier «fløtt deg», men han bare står der enda mere med det dumme noiatrynet. Jeg har ikke valg, ikke sant? Jeg slår han. Helt ærlig, det var bra slag da. Den trefte sånn rett under ene øyen hans. Han blir helt sjokka liksom. Helt ass, bare: «Han … Han slo meg.»

Vi løpte ass. Hele veien ned til byen. Vi løpte, for vi tenkte liksom, poteter, dem ringer alltid bauersen. Og etterpå, der borte ved, hva heter det der, med 7-eleven og sånn, Smestad, der borte kommer bauersbilen, men da vi bare beina inn på en annen vei og den sjofa oss ikke.

Jeg var helt fucka ass, når vi kom på Majorstua. Jeg orka ikke mere tråkking.

Jeg hadde lyst til bare å ligge på bakken der, jeg kødder ikke. Sånn som jeg husker med Suli, noen ganger jeg tar han til barnehagen og han er så trøtt, liksom, han sover og går samtidig og til slutt han bare legger seg på bakken og sier, jeg orker ikke gå. Sånn var jeg ass.

Plutselig Rashid driver og drar på jakka min. «Kom igjen a, vi må rekke banen.» Vi beiner ned til der banen går, men siste 5 Vestli har dratt. Vi sjofer på klokka, og bare: «Faen, vi kan rekke 00:39 til Haugenstua fra National.»

Tror du ikke vi måtte beine enda mer elle? Jeg sverger, jeg så ut som bikkje ass, tunga hengte ut og sånn, helt på trynet. Men vi kom på den jævla togen.

Når vi kommer inn der på togen og den kjører og sånn, Majid sier til oss: «Gutta, sjof her a.» Veit du hva han jævla karen gjør, fra lomma sin han faen meg henter mobilen til hun kæba ass. Han jævla klepto woriahen der ass. Vi bare sjofa på han, på den råtne mobilen, sånn gammel Nokia 6110 liksom, og du ser han er sånn, ok, nå dem skal komme med masse kjeft, liksom, han hadde litt noia, men vi bare sjofa på hverandre og på han, og jeg husker ikke hvem som starta ass, men vi får helt lættis. Helt, helt lættis. Du veit når du er sånn sliten, noen ganger, du bare knekker ass. Vi knekte så hardt, du veit ikke. Folka sjofa på oss, vi gidde faen. Vi hadde lættis som med Eddie Murphy «Raw» liksom.

Jeg dreiv og tenkte på han karen i stad ass. Du veit, han jeg klinte til. Sikkert han går rundt og sier: «B-gjengen banka oss.»

Lættis.

Liksom, karen fikk *én* slag. Han lever da. Det gjør ikke så vondt å få slag. Jeg lover, man tenker det gjør jævlig mye vondt, men det gjør ikke så mye vondt. Liksom, det gjør vondt, men folk tåler det da, ikke sant?

Kanskje om jeg trefte han så bra som det virka som, kanskje han får en heftig blåmerke.

Jeg veit ikke ass.

Ok, det skada han litt. Men jeg tenker liksom ... Jeg veit ikke.

Hør a, fuck dem sossene der a, dem fortjente slag.

Thug life liksom. Representerer Stovner ass.

Ok, nok nå.

Prates, mann.

Respondent: Jamal
Bydel: Stovner
Innspillingsdato: 3. juni 2003

Halla.

Rommen skole ringte hjem til oss da. Moren min tar den, og hun sier til meg, det er skolen, snakk med dem du. Dama der sier til meg: «Vi vil gjerne ta en prat med dere om Suleiman, nå som første skoleår går mot slutten.» Jeg sier: «Om hva liksom?» Hun sier: «Vi opplever at han har noen utfordringer.»

Så jeg går der på møten. Moren min vil ikke. Jeg sitter på rektor sin kontor. Liksom, jeg tenker på mange andre ganger jeg var der. På en stol på ene veggen. Der jeg bare sitter. Liksom, en time eller noe. Til slutt det var så mange ganger jeg var der, rektor og jeg var litt homies.

Liksom, han bare: «Hva har du funnet på nå da, Jamal? Du må slutte å havne i så mye trøbbel, vet du.» Ikke noe sur eller sånn. Bare sånn: «Ja ja, her er du igjen ja.» Til og med en gang han sier til meg: «Vil du ha en kopp kaffe mens du venter?»

Nå, det er ikke noe stol på veggen der. Det er sånn bord, liksom, hvit bord med mange stoler rundt den, og det er malt der også. Hvit på veggen. Og det er ny rektor. Sånn dame. Litt gammel. Hun spør om kaffe også da. Jeg bare: «Nei ass, det går bra.» Og så kommer lærern til Suli også, sånn seriøst, jeg tror hun er bare sånn fem år mere enn meg eller no.

Dem sier til meg: «Så fint at du kunne komme. Kommer moren deres også?»

«Hun er syk ass», sier jeg. «Men jeg skal si til hun hva dere sier nå.»

Dem bare ok, fint.

«Vi er litt bekymret for broren din», sier dem.

«Ok ...», sier jeg. Dem bare, så kjapt liksom: «Han er en veldig fin gutt.» Og hun lærern ser på hun rektorn og dem bare liksom til hverandre: «Ja, kjempefin gutt, virkelig.» Jeg tenker, ok, fin gutt, så hva er problemen?

«Men han sliter litt med kommunikasjon», sier dem. Og så dem starter å si: «Han klarer seg ok på skolen, rent faglig, noe under middels, riktignok, men vi tror ikke det er noe akutt problem ennå. Det er verre sosialt. Han snakker veldig lite og veldig lavt. Har ikke mange venner. I timen er han alltid helt stille.»

Og jeg sitter der, og jeg tenker bare sånn, alltid ass, skolen skal klage på ting. Hva, nå er det ikke problem med fag og læring og sånn, men han er for mye stille? Det er en problem?

Jeg sier til dem: «Plager andre folk han?»

Dem sier nei. Ikke som dem har lagt merke til. «Det er bare det at han er veldig lite kommunikativ», sier dem.

Jeg sier til dem: «Liksom, han er veldig sjenert gutt, jeg veit det. Ute på T.U.V. og sånn også, han er veldig sjenert. Men liksom, jeg kjenner han, skjønner dere? Jeg veit han snakker masse og sånn, hvert fall med meg.»

Dem sier det er fint, men at han er unormalt mye innesluttet og innadvendt.

Jeg blir sånn, hva faen, det er jævla frekt da, ikke sant? Kaller broren min unormal og sånn. Som han er problembarn. Han er så snill gutt liksom. Jeg starta å tenke sånn, skal dere fucke med han også, sånn som med meg, og sikkert dem sjofer jeg blir litt sånn pissed fordi hun rektorn bare:

«Vi ønsket bare å ha en samtale med dere for å orientere om hva vi har observert, men vi kommer ikke til å sette inn noen tiltak for dette ennå, vi får eventuelt vurdere det litt utover.»

Jeg bare: «Ok, greit.»

Etter det, dem driver og sjofer på hverandre igjen, liksom sånn, ok, du sier det, nei, du sier det. Til slutt rektorn sier:

«Så er det noen andre ting vi også ønsker å ta opp. Vi opplever at det er litt manglende oppfølging av han.»

Dem sier mange ting. Matpakkene hans er dårlig. Syltetøy er ikke næringsrik mat. Han trenger mer frukt og grønt og grove kornsorter. På vinteren har det vært flere ganger hvor han har hatt på altfor tynne klær. De har ikke sett noen av oss på foreldremøter, og det var en konferansetime ingen møtte opp på.

«Moren min var syk og sånn», sier jeg, «og jeg jobber og sånn, du veit.»

«Det er viktig å ta seg tid likevel», sier rektorn. Jeg bare: «Ok, greit.» Hva veit hun liksom om sjefen min. Han gir ikke fri for meg så lett ass, glem det.

«Og så har klærne hans luktet litt urin et par ganger», sier lærern. «Ved et tilfelle måtte vi finne noen gjenglemte klær å låne han.»

«Merka folk det?», spør jeg dem. Dem sier dem ikke tror det.

Jeg bare: «Ok, bra».

Hele den møten, liksom, jeg føler dem bare var sånn, dem var så skolen liksom, bare skal fortelle alt som dem syns er dårlig. Liksom, bare sitter der og sier alt som er dårlig med Suli og med oss og sånn.

Liksom, hva veit dem om livet vårt?

Som dem er så rå selv. Sånn som matpakka, hva faen, hva er dårlig med brødskive med syltetøy? Jeg spiste alltid det på matpakka liksom. Nå alle må spise potetbrød med korn på?

Og dem klærne som lukter piss, det er ikke bra ass, jeg veit det. Men også det er sånn, noen ganger klæra hans blir ikke vaska etter han har pissa på seg. Liksom, moren min noen ganger eller jeg noen ganger, bare tar dem i vasken på kjøkkenet der og vasker med hånda. Vi har ikke vaskemaskin liksom. Det er bare den på kjellern, og det er sånn liste alle må bruke der, og vi loker med lista, og da vi finner ikke tid før dritlenge og alt blir kaos. Dem veit ikke sånne ting. Sikkert hjemme på husene dems det er tre vaskemaskiner.

Men jeg sier til dem: «Ok, greit.» Dem sier bra, og vi er nesten ferdig på møten, men da hun lærern sier før jeg skal gå: «Det er barnets beste det er vår oppgave å ivareta, og i noen tilfeller samarbeider vi også med barnevernet om tiltak i hjemmet.»

Da, jeg får noia ass. Jeg sverger. Fuckings barnevernet jo. Og rektorn bare: «Altså, vi er ikke der ennå. Som sagt kommer vi ikke til å sette inn akutte tiltak eller koble inn andre instanser ennå, men det er klart, vi vil observere og følge utviklingen her.»

«Ok, greit», sier jeg, og møten er ferdig.

Fuckings Rommen skole.

Respondent: Jamal
Bydel: Stovner
Innspillingsdato: 4. juni 2003

Halla.

Tenkte på noe greier ass.

På det med Suli og sånn.

Jeg var pissed og sånn da, når jeg var der liksom. Bare høre dem si masse dritt om oss.

Men liksom.

Jeg veit ikke ass.

Fortsatt, jeg er mye pissed på dem også, men liksom, det er flaut også ass. Helt ærlig da. Det er ikke kult å høre sånne ting. Spes det med pisset ass. Liksom, ingen utenom lærerne merka det da. Men liksom, broren min lukter piss ...

Så liksom, jeg har tenkt ass. Vi må bli litt bedre på å hjelpe Suli og sånn. Jeg skal gjøre det. I stad, jeg kjøpte kyllingleverpostei. Jeg sverger, mann, skikkelig potetmat ass, jeg veit, men jeg kjøpte den med kylling da. Suli bare: «Æsj, jeg vil ikke ha. Jeg vil ha bringebærsyltetøy.» Jeg sier til han: «Kompis, ikke kødd med meg, du skal spise det her hver dag på skolen nå, og du må snakke mere på timen også, sånn som med meg.» Moren min backa meg da. «Ja, Suleiman, du må gjøre det.»

Du veit, jeg sa til hun det med barnevernet. Når jeg sa det, du veit ikke, du bare liksom sjofa på hun, hun blidde helt seriøs og sånn, liksom, ok, nå vi må fikse litt mere ting for han gutten der.

Ikke kødd med barnevernet ass.

Tro meg, jeg veit. Hun også.

Respondent: Jamal
Bydel: Stovner
Innspillingsdato: 4. juni 2003

Ok.

Så jeg tenkte mer da.

Liksom, jeg skal fortelle deg. Men det er sånn, ikke no kødd nå, skjønner du?

Du veit når jeg har sagt til deg før du ikke skal skrive ting. Liksom, ikke skriv navnet mitt og alt det med keef og sånn. Sånne ting jeg har sagt til deg.

Dem tinga her jeg skal si til deg nå, det er seriøse greier, mann. Liksom, hvis du sier dem tinga til folk og putter dem på forskinga di, jeg kommer og skader deg. Wallah, jeg kommer og skader deg.

Du skjønner greia?

Ok.

Så liksom, ja ass, jeg veit ting om barnevern. Når jeg var kid og sånn, og broren min var helt liten barn, sånn noen månter, barnevernet tok meg. Jeg sverger. Liksom, sånn én uke eller no.

Jeg veit ikke, det var sånn, han tisharen var borte da, helt borte liksom, og Suli var liten, og moren min var syk. Liksom, det var da hun starta å bli sånn mye syk, så dem tok med hun og Suli på sånn sykehus. Eller liksom, ikke helt vanlig sykehus, liksom sykehus for dem slitne folka, du veit.

Uansett, hun kom på sykehusen, men dem tok meg en annen sted. Jeg husker ikke helt ass. Det var liksom sånn borte ved Helsfyr eller no. Sånn sted jeg venta til hun var mere frisk på. Det var skikkelig fucka der. Liksom, jeg var kid, skjønner du, jeg grein og sånn hele tida, og det var sånn dame der, gammel dame liksom, og jeg sa til hun sånn: «Jeg vil gå til moren min», skjønner du? Hun bare: «Nei, du kan ikke det nå, moren din er syk.» Og bare: «Du må slappe av, alt går bra.» Men liksom, ting var ikke bra, og jeg tenkte sånn, hvorfor sitter hun dama og sier til meg alt går bra? Jeg grein så mye ass, jeg husker det liksom. Sånn, jeg klarte ikke puste på bra måte, fordi det var så mye grining. Og hun sier liksom: «Ro deg ned», og jeg var sånn: «Nei, jeg vil ikke roe ned. Ikke si til meg jeg skal være rolig, jeg vil ikke være på den steden her.»

Det er sånn jeg husker der. Og at jeg fikk spise kjeks. Det var sånn annen dame der på kvelden, hun var kul. Hun gidde meg kjeks, du veit, i sånn rød pakke, salt som faen, hva heter den igjen a ... Ja, Ritz ass. Jeg spiste så masse Ritz. Og jeg fikk se på Aladdin.

Men utenom det, det var så dårlig der. Liksom, jeg bare sitter hele tida og venter på at hun kule dama kommer på jobb.

Jeg husker ikke mer enn det ass, fra den steden. Bare sånn, når jeg kom hjem, han ene chippern som bodde på leiligheten ved sida av oss, han var liksom sånn to år mindre enn meg eller no, han sier til meg: «Ble moren din tatt med til Gaustad elle?» Liksom, jeg veit ikke hvem som sier sånt til han, men når han sier det, liksom, jeg får så noia, bare, faen, hvordan veit han? Og jeg sier sånn. «Hold kjeften din a. Hun var på sykehus.» Han bare: «Nei, hun var på Gaustad.» Jeg sa til han sånn: «Hvis du åpner kjeften din, jeg banker deg.» Jævla chipper, han starta å si det en gang til, så jeg klinte til han ass. Mange ganger, liksom, lille chippern, han bare ligde der på bakken og jeg klinte til han mere og mere, jeg sverger, jeg ville drepe han, og han starta å grine og bare: «Slutt, slutt», og jeg hører noen folk kommer på oppgangen, og jeg slutta. Og jeg sier til han en gang mere: «Du holder kjeft, ok?»

Han holder kjeft. Når han sjofer meg på gata, han avor liksom. Nå, dem bor en annen sted ass.

Mange ganger, jeg hadde så noia for at dem skal ta meg der igjen. Jeg hadde drøm om det ofte. Bare våkna svett og sånn, liksom, verste skrekkfilmen.

Liksom, jeg begynte å hjelpe moren min på den tida. Sånn, du veit, gå på butikken, bære ting, passe på Suli. Og når dem folka kom, jeg hjelpte til masse.

Dem kom hjem til oss og sjekka på ting, første gangen kanskje en halv år etter hun var på sykehusen. Moren min, alltid hun sa til meg sånn: «Ikke si noen ting til de folka. De er ikke brae folk. Hvis du sier mye ting, dem kan ta deg igjen.» Jeg bare: «Ja.» Og vi rydda så mye, du veit ikke. Liksom, vi vaska alt ass, og vi lagde mat, og vi sier til dem: «Her, vær så god, spis», men dem spiser ikke, dem bare sitter på sofaen og sier ting til moren min, og jeg sitter på rommen min, og dem kommer der, og dem spør meg sånn om ting er bra og sånn, snakker på sånn måte, jeg veit ikke ass, som jeg er hemma eller no, skikkelig sakte, liksom: «Går det bra med deg?» og jeg bare alltid: «Ja, det går dødsbra.»

Til slutt dem kom ikke mere. Dem sier ting er bedre.

Og liksom, det var ikke sånn vi lagde fake greier for dem, ok, med ryddinga og sånn, egentlig det var ikke mye ryddig på andre dager, men på den tida, hun var ikke så mye syk lenger heller. Hun var ganske bra. Sånn, hun stådde opp vanlig tid og altfor mange ganger hun gikk på Trygdekontoret og snakka der for å ordne ting, og nesten hele tida hun lagde mat på middag.

Men liksom med tida og sånn, du veit, den går og sånn, og ting blir dårligere og sånn, og hun begynner å bli mere syk og sånn, og mere på sofaen og sånn, og Trygdekontoret vil ikke hooke oss opp, og nå lenge ting har vært, liksom, du veit ...

Egentlig, jeg trengte ikke si til hun at dem på skolen snakka om det med barnevernet. Jeg veit jeg gidde hun noia da. Men liksom, samtidig, jeg vil hun skal ha litt noia også, skjønner du hva jeg mener? Liksom, ok, nå, ting er ikke kødd. Nå, vi kan ikke kødde mere.

Men du holder kjeft ass, ok?

Fra: Mo <mo.1@hotmail.com>
Sendt: 13. juli 2003
Til: Lars Bakken <lars.bakken@nova.no>
Emne: Kartlegging av hverdagen til unge i Groruddalen

Foreldrene mine satt i aulaen på Bredvet og så meg få vitnemålet. De tvang meg til å gå med hvit skjorte. Den var ikke stygg, det var ikke det, det var bare nesten ingen andre som hadde på seg noe sånt. Jeg ville ned fra scenen så fort som mulig da rektor ropte meg opp. Edvard sto der oppe han også, og trykka hånda mi hardt. Liksom røska den med seg opp og ned.

«Jeg er kjempestolt av deg», sa han, og jeg så at han virkelig mente det.

Da vi var ferdig inne, gikk vi ut i skolegården sammen med de andre foreldrene og elevene. Faren min ville ha et bilde av meg mens jeg holdt vitnemålet. Han er ikke så flink med bilder. Stort sett plasserer han oss foran noe, et bygg eller monument, Slottet, det gamle universitetet, løvene på Stortinget, og så knipser han i vei, og vi ender nesten alltid med å mangle føtter eller skalp. Det var det samme nå. Skolen i bakgrunnen, og jeg med den hvite skjorta og vitnemålet i front. Han har ikke fremkalt dem enda, men jeg er ganske sikker på at deler av hodet mitt mangler.

Idet vi var i ferd med å gå, oppdaga vi rektor som sto i døråpningen og vinka til oss og signaliserte at vi skulle vente. Blikket hans streifa over foreldrene og elevene som sto mellom oss. Mange av klassekameratene mine var i godt humør allerede og hoia og skrek. Jeg tenkte at jeg ikke kom til å savne dem noe særlig. Raji og Özkan hadde jeg sagt ha det til allerede.

«Snakkes da», sa vi og trykka hender.

Rektor gikk i bue rundt dem. Han klappa meg på ryggen da han kom frem og lot hånda hvile på skulderen min.

«Han her er vi stolte av, altså.» Foreldrene mine smilte. «Han viser hva vi kan få til, ikke sant, også med den elevgruppa vi har hatt her nå.» Blikket hans skråna i retning hoiinga. «Men deres sønn, altså, han er noe for seg selv.»

«Tusen takk», sa faren min.

«Han er flink gutt», sa moren min. Det er alltid rart å høre henne snakke med nordmenn, for hun blir liten da, og stemmen spakner og hun hvisker nesten.

«Flink, ja», sa rektor og hørtes ut som en baryton i forhold. «Veldig flink.»

«Ja ja, da er vi her igjen», sukka han. «Nok et skoleår ved veis ende.» Han så tomt ut i lufta i noen sekunder.

«Men nå skal jeg ikke oppholde deg mer. Du skal jo videre ut i den store, spennende verden.»

Vi smilte til han, alle tre.

«Lykke til med alt», sa han og trykka hånda mi igjen.

Vi takka på ny. Så gikk vi mot kvinnefengselet og T-banen mens rektor hasta tilbake til kontoret så den grå blazeren flagra.

Etter det var det bare å vente. Vente uendelig lenge. Lyden av postkassene som ble lukka igjen, så lavt at jeg så vidt kunne høre det i åttende, bare fordi det var den eneste lyden jeg lytta etter. I titida vanligvis. Så opp av senga. Ut i oppgangen. Håpe jeg ikke kom ut akkurat samtidig som han med pitbullen. Skritte ned trappa, et par trappetrinn om gangen de første etasjene, før det gikk fortere, liksom av seg selv, helt til jeg hoppa ned fem og fem om gangen de siste to etasjene og hørte Svendsen inne fra leiligheten sin: «Slutt å løpe i trappa!» En polsk postmann på vei ut av oppgangen, eller allerede ute. Nøkkelen i postkassa. Metalldøra som var løs, og jeg som alltid glemte det når jeg åpna den, den smalt inn i postkassa til Rajakumar ved siden av. Brev fra Trygdekontoret. Regning fra Hafslund. Reklamer fra Ultra. Grilla kylling på tilbud. Lang vei tilbake. Åtte etasjer. Noen ganger tok jeg en røyk ute først. De gangene tok jeg heisen. Hvis ikke gikk jeg.

På en helt vanlig tirsdag lå den der. En konvolutt med Samordna opptak sin logo i hjørnet.

Jeg rev den opp.

Tilbud om studieplass på bachelorprogrammet i samfunnsøkonomi ved Det samfunnsvitenskapelig fakultet, Universitetet i Oslo.

Jeg var jo nesten sikker, men å se det, det fikk faren min til å klemme meg. Vi to klemmer ikke, moren min gjør det, men vi glemte det, og vi sto der på stua og klemte hverandre mens hun holdt på å le seg i hjel.

Vi spiste ute samme kveld. Jeg med den hvite skjorta igjen, Ayan med det samme, og håret gredd i en sideskill som glinsa av hårgéle. Asma med kjole og pensko. Alle på T-banen til Carl Berner, og så 31-bussen opp Trondheimsveien til Shalimar. Det er det «å gå ut og spise» er for meg. Shalimar. Jeg elsker det. Duker som ligger glattstrøket over bordet. Servitørene som har så pene klær og heller på vann og brus for oss. De små stearinlysene under serveringsfatene. Og lukta av naan, aller mest lukten av naan, når det blir lagt ned på bordet og lukta stiger opp i nesene våre og vi vet vi ikke trenger å vente lenger, fordi maten har kommet til vårt bord også. Jeg spiser alltid for mye naan og får mageknip på vei hjem.

Da faren min og jeg drakk te hjemme i stua etter at de andre hadde lagt seg, sa også han til meg at han var stolt.

«Du vet ikke ...», begynte han, men stansa seg selv. Han tok en liten pause. Den ene langfingeren strøk over rillene på en sofapute. «Jeg er helt rolig nå.»

«Du skal ikke dø?» spøkte jeg, for alvoret hans gjorde meg ukomfortabel.

«Jeg mener ikke rolig på den måten, dumme gutt.» Stemmen støtta ikke opp om ansiktet som prøvde å se irritert ut. «Så mange år i det landet her.» Han kikka ut på skumringa som hadde lagt seg omkring høyblokkene utafor.

«For første gang er jeg helt rolig.»

Jeg satt oppe til det ble helt lyst igjen, ikke klar for å la noe så vanlig som søvn ødelegge en så uvanlig dag. De hadde alltid vært bare for meg, dagdrømmene. Den natta ble de større. Sluttstykket på det som begynte i et murhus med flatt tak, med en gårdsplass og en rusten sykkel i hjørnet, i forstaden til en mellomstor by, i et helt annet land.

I går kom det to nye brev i posten. Et fra Universitetet i Oslo med et fint emblem på utsida. Det var en formell bekreftelse på at jeg hadde fått plass, og informasjonsskriv om det å være student ved UiO, med kart over campus og alt mulig. Jeg liker å bli kalt student ved UiO, det er ganske kult å tenke på det. At jeg liksom er det nå.

Det andre brevet var fra Lånekassen og er like kult. Som 1 av 20 utvalgte er jeg sikra 6 500 kroner i måneden i særskilt stipend.

Jeg jubla så det ljoma oppover hele oppgangen. Så løp jeg opp alle trappene og styrta inn på stua.

Respondent: Jamal
Bydel: Stovner
Innspillingsdato: 14. juli 2003

Halla, mann.

Skjer a?

Ikke mye her ass. Jobber fortsatt og sånn. Folka der er ok. Liksom, mange av dem som jobber der, dem snakker ikke så bra norsk da. Men liksom, det er ok. Vi skjønner likevel, og vi kødder mye og sånn når han sjefen ikke sjofer.

Det er slitsommere enn jeg trodde ass, jeg sverger. Liksom, én bil, ok, ikke no stress. Tjue? Mann, skuldra mine er ødelagt hver dag. Jeg sa til sjefen for litt sia, hør a, kanskje jeg kan gjøre andre ting. Liksom sånn, fikse på biler og sånn. Han bare: «Jamal, er du mekaniker?» Jeg bare: «Nei ass.» Han bare: «Så hvordan skal du fikse på bil?» Jeg bare, «Veit ikke.» Men han sa jeg kan skifte dekk og sånn da. På oktober og november da blir det masse. Da jeg kan gjøre det. Men han bare, vasking er viktig også. Og det er sant da. Du må tenke litt. Du kan ikke bare gå der med vann og såpe, og plutselig bilen blir bra. Du må vite hva du driver med. Hvordan såpe du skal bruke på forskjellig steder på bilen. Hvordan børste du bruker. Og hvis dem skal vaske inni, du må være forsiktig. Ikke bruke samme klut som ute. Passe på alle tinga på dashbordet. Det er egentlig masse greier du må tenke på. Det er ikke bare å gå der og ta på vann og 1, 2, 3, du er ferdig med det.

Men liksom, jeg sier til kompisa mine at jeg jobber på

verksted. Ikke sånn at jeg bryr meg om de veit heller. Flusa er viktigste liksom. Men jeg sier verksted da.

I går det kom ny lønn. Er så digg ass. Har sigg hele tida. Kan kjøpe keef hele tida. Gir flus til moren min. I går jeg gidde hun tre lapper. Hun bare, gå på Vivo og kjøp kylling og sånn og masse grønnsak og sånn, og sjokoladepudding med vaniljesaus. Jeg avor og kjøpte alle greiene. Jeg sverger, vi spiste heftig ass. Hun lagde så bra mat. Kyllinggryte med ris og sånn. Vi bare hadde sånn svær haug med bein etterpå ass. Suli, han spiste sånn fem lår.

Det var skikkelig chill da. Lenge sia jeg har spist den kyllingen.

Jeg sverger, etter den greia med Suli og skolen og barnevern og sånn, moren min, hun er bedre. Liksom, ikke bare den middagen, det er sånn, plutselig jeg står opp og skal til jobb, og hun er oppe liksom. Lager frokost og vasker klær og sånn. Bare helt hyper liksom. I starten jeg skjønte ikke en dritt ass. Liksom, har moren min begynt å ta pepper elle?

Ha ha. Det var kødd da. Astaghfirullah. Men det er bra da.

Egentlig, mange ting er ganske bra for tida.

Snakkes.

Fra: Mo <mo.1@hotmail.com>
Sendt: 17. juli 2003
Til: Lars Bakken <lars.bakken@nova.no>
Emne: Kartlegging av hverdagen til unge i Groruddalen

For to dager siden ringte hjemmetelefonen.

«Det er fra bydelen», sa faren min og så spørrende på meg. Han ble stående ved telefonen da jeg tok over.

«Helge Johnsen, bydelsdirektør på Stovner. Er det Mohammed?»

«Ja», svarte jeg.

Han snakka fort, gratulerte med stipendet og spurte om jeg skulle på ferie i løpet av neste uke.

«Nei», svarte jeg.

«Det er bra.» Jeg kunne høre han boble over på andre siden. «Veldig, veldig bra. Da slipper du å avbestille. Det er nemlig noen som vil møte deg, Mohammed. Statsministeren. Statsministeren kommer til oss på Stovner!»

Det er omtrent alt jeg vet foreløpig.

Respondent: Jamal
Bydel: Stovner
Innspillingsdato: 30. juli 2003

Jeg holdt på å komme på jailern ass. Wallah, jeg sverger.

Liksom, for lenge sia jeg har fått sånn brev fra militæret at jeg skal komme på sesjon, men liksom, jeg har loka det helt ass.

Jeg sitter der med kompisa mine på garasjetaket og får på litt, og vi snakker om masse greier Rash har hørt om på nyheter. Du veit, han sjofer på det mange ganger, seriøst liksom, NRK, BBC, CNN, alt mulig, han og broren hans.

Rash sier dem snakker om at Norge kanskje skal gå der på Irak likevel, selv om dem lekte så smarte i starten. Liksom, glem det, vi er ikke med på den krigen, den er ulovlig, sånn var dem, men nå ...

Liksom, jeg visste det kom til å være sånn ass. Alltid Norge skal være så bitchen til USA.

Sånn som med Palestina. Norge bare, Palestina er kompisen vår. Hele tida dem sier det. Men med en gang USA og Israel sier no, Norge blir helt drama, som fjortisjenter på Rommen, bare, nei, nei, slapp av, dere er *ordentlige* kompisen vår da, glem Palestina liksom.

Er det ikke sant?

Uansett, når vi snakker om det, da plutselig jeg husker den sesjonen. Bare, fuck, var ikke det på 27. juli eller noe? Og jeg sjekker på mobilen, det er 26. juli. Jeg sier: «Lok ass, jeg har sesjon i morgen.» Og jeg sjekker klokka, liksom, den er elleve eller no, og jeg sier sånn, «Fuck it ass, jeg bare ditcher det.»

Rash bare: «Du må dra ass. Du kan komme på jailern om du ikke drar der. Militærpoliti kommer og henter deg hjemme og sånn.»

Abel bare: «Jeg kødder ikke, i Eritrea, der du går på sesjon og etter det du er ti år i militæret, kanskje enda mer noen ganger.»

Jeg starter å få litt noia, bare: «Du kødder?»

Rash sier: «I Norge det er bare en år, ikke hør på han negern der.»

Men liksom jeg tenkte, en hel år, mann, jeg kan ikke være borte en hel år. Du veit, ting hjemme er litt bra nå og sånn, men liksom, en hel år? Nei ass, det går ikke.

Og uansett da, om det var sånn dem hadde sagt til meg, ok, familien din kan være på verdens beste hotell hele den åren, dem kan spise alt den beste maten på hele verden, dem skal ha hundre slaver som passer på alt er bra med dem, fortsatt jeg kommer til å si, nei ass, jeg vil ikke gå der.

Liksom, det er heftig å lære å bruke gunner og dem tinga der, du veit, plutselig jeg kommer tilbake til Stovner og er helt gangster, men seriøst, sånn gå rundt på militæret der og være heia Norge og gå på krig fordi jeg tenker på min far og mor og den drømmen på vår jord ...

Tssk ...

Jeg hører den sangen der, og jeg merker ingenting ass. Det er ikke min sang. Dem sier det i sangen jo, tenker på landet og på far og mor. Liksom, foreldra mine er ikke fra Norge.

Og nå jeg skal gå på militæret og hjelpe Norge? Hjelpe USA? Med å skyte på folk på Irak?

Så mange her på Norge liker ikke trynet mitt engang ...

Nei ass. Om jeg skal gå på krig, jeg skal gå på krig for Stovner og T.U.V, da jeg skal krige som faen.

Så jeg bare: «Hva skal jeg si til dem for å slippe?»

Rash sier: «Jeg sa jeg har prolaps ass, bare sendte sånn melding fra legen med det.»

Jeg sier: «Faen, jeg har ikke prolaps. Skuldra mine er ganske fucka da, men jeg har ikke vært på legen med det.»

Dem sier: «Si du er rompis, mann», og dem får lættis. Jeg bare: «Hva faen?» Dem sier: «Ja, dem hater sopere i militæret. Sier du til dem du er sopern, du slipper.»

Jeg bare: «Nei ass, jeg sier ikke jeg er fuckings sopern liksom», og jeg dropper Biggie på dem: «It don't mix like two dicks and no bitch, find yourself in serious shit.»

Dem får lættis, og jeg sier: «Husker dere Johannes elle?», og da alle får enda mer lættis. Liksom, Johannes var sånn soper som kom på Rommen skole for å snakke om hvordan livet ditt er når du er sopern. Han var helt homo, liksom, trynet hans og måten han bevegde seg, hele greia liksom. Og han snakker om analsex, og hvordan det er schpaa fordi det er sånn greie på ræva di som gjør at det føles schpaa, og så han tar kondom på banan og sånn, bare tar skikkelig på den. Jeg sverger, det var helt syke greier. Og etterpå på gangen, mange av folka skrikte til han, liksom jeg også da, bare sånn: «Jævla soper!» Og han sier: «Slutt å si sånne ting», og vi bare: «Stikk a, homo. Gå fra Rommen a!», og til slutt han grein som liten jente.

Yæk ...

Han var ekkel ass.

Så liksom, nei, glem å fake sopern liksom.

Abel sier: «Ok, drit i det. Bare lat som du er gæren, liksom helt syk. Dem vil ikke ha sånne heller.»

Jeg bare: «Ok, hvordan da?»

Han bare: «Bare gjør syke ting.»

Jeg sier: «Jeg veit ikke ass. Plutselig dem tror jeg er gæren på ordentlig og dem sender meg et eller annet sted, sånn som Gaustad eller no.»

Rash bare: «Du har røyka for mye ass, Jamal. Dem gjør ikke det.»

Jeg bare: «Hva veit du om dem gjør det?»

«Slapp av, mann», sier han. «Du stresser for mye ass. Det går bra. Liksom, egentlig dem vil ikke ha svartinger på militæret. Dem vil ikke vi skal lære om våpen og skyte på dem, så liksom, bare si noe fucked up greier og lek ustabil, og det går bra.»

Når jeg våkner, jeg ringer sjefen min, liksom: «Sorry ass, jeg må ha fri i dag.» Han klikker. Bare: «Jamal, hva er det for no tull, ringe meg en time før du skal jobbe og si du ikke skal jobbe.» Jeg sier til han jeg har ikke valg. Jeg må dra på den steden. Han gir så faen. Liksom: «Da får du komme og jobbe kveld.»

Jeg har ikke lyst til å jobbe på kvelden. Jeg vil chille på kvelden.

Men jeg drar der dem skriver på breven, på Akershus festning. Og på banen jeg sitter og bare stresser heftig, liksom, fortsatt jeg veit ikke hva jeg skal gjøre når jeg kommer der. Og jeg vil ikke gå på militæret ass. Seriøst. Og jeg veit ikke ass, hjernen min er fucka, jeg tenker at jeg skal få på mornings. Liksom, med mornings du blir kreativ og sånn vettu. Sånn tenker jeg. Så du veit der på festningen, du går inn og du må gå oppoverbakke litt, og så det er benker og der du ser Aker brygge og rådhuset, der var vi på en 17. mai en gang, og jeg går der, og det er ingen folk, bare sånn turist fra Japan eller no, så jeg lager en joint med en liten kicker og jeg får på den. Ting var egentlig skikkelig fin da, jeg sverger. Liksom, du ser himmelen er lys blå, haven er mørk blå, og masse båter kjører der og lager hvit stripe bak, fugler lager lyder, og rådhuset, den klokka eller no spiller sånn sang, ding, ding, dong, og folka der nede bare chiller og går her og der og spiser is og sånn. Men så jeg husker, fuck, jeg kan ikke være her på benken og se på hav og fugl, jeg må gå på fuckings sesjon. Og den jointen har starta å funke heftig, men jeg blir ikke kreativ ass, jeg får bare noia. Liksom, shit, shit, shit, jeg takler ikke det her. Helt sånn, jeg vil bare avor hjem på senga min. Men liksom, jeg veit jeg kan ikke det heller, så jeg bare, ok, Jamal, faen ass, kom igjen a, og så jeg går der lenger inne på festningen til den steden vi skal møte. Der jeg ser en kar med militærklær, og jeg sier: «Sesjon?», og han peker på en rom.

Det er som klasserom der. En kar kommer inn og sier vi skal ta prøve. Sånn matte og språk og sånn. Liksom, dem gir masse ark der du får en spørsmål, og må sette kryss på a), b) eller c). Jeg bare, fuck det her a, jeg bare setter a) på alle dem første, så b) på alle dem neste, og så c) på alle på slutten.

Etter det, det er liten pause. Jeg går og tar sigg ute. Ser på kanon og sånn. Jeg sverger, ekte kanon. Gammal da, liksom, hvis det var sånn Norge har, ikke rart dem taper mot Tyskland på én dag. Ha ha.

Når jeg kommer inn der igjen, dem roper navnet mitt og ber meg gå inn på en annen rom. Der det er en lege. Gammal kar, han hilser ikke, bare sier jeg skal gå på en boks, liksom, helt som telefonkiosk, skjønner du, og jeg skal trykke hver gang jeg hører lyd. Og det kommer lyder. Sånn piping. Litt lav. Litt høy. Litt kort. Litt lang. Jeg bare kødder, trykker hele tida, liksom, er det ikke sånn ustabile folk gjør? Dem hører ting? Sikkert jeg trykka 50 ganger. Han sier til meg: «Hva holdt du på med der inne?», og jeg bare: «Jeg hørte ting.»

Etter det han sjekker hvor høy jeg er. 1,80. Han sjekker hvor mye jeg veier. 65 kg. Og han spør masse spørsmål, sånn, hvilke sykdom jeg har hatt, om jeg har noen nå, alt mulig. Jeg sier det med vondt på skuldra noen ganger, han bryr seg ikke. Så jeg sier: «Ja, og så har jeg prolaps. Heftig prolaps.» Han bare: «Ja vel, når hadde du sist smerter?» Jeg bare: «Ehh, i dag, nå.» «Hvordan da?» sier han. Da jeg blir svett. Bare, fuck, jeg veit ikke egentlig hva prolaps er, og jeg starter å tenke, ok, hvor er det Rash har klaga på han har vondt? «Du veit, ryggen min er fucka hver dag, bare jeg bøyer på den», sier jeg. Han sier: «Ta av deg», og jeg tar av gensern, og jeg veit ikke ass, kanskje jeg var for stein, men liksom, jeg tror han legen er litt sopern ass, han tar hånda på ryggen min, liksom, opp og ned, sånn sakte, som han skal gi meg massasje eller no, og det er sånn helt fucka situasjon, liksom, ene tida jeg tenker, hva faen, hvis han gjør sopergreier på meg, jeg må gjøre no, men andre tida jeg tenker, jeg må fake prolaps, så jeg sitter der og sier «au, au» mens han karen driver og tar på meg.

«Ser ikke tegn til noen veldig stor prolaps, i alle fall», sier han. Da jeg bare fløtter meg, liksom, fjern henda dine a.

Etter det karen sender meg ut og enda mere venting og enda mere sigg, og jeg ser på kanonen en gang til, og det kommer flere militærfolk der, liksom, skikkelig seriøse, du veit, går på sånn militærmåte, og når jeg går inn der, dem roper navnet mitt en gang til, og jeg går på enda en ny rom. Der en av dem seriøse gutta sitter. Liksom, han er sånn, ikke gammel, kanskje sånn fem år mere enn meg eller no. Sitter der på stolen med sånn pigghår. Helt Guile i Street Fighter liksom, bare med litt mere kort hår.

Og han ser på arka sine, og han sier: «Ja, Jamal ...»

Jeg tenker, ok, nå jeg må leke gæren, jeg må, men jeg veit ikke hvordan jeg skal gjøre det. Hva, skal jeg slå meg selv på hoden og kræsje i veggen eller skal jeg starte å pisse på gulven der, eller hva faen jeg skal gjøre? Så jeg liksom, jeg bare, jeg veit ikke hvordan jeg tenkte det, jeg bare tenker jeg må battle han eller noe. Liksom, jeg starter å si ting fra sanger jeg kan.

«They call me Jamal I'm not our legal type of fellah, vodka drinking marihuana smoking street dwella.»

Han bare, hæ? Jeg bare: «He, he, hey, Smoke weed every day.»

«Du må nesten ...»

«Throw your hands in the aya, if you a true playa.»

«Hei, nå snakker jeg til deg, ok?»

«I aint the type of brother made for you to start testin', give me a Smith & Wesson I'll have niggas undressin'.»

Plutselig jeg starter å tenke, hei, den jointen funka ass, jeg bare flowa helt ass, alt han kaster på meg, jeg kæzer han med det.

«Du vet at ...»

«Yes, this shit is raw comin' at your door. Start to scream out loud, T.U.V.'s back for more.»

«Du, nå begynner jeg å bli litt ...»

«Fuck your bitch and the click you claim, T.U.V. when we ride, come equipped with game.»

Da han bare klikka helt. «Hei! Skjerpings nå! Ok!?» Han slår i borden og du sjofer karen blir helt sjokka av seg selv liksom, hæ, klikka jeg? Og han snakker mere rolig.

«Du veit du ikke slipper militæret ved å oppføre deg sånn? Nå svarer du ordentlig, ok?»

Jeg bare, liksom, faen, det her funka ikke. Hva skal jeg gjøre nå? Jeg starter å snakke sånn: «Jeg ikke skjønner mye fra Norge. Den er veldig vanskelig for meg.»

«Det står at du er født på Aker sykehus.»

«Bare spør lærerne på Bredtvet eller Rommen. Dem sier jeg er fucka.»

Han starter å skrape på panna. Sånn mye. Liksom, jeg sitter der og tenker, hva faen, snart det kommer blod. Det er han som er gæren, får han ikke vondt? Da han sier:

«Veit du hva, det har kommet noen endringer i hvordan førstegangstjenesten er lagt opp. Forsvaret ønsker ikke lenger at bare alle og enhver ...» Og han sier ikke no. Han bare tenker:

«Legen skriver at du sier du har prolaps, men at han ikke kunne identifsere noen ytre tegn på det.»

Jeg bare: «Ja ass, heftig prolaps. Hele ryggen min er fucka. Helt fucka. Mange ganger jeg kan ikke gå.»

Han bare: «Greit. Da skriver vi det.»

Jeg sier: «Hva mener du?» Han sjofer på meg sånn, ok, vi trenger ikke si mere, han veit, jeg veit.

Jeg bare, jeg blir så glad ass. Bare roper til han sånn når jeg avor: «Guile, du er rå ass!», og så jeg husker: «Ikke drep folka på Irak nå, seriøst!»

Han bare kommer ikke med svar, bare løfter på hånda sånn, ha det.

Etter det jeg drar og vasker bil, men jeg gir faen. Jeg kan vaske femti biler, det går bra. Liksom, som jeg nettopp har kommi ut fra jailern, selv om jeg ikke var på jailern.

Peace

Fra: Mo <mo.1@hotmail.com>
Sendt: 28. juli 2003
Til: Lars Bakken <lars.bakken@nova.no>
Emne: Kartlegging av hverdagen til unge i Groruddalen

På grusbanen i Tokeruddalen, like nedenfor Rommen skole, hadde det samla seg flere hundre mennesker. Det var satt opp en slags scene som vendte mot blokkene i Jacobine Ryes vei, og ved siden av scenen sto det roll-ups med teksten:

Her kommer snart det helt sTore.

George gikk rundt med flaskeposen sin, og den vide joggebuksa han alltid bruker. Barn pleier å dra i den. Jeg turte ikke da jeg var barn, men jeg så på. Om å gjøre å holde tak så lenge som mulig før han merka det, og når han merka det, pleide han å late som han ble rasende, og da løp vi alle sammen, også vi som sto langt unna. Andre som var der, så finere ut enn George. Noen hadde kameraer rundt halsen. Småbarn dro i skjørtet til mødrene sine og ville vite når han kom. Et par ungdommer sto litt oppe i bakken og røyka mens de så på oss andre, som om de ikke kunne brydd seg mindre. Litt som de to gamle mennene jeg overhørte da jeg var på vei frem mot bydelsdirektøren.

«Du veit hvordan det er, kommer hit for å snakke til kamera.»

Jeg sto helt forrest. Foreldrene mine på venstre side. Bydelsdirektøren på høyre. Alle tørka seg i ansiktet. Det var lummert, og galskap. Hele dagen var galskap. Alle menneskene. At jeg sto der foran dem og venta på statsministeren.

At han ville møte meg. Jeg klarte ikke se skikkelig. Som et slør lå foran ansiktet og ga tåkete bilder gjennom maskene.

Kaoset starta da det knaste i grusen og to svarte biler svingte inn mot oss. Voksne og barn klynga seg på hverandre. En liten jente gråt og viste moren sin et skrubbsår. På noen sekunder var de svarte bilene omringa. Menn i dress tvang seg ut.

«Statsminister, statsminister», ropte folk og holdt penn og papir og kameraer mot han. Statsministeren tok det rolig. Han gikk sakte ut av bilen. Han er en gammel mann, og det første jeg tenkte på da jeg så han i levende live, var nordmenn for 50 år siden, som på de bildene som noen ganger er på tv eller i bøker, da liksom alle var rake i ryggen, nesene var spissere og ansiktene litt lenger. Hans er sånn, det også, og rynkene som ligger over det, gjør det vennlig.

Jeg bryr meg egentlig ikke om det de skriver om han. Nå har jeg ikke lest aviser på lenge, men jeg husker at han aldri var førstevalget, bare nødløsningen. Jeg husker de sa han fikk posisjonen fordi han var fagforeningenes og venstresidas mann, og at høyresida i partiet stritta imot og kalte han en avdanka gammel radikaler. Jeg vet at han ikke er så veldig populær, men for meg er han statsministeren, og han var flink med folk. Han tok seg god tid, trykka hender, kløyp den lille jenta som gråt, i kinnet og skrev autografer mens han sakte bevegde seg mot scenen.

Han ble stående på scenen mens bydelsdirektøren holdt sitt åpningsinnlegg. Han snakket om tiltakspakka. Om betydningen av statlig-kommunalt samarbeid, planprosesser og om de samme tiltakene som sto i brevet vi fikk. Han må ha holdt på i tjue minutter, minst. Den eneste gangen folk våkna, var da han spurte om noen ville gjette hva det som sto på roll-upsene, betydde:

Her kommer snart det helt sTore.

«Statsministern?» spurte en.

«Nei, han er jo her», sa bydelsdirektøren.

«Kino?» ropte en annen.

Bydelsdirektøren smilte bredt. «Nei, noen flere?»

«Kunstgressbane?»

Direktøren smilte igjen og rista på hodet. «Dere får nesten bare vente en stund til», sa han og lovet oss at det ville være verdt det.

Han så på klokka og kikka på statsministeren. Jeg pusta altfor fort, og klarte ikke stanse. Øynene hadde slutta å fungere skikkelig. Den slørete tåka dekka alt. Bare ørene fungerte.

«Så for å markere denne satsingen for Groruddalen og for Stovner, er vi så heldige at vi har fått med oss selveste statsministeren. Statsminister, ordet er ditt.»

Statsministeren tok to skritt, tok imot mikrofonen og kremta. Det pep. Han rista litt på den. Så talte han.

Allerede ved de første ordene: «Takk for at jeg fikk komme, og for at dere tar så godt imot meg», tidde folk. Jeg hørte stemmene til ungdommene borte i bakken, men ikke lenge, for i neste øyeblikk snakka han igjen, og da han gjorde det, sveipa han sløret til side og sto rett foran meg. Det rynkete ansiktet og de gamle øynene var så nære. Den dype stemmen like rolig som ordene han brukte. Han sa jeg var undervurdert og ofte stigmatisert, men at jeg ikke skulle tro på det. For jeg var sulten, og jeg var sterk, jeg trengte bare plassen til å vise det frem. Han sa han ville se meg ute. Se at jeg var med og ikke måtte gi opp selv om det føltes vanskelig, for han visste det kom til å bli bedre. Han sa at det alltid måtte være jeg som tok det avgjørende steget, men at han skulle hjelpe meg på veien. Han skulle ta meg imot om jeg snubla. For vi var del av det samme, han og jeg. «For du er like mye del av dette landets fremtid som jeg er av dets fortid», avslutta han.

Jeg har filmen hjemme. Den faren min filma. Hadde du sett filmen, ville du sett et skurrete bilde som hele tida beveger på seg og ikke klarer å finne fokus, men du ville også sett gutten som står på første rad med svære øyne. Du kan se hvordan ansiktet hans skjelver like mye som bena. Du kan se hvordan han likevel smiler, og hadde det blitt zooma inn, kunne du sett gåsehuden på underarmene, midt i juli.

Jeg klappa i transetilstand, og merka ikke at jeg ble pirka i ryggen. En gang. To ganger. Faren min hviska inn i øret mitt og sa: «Mohammed, det er deg nå. De venter.» En av mennene i dress spurte om jeg var klar, og jeg må ha sagt ja, for han tok med meg opp på scenen. Der kom tåka tilbake, og jeg må til filmen igjen for å se at statsministeren smiler og rekker frem en neve og at jeg gjør det samme. Munnen hans former noen ord og pekefingeren går mot Rommen skole. Han sier noe om Bredvet. Så peker han på meg og sier jeg er det beste eksempelet på et eller annet. Folk ser på meg. Moren min vinker og klapper om hverandre, og det forstyrret bildet litt, men jeg ser at det ikke bare er henne, det regner applaus overalt. Hundrevis av hender går som trommestikker. Statsministeren legger fra seg mikrofonen.

«Lykke til», hvisker han i øret mitt. Det husker jeg. Så legger han den ene armen rundt meg og vinker til folket på Stovner med den andre. Jeg vinker, jeg også, og jeg ser at bilene nesten har stoppa opp på brua mot krysset i Fossumveien, og ikke kjører selv om bilene bak tuter. Jeg ser det stå folk på verandaene i Jacobine Ryes vei, og jeg ser mot blokkene i Tante Ulrikkes vei og synes jeg ser noen stå ute på de innglassede balkongene der også, og vi vinker enda litt til, så går filmen i svart.

Det ble tatt et bilde av oss som kom i Aften-Aften. Vi har det liggende i kommoden i samme skuff som filmen. Jeg vet ikke, jeg har egentlig lyst til å kaste det, men da hadde foreldrene mine protestert. Men det var ikke de som dro bort på Narvesen og kjøpte avisa dagen etter. Det var meg, og jeg raste gjennom den til jeg fant det. Bildet var knøttlite, som et frimerke, limt inn i et mye større bilde av en forbanna Carl I. Hagen. Overskriften lød:

Sier nei til favorisering av innvandrere.

Jeg fortsatte på ingressen.

Regjeringens Groruddalspakke er en skandale, sier Hagen

til Aftenposten. Hagen hevder regjeringen hjelper innvandrere på bekostning av andre. Han viser blant annet til en egen stipendordning for innvandrergutter og gratis barnehageplasser i flere innvandrertette bydeler. Nå vil han ha med seg Stortinget på å omgjøre beslutningen.

Jeg rev ut det lille bildet av statsministeren og meg så raskt og nøyaktig jeg klarte, og heiv resten.

Resten av sommeren har vært veldig bra. Opptaksbrevet står på skrivebordet og skyter stjerner i øynene på meg hver gang jeg våkner. Nå i august starta de med oppussingen av Tante Ulrikkes vei. Utearealene først. Jeg våkner til hammer og bor. Det ligger støv overalt. Inne i leiligheten, på gata, på benker, på bilene på parkeringsplassen. Fjortiser lager hjerter med bokstaver. To dager senere bytter de dem ut med nye. Småsøknene mine liker å skrive navnet sitt. Asma skriver for begge. Hun sier hun skriver penest.

Foreldrene mine er i veldig godt humør. Moren min maser nesten ikke lenger på at jeg skal gå i butikken eller gjøre små ærender. Som jeg er student allerede og ikke kan forstyrres. Faren min driver noen ganger og rister i meg, sånn helt uten videre. Og jeg har fått rommet for meg selv og pc-en har blitt flytta inn dit. Den står ved siden av den gamle tv-en jeg allerede hadde der inne. Det føles litt som en kommandosentral. Asma og Ayan er flytta inn på soverommet til foreldrene mine, og faren min sover på sofaen i stua. Jeg ba ikke om noe av det. Virkelig ikke. Det var faren min sin idé.

«Du trenger mer ro nå som du skal på universitetet», sa han, og det er sant. Men noen ganger, jeg vet ikke, det blir nesten litt mye. Ikke at det virka som noen ble veldig lei seg. Søsknene mine var bare glade, tror jeg. Foreløpig, i alle fall.

Det er ganske bra utafor leiligheten vår også. Andersen i fjerde sa grattis til meg, vanligvis sier vi bare hei, og Onkel Hameed stansa meg i trappa for å trykke hånda mi.

«Faren din må være så stolt», sa han og forbanna i samme slengen sin egen sønn for hvor udugelig han var.

Shani, en i første som er fire år eldre enn meg, og som har sagt han skal flytte fra Stovner i ti år, og påstår at han er forlova med en som er modell i London, han har begynt å kalle meg bhai. Før hilste han knapt.

Eller hun jeg hadde sett på Bredtvet, men aldri snakka med. Sarah. Hun kom bort til meg på Rema på Haugenstua mens moren min sto ved frysedisken. Hun smilte og sa hei og spurte:

«Har ikke jeg sett deg før et sted?»

«Kanskje på Bredtvet?» svarte jeg. Hun lo litt. Selvfølgelig, hun burde huska det. Hun spurte om det ikke var jeg som sto på scenen med statsministeren? Som skulle begynne på universitetet og hadde fått sånn spesielt stipend? Jeg sa ja. Hun smilte igjen og var veldig pen når hun smilte, med smilehull og alt. Så sa hun lavere:

«Du veit, du er skikkelig inspirerende ass. Det hadde vært kult å høre mer om det liksom.» Hånda hennes var borti armen min, ikke mer enn et sekund, men det kilte behagelig. Det var hun som spurte om mitt nummer.

Hun ringte i går og ville møtes på Stovner Senter.

Jeg tror jeg kommer til å dra og møte henne.

Fra: Mo <mo.1@hotmail.com>
Sendt: 19. august 2003
Til: Lars Bakken <lars.bakken@nova.no>
Emne: Kartlegging av hverdagen til unge i Groruddalen

Jeg møtte Sarah på senteret. På Terrassen café i 2. etasje. Vi drakk kakao, Terrassen er kjent for den, mens det hele tiden gikk folk forbi oss, videre inn til toalettene eller opp og ned rulletrappa. Det plagde meg, for foreldrene mine pleier å gå der. Så snart vi var ferdige, foreslo jeg at vi skulle gå ut. Vi gikk litt rundt på baksiden av senteret, ved Deichman, mot Stovnerhallen og rundt Stovner videregående. Hun ville høre om Blindern, det var det vi snakka om. Eller, jeg snakka, masse, det bare kom uten at jeg trengte å anstrenge meg, om hvor bra det kom til å bli, hvilke kurs jeg hadde meldt meg på, hvordan de kom til å være, hvordan Blindern var. Jeg snakka om alt det som sto i brosjyrene og på nettsidene. Jeg kunne visst alt om Blindern.

Hun likte det, tror jeg. Hun fulgte iallfall med og smilte det fine smilet ganske ofte, og jeg følte meg veldig høy når jeg gikk rundt på Stovner med henne og snakka om Blindern, mye høyere enn det ene hodet høyere enn henne jeg er.

Jeg følte meg sånn da jeg dro hjem til henne også, for en uke siden, som jeg stanga i taket da jeg gikk opp trappene i høyblokka hun bor i på Haugen, like ved Haugenstua togstasjon. Det var veldig varmt, og vi satt på verandaen hennes og drakk drinker med vodka og tropisk nektar og så på togene som kjørte forbi nedenfor. Hun spilte noe hiphop i bakgrunnen og spurte om jeg likte det, hun kunne sette på noe annet hvis jeg ville. Jeg sa det var greit. Jeg har egentlig ikke så peiling på hiphop uansett, men jeg liker «I'll be missing you» og «Changes». Hun hadde ingen av dem.

Jeg snakka litt om Blindern først, men hun snakka mer enn den forrige gangen. Jeg vet ikke, kanskje fordi hun begynte å bli full. Da jeg fortalte om kurset i makroøkonomi jeg har tenkt å ta, og at det handla om hvordan økonomien styres, og internasjonal handel og valuta, begynte hun å snakke om noen ganske sære greier. Bilderberg, tror jeg det het.

«Liksom, de har møter hvert år, og der møtes alle de rikeste og mektigste folka og planlegger hvordan de skal styre verden. Bill Gates er med der. Bush er med der. Til og med Gro Harlem Brundtland var der. Alle liksom.»

«Såpass», svarte jeg, jeg vet ikke, det hørtes liksom litt drøyt ut, men hun var helt overbevist.

«Jeg kjenner folk som veit om sånt», sa hun. Jeg sa «såpass» igjen.

Nå som hun snakka mye mer, hørte jeg hvor Stovner hun var. Fullt av «ass» og «jævlig» og «heftig» hele tida. Det plagde meg, merka jeg. Selv om hun sa flere ganger at hun var lei av Stovner. Hun snakka om å flytte til Sandefjord. Jeg tror det var noe med en jobb eller noe. Eller moren. Jeg begynte å bli full, jeg også.

«Ting er så pes her ass. For mye drama», sa hun og ansiktet hennes når hun sa det, det forma seg i en slags grimase, sånn som gutter lager når de poserer som gangstere. Det plagde meg, det også.

Jeg ville snakke om Blindern igjen, og jeg begynte med det, og midt i noe jeg sa om hvor mange studiepoeng som trengtes hvert semester, kyssa hun meg. Jeg kjente tunga hennes komme inn i munnen min, og det smakte røyk og frukt, og den var ivrig, nesten for ivrig. Jeg slet med å holde følge med den.

«Vi går inn i stedet a», sa hun, og vi gikk inn til sofaen i stua.

Musikken hadde skifta til en dame med nasal stemme som sang R&B. På sofaen fortsatte vi med det samme. Jeg diltende etter henne, føltes det som. Hendene hennes strøk over halsen og ryggen min. Hun tok av klærne på overkroppen. Jeg tok forsiktig på henne. Hun la seg bakover og trakk meg oppå seg. Hun var varm. Hele brystkassa mi limte seg fast til hennes, og vi ble liggende litt sånn, og jeg visste hva jeg skulle, det bare tok litt tid å få vrengt av meg boxershortsen, og jeg fortsatte å ligge der litt hjelpesløs i varmen, til hun hjalp til med det som mangla. Det ble enda varmere, og jeg vet ikke, jeg har ikke, du vet, jeg bare holdt på frem og tilbake, og nesten før jeg starta, ble det så varmt at jeg ikke klarte å holde noen ting tilbake lenger.

«Sorry, jeg bare …», mumla jeg mens jeg lå der klistra fast oppå henne.

«Slapp av», sa hun, men jeg gjorde alt annet.

Hun har sendt meg noen meldinger etter det og spurt om vi skal møtes. Jeg har svart kort og funnet på unnskyldninger om at jeg ikke kan. Må på besøk med familien. Må hjelpe foreldrene mine med noe. Sånt. I går ringte hun klokka tolv på natta, men da svarte jeg henne ikke selv om jeg var våken. Jeg følte meg litt dust når telefonen lå der og ringte og jeg bare så på den. Det er ikke fordi jeg fortsatt er flau eller noe sånt, egentlig. Eller at det er så mye galt med henne. Jeg bare, jeg vet ikke, jeg har mista interessen etter den kvelden hjemme hos henne. Jeg er ikke sikker på om jeg egentlig hadde den skikkelig. Jeg bare tenker på alt annet, på andre jenter enn de i en treroms i en høyblokk.

Fra: Mo <mo.1@hotmail.com>
Sendt: 23. august 2003
Til: Lars Bakken <lars.bakken@nova.no>
Emne: Kartlegging av hverdagen til unge i Groruddalen

Jeg har vært og kjøpt pensumbøker nå. De fleste kursene har lagt ut lister på nettet. Det sto at kompendier ville bli ferdig senere. Jeg måtte søke på nettet for å finne ut hva kompendier var. Alt annet kjøpte jeg på Norli i Universitetsgata. Det var en halvmeter høy stabel med bøker i handlekurven min. Ett kurs har fire–fem av dem, og jeg har tre i semesteret. Jeg har aldri sett sånne bøker før noe sted. På T-banen hjem satt jeg med posen på fanget og lukta på dem. De luktet godt. Jeg leste de lange titlene. Ikke noe *Samfunnsfag 1*, men *Innføring i grunnleggende økonomisk teori*. Jeg så gjennom innholdsfortegnelsen, og prøvde meg på navnene. Adam Smith, John Maynard Keynes og Joseph Schumpeter, og teoriene som sto med navnene deres, som markedets usynlige hånd, konjunkturteori og multiplikatorteorien. Eller ex.phil.-boka. Immanuel Kant. Antikkens filosofer, Platon og Aristoteles. Dydsetikk. Like langt unna alt jeg kjenner, som jeg håpa på.

Fra: Mo <mo.1@hotmail.com>
Sendt: 28. august 2003
Til: Lars Bakken <lars.bakken@nova.no>
Emne: Kartlegging av hverdagen til unge i Groruddalen

Med en uke igjen til første dag på Blindern klarte jeg ikke vente lenger. Sent på kvelden tok jeg T-banen i tre kvarter på tvers av byen.

Den store Frederikkeplassen midt på Blindern var helt tom, bare opplyst av gatelykter. Jeg så meg rundt på bygningene og bretta ut kartet jeg hadde fått. Administrasjon i en høyblokk. To lavblokker, en på langs, Frederikke og gymsalene, og en på tvers med bokhandel. En bred høyblokk, Matematisk-Naturvitenskapelig fakultet, raget høyt over meg og var forbundet med en lignende lavblokk. En enslig mann kryssa plassen, kikka opp og så meg, og gikk litt raskere. Små regndråper hadde begynt å slå i brosteinen. En svær fontene klukka ivrig.

Jeg fulgte kartet mot fakultetet mitt og ble ført ut på en lang brosteinsvei. Høye trær var planta langs hver side av den. De tjukke greinene hang over meg og holdt regnet borte. Det rasla i bladene.

Jeg trådte ut av trærne og sto ansikt til ansikt med dem, to nye høyblokker på hver sin side. Foran den høyre så jeg det jeg lette etter. Det samfunnsvitenskapelige fakultet. Den var ikke fin, den blokka, ikke egentlig. Egentlig ikke noe finere enn høyblokkene på Tøyen. Men den var fin når jeg så den sånn, for første gang. Høy, bred, den lover liksom ting, i alle fall føler jeg det, at den inneholder alt. Liksom lar deg se gjennom glasset i første etasje på en kantine med bord og stoler, men ingen studenter. Oppslagstavler med hundrevis av ark. Vindeltrapper som leder opp og ned, til en kjeller og en andre etasje den ikke avslører. Dører, mange av dem, til auditorier. Den lar deg tenke masse, og jeg tenkte på hvor rart det var å være der. Rart å se det som bodde på rommet på Stovner, bli til en haug med pensumbøker på Norli, for så å stå rett foran meg og rage opp i lufta. Jeg tenkte på hvordan alt kommer til å se ut om noen dager. Hva jeg skal gjøre, hvor i kantina jeg kommer til å sitte, hvilket auditorium jeg kommer til å gå inn i. Jeg tenkte, og mens jeg tenkte, ble jeg så oppslukt i mine egne tanker at jeg fikk lyst til å juble vilt, som Rocky, hoppe rundt med knyttneven i været, og jeg gjorde det, inni meg i det minste.

Jeg sto der i flere minutter, omringa av regndråper. Helt til lyden av musikk i det fjerne, og så av stemmer, brøt stillheten. En gutt ropte noe, og en jente lo. Jeg røska meg selv ut av transen og gikk sakte i retning av dem. De var lenger unna enn det hadde hørtes som. En trikk dundra forbi motsatt vei mens jeg fulgte sporet. Jeg kom inn i en allé med trær som vokste i rare fasonger, og hus i gammel murstein på hver side av gata. Det kom musikk ut av en åpen balkongdør i et av dem. Kurt Nilsens hese stemme sang «She's so high».

En gruppe kom ut på balkongen. Lyset innenfra lyste opp de allerede lyse ansiktene. De snakka høyt seg imellom uten at jeg klarte å fange en hel setning. Jeg hørte den samme jenta le ut i natta igjen. Det klirra i glass. Jeg tørka vekk regn som rant i tjukke dråper fra øyebrynene og nedover ansiktet. Buksene klistra seg til lårene, men jeg fortsatte å stå der nede og se på dem fra gata.

Jeg satt klissvåt på banen, hele den lange veien tilbake til Stovner, men merka det knapt før jeg kom hjem.

Fra: Mo <mo.1@hotmail.com>
Sendt: 3. september 2003
Til: Lars Bakken <lars.bakken@nova.no>
Emne: Kartlegging av hverdagen til unge i Groruddalen

Moren min banka på og kom inn på rommet. Jeg var våken for lenge siden. Jeg spiste frokosten hun hadde laget, to egg og to rista brødskiver, og sa nei takk til en plastboks med et par brødskiver til som hun ville jeg skulle ha med i tilfelle jeg ble sulten i løpet av dagen.

Indian summer. En bølge av varm luft slo mot meg da jeg åpna oppgangsdøra. Søppelrommet lukta søtt og kvalmt. Jeg passerte hjørnet av blokka, borte fra synsvinkelen til moren min, og fyrte på en røyk.

«Kompis, sigg elle?»

Jamal kom slentrende mot meg, som om han slepte den tynne kroppen med seg bortover asfalten. Buksa hans hang langt nedpå hofta og den grå boxershortsen var godt synlig. Jeg ga han en røyk. Han fyrte på og trakk hardt. Gloa var en centimeter lang på få sekunder. Han så på klærne mine. En beige chinos, lyseblå genser med V-hals og en brun skinnveske over skulderen.

«Skjer a, mann? Hvor skal du a?»

«Universitetet, første dag i dag», svarte jeg. Det kom raskt.

«Såpass. Heftig da.» Han stakk underleppa frem og nikka svakt noen ganger frem og tilbake. Jeg forsto ikke helt om han var imponert eller sarkastisk.

«Du er seriøs på de greiene der, du?»

Det var min tur til å nikke.

«Du har alltid vært flink med skole og sånn.» Han strøk ti tynne fingre over ansiktet. Han så trøtt ut.

«Ja», sa jeg.

Vi tok følge bort til T-banen. Han snakka hele tida mens vi gikk. Om at han hadde fått seg jobb. Og at ekte smarthet ikke bare fantes på skolen, den ekteste, han brukte det ordet, fantes på gata.

«Dem burde hatt sånn fag om å være gatesmart på universitetet ass. Jeg hadde fått en A, jeg sverger, mann. Jeg hadde ikke trengt å lese en setning på en bok engang. Bare tatt eksamen og naila den.»

Jeg var ikke i humør til å holde en samtale i gang, hvert fall ikke en som trakk universitetet ned i støvet langs Tante Ulrikkes vei. Jeg nikka fraværende til det han sa, men da vi gikk hver vår vei like før brua opp til senteret, ropte han noe etter meg som jeg skulle ønske han ikke hadde sagt, for det festa seg litt for godt.

«Du representerer, mann!»

T-banen var pakka full. Jeg tviholdt på en flik av et håndtak, men glapp det i svingen fra Majorstua opp mot Blindern. Det gjorde ikke noe. Det var for tett til at jeg kunne miste balansen uansett.

Det var ikke den samme mørke, øde Frederikkeplassen som venta meg da jeg kom frem. Sola skinte skarpt fra høyt oppe på himmelen, og det myldra av folk. Det må ha vært tusenvis. De så avslappa ut, alle sammen, som om de traska rundt en søndag på gata utafor blokka si. Kledd i løse klær prata de og lo, og de som hadde hastverk, de gikk rett frem med skritt som fulgte banen sin til punkt og prikke. Mine ombestemte seg midt i steget. De landa et annet sted enn jeg hadde tenkt. Jeg gikk rundt i sirkel nede på plassen og ble ropt til av en som skulle selge treningsabonnement.

«Hei du, hvor trener du i dag?» Jeg svarte ikke. Noen stakk en lapp i hånda mi med spørsmål om jeg ville kjøpe pensumbøker. Jeg kom meg til høyblokka og gikk inn, og først da innså jeg at det var Matnat, og ikke SV-fakultetet. Jeg tumla ut på plassen igjen.

Alt var stort. Ingenting det samme. Aller minst meg. Jeg var noe annet. Det grep fullstendig tak i meg da jeg sto der blant dem. De med de løse klærne. Med de faste skrittene. De som ikke ligna. Jeg mener, ikke at noen gjorde noe, folk trava forbi uten å ta notis av meg, men i et øyeblikk tenkte jeg at jeg gjerne skulle hatt Jamal ved siden av meg likevel.

Den blå gensern var blytung og hadde mørkeblå flekker under armene. Jeg fant skygge under et tre og fyrte på en røyk. Magen som hadde vridd litt på seg allerede på T-banen, løsna helt. Jeg måtte kaste røyken etter tre trekk og haste inn på Frederikkebygget der jeg gikk halvpanisk fra ende til ende i en lang og smal gang, før jeg fant toalettene nesten på enden. Jeg styrta inn i et avlukke og rev av grovt papir, tørka det skitne, svarte toalettsetet og satte meg, i en og samme bevegelse.

Kroppen var slapp og drivende våt da jeg var ferdig. I en kafé rett overfor toalettene sto et kjøleskap med cola og durte. Jeg tok med meg en og stilte meg i køen. Ingen kjøpte cola. De som sto foran skulle ha Macchiato. Latte. Sencha. Kald mocca. Flere slutta seg til køen bak meg. Da det bare var en igjen før meg, da gikk jeg ut av køen og satte colaen tilbake på plassen jeg tok den fra.

Jeg fikk samla meg nok til å huske hvor SV-fakultetet var, men hadde dårlig tid. Jeg løp sikksakk mellom studenter og trær. Veska over skulderen hoppa av og falt mellom bena mine. Flere ganger holdt jeg på å snuble, og da jeg endelig kom frem, banna jeg litt for meg selv og tenkte at det ikke var noe flott med alle dørene og auditoriene, det var bare mange dører, og jeg fant ikke den rette. Da jeg endelig gjorde det, hadde foreleseren allerede begynt å snakke. Jeg satte meg på en ledig plass på bakerste rad.

Det var bedre der inne. Alle satt rolig bak hver sin pult. De røde mursteinene som dekka langsidene var kjølige. Svetten slutta å sile. Pusten gikk fra pesende til jevn. Alt gikk saktere, bortsett fra armene mine. Jeg noterte så mye at jeg ikke fikk med meg hva foreleseren sa. I notatene mine står det om nøkkelbegreper, som fallende marginalnytte og priselastisitet. Jeg likte det. Å være på forelesing. Undervisning er undervisning. Jeg trengte den. Å være en av de hundre som stirra på tavla, som kom ut av auditoriet igjen med veska hengende over skulderen og nyskribla notatblokk og rista på såre håndledd.

Utafor fortsatte sola å skinne. Jeg satte meg ned på plenen bak Sophus Bugges hus og tente en røyk. Det vred litt på seg igjen, men holdt seg på plass. Det lå studenter på gresset, og en jevn strøm strøyk forbi meg på brosteinene. Det ble mange røyk, mens jeg satt der og så på den grå røyken som bevegde seg snirklende oppover mot den blå himmelen, for så å skifte fokus ned til bakken igjen og alt som foregikk der. Sånn holdt jeg på, frem og tilbake, i en time, kanskje mer, sakte vekslende mellom himmel og bakke, grå røyk og studenter, skyer og Eilert Sundts hus, helt til jeg klarte å ta inn alt sammen.

Nå gleder jeg meg egentlig litt til i morgen.

Fra: Mo <mo.1@hotmail.com>
Sendt: 23. september 2003
Til: Lars Bakken <lars.bakken@nova.no>
Emne: Kartlegging av hverdagen til unge i Groruddalen

Blindern er så mye raskere enn Bredtvet. Håndleddene mine er konstant stive. Noen ganger holder jeg dem i en bøtte med varmt vann når jeg kommer hjem, for å løsne dem opp. Foreleserne ber oss lese svære mengder pensum i forkant av hver forelesning. Noen ganger to artikler og tre kapitler, fort over 100 sider, til én forelesning. Jeg tror egentlig ikke så mange gjør det, utenom meg. Jeg leser alt. Ikke bare de obligatoriske artiklene, jeg leser de anbefalte også. De jeg må finne selv ved å bla i gamle tidsskrifter på biblioteket. Jeg printer ut alle forelesernes notater fra nettet og er nære grensa på utskriftskvota mi allerede. Jeg har brukt opp to markeringspenner og tre vanlige. Nesten hver side ender med å bli markert. Jeg leser om alle modellene. Det er alltid modeller. Modeller som forklarer virkeligheten. Som modeller for tilbud og etterspørsel og det frie markedet. Modeller som du kan introdusere noe nytt i, som en tollavgift, en monopolsituasjon eller skattelette, og så forandrer plutselig alt seg. Jeg liker dem. De er oppskrifter, på en måte, så lenge jeg følger dem, kommer jeg stort sett frem til riktig sted. Men i bøkene og på forelesningene sier de at modellene har forutsetninger som ikke finnes i virkeligheten. Som at et perfekt, fritt marked bare er en illusjon, et tenkt eksempel på en idealtilstand. Og én foreleser fortalte at til og med Adam Smith ikke trodde på det selv, og at han var kjent for å si at når to kapitalister møtes, er det bare et spørsmål om tid før det ender i konspirasjon mot det frie markedet. Det plager meg litt, akkurat det, for alt bygger liksom på de modellene.

Likevel, livet inne i forelesningssalen eller hjemme foran alle bøkene, det er enklere enn utafor. Ikke at jeg ikke hadde jobba knallhardt med skolen uansett, men all den innsatsen jeg legger i det, jeg vet ikke, det handler vel også litt om det andre jeg ikke får til.

Alle de tingene jeg ble lovet den kvelden jeg kikka gjennom vinduet på SV-fakultetet, jeg ser det hver dag. Kantina som alltid er full av liv. De travle fellesområdene der studentene svermer. De store plakatene med varsel om fester. Jeg ser alt, bortsett fra meg. Når jeg spiser dagens på Frederikke, hører på forelesninger, noterer altfor mye, eller setter meg på T-banen tilbake til Stovner igjen, gjør jeg det alltid for meg selv.

Jeg vet ikke, inne på rommet mitt eller ute i skogen, jeg gled alltid bare inn da. Det skjedde av seg selv. En konstant variabel jeg ikke behøvde å ta hensyn til, og jeg har liksom ikke hatt en plan for hva jeg skulle gjøre hvis den bevegde på seg. Jeg aner ikke hvor jeg skal begynne, eller hvem jeg skal begynne med.

Respondent: Jamal
Bydel: Stovner
Innspillingsdato: 24. september 2003

Halla.

Skjer a? Jobber og sliter og sånn. Ha ha. Er det ikke folk sier? Liksom, når jeg går forbi sånn norske voksne folk, jeg hører dem alltid si sånn: «Jobber og sliter vettu.»

Så jeg jobber og sliter. Det er biler liksom. Vasking. Samme greiene hele tida. Jeg hører på musikk da, når jeg vasker og sånn. Må det ass, hvis ikke, hva skal jeg gjøre? Høre på høytrykksspyler? Det er litt pes, for du veit ledning og sånn til høretelefon, den kommer på veien. Plutselig jeg drar ut greia fra discmanen. Veit du hvor vanskelig det er å sette den inn igjen med sånne svære gummihansker? Og den discmanen min, den er sånn dårlig. Du veit når jeg vasker og sånn, jeg må bevege kroppen, ikke sant, og når jeg gjør det, da den dritten hakker. Liksom, sånn som jeg husker når den albumen til 50 Cent kom, *Get Rich or die Trying*, da en kompis brente den for meg. Jeg tar den med på jobb, og jeg er så klar for å høre på den, liksom, du veit hvordan folka hypa den så heftig, bare: «Olø, karen har blitt blæsta ni ganger liksom. Han er ekte G, ikke fake.» Og jeg tar den med på jobb, men hele tida midt på sangene den hakker og stopper, og jeg får ikke høre en dritt. Bare på pausen når jeg sitter helt rolig, da jeg kan høre. Skikkelig nedtur ass.

Så jeg trenger en sånn bra discman, sånn som ikke hakker. Du veit S.A.T.S. på Stovner, når du går ute der, du kan se gjennom vinduen på folka som trener der, og mange ganger jeg har sett på folka løper på maskin og dem har på discman. Sånn discman trenger jeg. Eller MP3-spiller. Dem er fete ass. Har du sjofa dem elle? Dem er så små liksom, og du kan ha så masse sanger på dem.

Så liksom, jeg sa til han sjefen, kanskje han kan kjøpe sånn til oss. Han bare, det får du kjøpe selv.

Jeg tenker liksom, hør a, det er som hansker, eller såpe, jeg må ha musikk for å jobbe bra. Liksom, han burde ordne det til oss da, syns du ikke? Jeg vil ikke si det til han da. Du veit liksom, han sjefen er ikke sånn helt tishar kar, men han liksom er sånn, når han sier til deg nei, du kan ikke diskutere med han.

Helt ærlig, noen ganger jeg er litt lei den steden. Folk kommer med dem skitne bilene sine til meg som dem faen meg gir til meg dattera sin, jeg kødder ikke. Pakkiser kommer med taxiene sine. Dem gir meg skole. Liksom, husk ikke gjør sånn, husk å ta den delen sånn, pass på det, fuck, jeg vasker tretti biler om dagen, jeg har ikke tid til dem greiene der. Norske folk er mer chill på sånn da, helt ærlig. Dem sier ikke no. Dem bare gir deg nøkkel, og dem går ut. Nesten alltid dem går ut. Selv om det er kaldt og sånn, dem venter ute. Pakkisene, dem liksom går på sånn venterom vi har. Dem sitter der, tar en sigg og sånn, noen ganger chatter med folka og sånn, noen ganger gir meg en sigg. Norske folk, dem bare: «Takk for hjelpen.» Det er mest sånn vi snakker sammen. «Hei.» «Takk for hjelpen.»

Ellers, ikke så mye. Du veit, etter jobb jeg henger litt med folka her på T.U.V, er på garasjetaket og spiller enspretten og chiller, er på rommen til folk og ser på film eller spiller Play Station, André har ordna FIFA 2003, så den spiller vi mye, eller vi kjører rundt når Rash har bil, liksom, bare har på musikk og loker rundt på veien og stopper steder og får på litt, sånn som en gang vi kjørte helt på Ekeberg og bare var der og fikk på og sjofa på hele byen på natta, aldri jeg har sett hele byen sånn på natta før, med alle lysa og sånn, ganske heftig, men mest vi kjører rundt på Groruddalen og kanskje ordner no mat, sånn som den pizzasteden på Grorud T-bane, der kjøper vi pizza mange ganger, liksom alltid El diablo, den er beste, den er litt sterk og sånn. Noen ganger på helga vi ordner noen fester hjemme hos folk vi kjenner, eller vi drar på byen. Mest vi drar på Jackson, på Karl Johan der. Egentlig bare på Jackson. Den er ikke dritschpaa, musikken er wack mange ganger, og damene er ikke så bra som på Snorre og sånn, men liksom, det er den steden som slipper oss inn. Vakta der er han gærne Nico fra T.U.V. vettu. Han er chill med oss, liksom: «Halla. Stovner-gutta jo. Ikke lag no kaos nå», og vi bare: «Nei ass, skal bare feste liksom», og han slipper oss inn.

Andre steder ...

Hør a, hele tida jeg tenkte sånn, når vi blir 18, alt er heftig, vi kan gå overalt.

Men liksom, vi er hjemme, og vi tar på heftige klær, og parfyme, og fikser håren så den ser bra ut, og vi vorser og får på no «Ain't no fun» og «Get your walk on» og sånne sanger, blir brisen og bra stemning, og vi sitter på banen og vi snakker om hvem som skal danse med mest kæber og hvem som kan få mest nummer, og vi går nede på byen, og vi går en sted og vi roller inn på køen liksom alle svartinga, og vi står der og hører musikken og ser folka foran oss går inn, og vi er så heftig klar, liksom, nesten vi danser på køen, skjønner du, og vi venter dødslenge der, og til slutt vi kommer til vakta, og han bare: «Har dere medlemskort?» Eller: «Det er fullt.» Eller: «Nei, her er det 21-årsgrense.»

Så mange ganger ass.

Så vi tenkte sånn, ok, så om du er én svarting med én norsk kar, kanskje da du kommer inn en sted. Liksom, jeg prøvde å gå med bare André på Snorre på en torsdag. Dem slepte inn han, og dem sier til meg: «Sorry, er fullt nå.» Kødder ikke. Jeg lagde kaos. Ja ass. Bare ropte på gata sånn: «Rasiststed, den her er rasiststed!» Ingen brydde seg liksom. Dem bare sjofa på meg, hva er problemen til han der a? Og bauersen kommer. Bauersdame med caps og alt, drittøff liksom: «Hva er problemet?» Jeg sier: «Dem er rasiststed. Norske kompisen min får gå inn, og jeg får ikke gå inn. Det er rasisme, ikke sant?!»

«Ok, ro deg ned», sier hun. Liksom, hæ, jeg, roe meg ned? Det er ikke jeg som har gjort dårlige ting. Jeg sier: «Hva snakker du om a? Skal dere ikke si noe til dem?»

Hun ser sånn sliten ut, og hun sier: «Vi noterer det», men liksom, hun skrivde ingenting.

Jeg sier: «Seriøst, det er alt liksom?» Liksom, er ikke jobben dems også å hjelpe folk, ikke bare stoppe svartinger på en bil?

Hun bare: «Du, nå må du roe deg ned. Vi følger det opp.» Men fortsatt hun bare står der.

Jeg bare: «Fucka opplegg ass.»

Da hun blir irritert: «Siste advarsel», sier hun, og jeg bare holder kjeft, og så en annen bauers kommer, og dem snakker og dem må avor til no annet, og hun bare: «Prøv et annet sted eller dra hjem. Ikke heng rundt her i byen.»

Skjønner du?

Det er ikke riktig ass.

Men vi har skjønt greia nå. Det er sånn, når du er én kar og masse damer, da du har best sjansen for å komme inn steder. Hvert fall norske damer.

Men da du må ha noen norske damer … Noen ganger, vi har gått rundt på Karl Johan der og sagt til norske damer som går der: «Hør a, kom med meg på køen og bli med inn, jeg spanderer inngang og drikke på deg, etter det du kan gjøre hva du vil.»

Nei ass. Dem bare gir deg blikk, liksom, ehh, fjern deg, og dem avor. Da vi blir pissed og sier fuck dere a til noen av dem. Hva, liksom, dem kan hvert fall svare når folk spør dem om ting, ikke sant?

Og så vi må dra på Jackson eller en tæz sted på Grønland. Eller vi bare loker i byen og alkoholen går bort og vi går og spiser kebab på Vinnys og vi drar hjem med nattbussen. Det er liksom …

Jeg føler sånn, alltid Norge snakker masse fint, skjønner du? Du veit, alle har lik verdi og sånn. Men liksom, på ordentlig, da det er litt mere sånn som tagginga fra jeg var kid, den som stådde på tunnelen på Stovner sykehjem der. «Norge for nordmenn.»

Sånn er det.

Uansett, noen ganger jeg orker ikke henge med gutta på kvelden. Jeg blir sånn ødelagt etter jobb, og jeg kommer hjem og sover litt, og jeg tenker jeg skal bare sove en time, men jeg våkner midt på natta, bare, fuck, hva er klokka a, og bare tar en sigg og ser litt på tv, og sover mere. Sånn som nå. Sitter på stua og ser på den programmen på NRK som heter Svisj. Der du kan sende melding og stemme på sanger og sånn. Liksom, ingen andre kanaler har program, hva skal jeg se på? Men akkurat nå, det er heftig mann, Gravel Pit er der. Jeg sverger, aldri det er hiphop, men nå Gravel Pit er der på den lista med sanger.

Faen, den må vinne da.

Fuck it, jeg skal stemme nå.

Hva faen, nei, fuck det her a. Det koster 10 spenn for en melding jo!

Er dem gærne, jeg har kontantkort ass kompis, jeg kan ikke bruke så masse flus ass.

Fuck, Gravel Pit er på andre plass nå ass.

Kom igjen a.

Ahh ... Folk må stemme på den da.

Forresten ass, Rash skal få seg jobb også nå, sier han. Budbil eller no sånn. Voksne gutter liksom. Jobber og sliter og sånn vettu.

Shit ass.

Hæ, du fuckings kødder elle?

Fuckings Dido vant over Gravel Pit ass.

Folk ass, dem er skada, jeg sverger.

Dido liksom.

Hva faen?

Men ja ass, ellers og sånn, hjemme ting er greit liksom. Moren min er ikke så mye hyper mere nå da. Ikke så mye frokost og sånn, men liksom, hun er litt sånn, fortsatt hun prøver å passe på ting. Hun sier mange ganger: «Pass på at Suli får med seg matpakka.» Men fortsatt han pisser på seg noen ganger da. Men ikke så mange ganger som før. Det er bedre nå.

Så, sånn er ting. All good in the hood. Greit liv liksom.

Nå jeg må gå og sove igjen ass.

Peace

Fra: Mo <mo.1@hotmail.com>
Sendt: 7. oktober 2003
Til: Lars Bakken <lars.bakken@nova.no>
Emne: Kartlegging av hverdagen til unge i Groruddalen

Jeg har sittet mye på Frederikke og sett ut av vinduet på den åpne plassen, mens sola hele tida blir lavere og skinner nesten flatt gjennom glasset og avslører at de norske jentene på nabobordet har dun i ansiktet, de også. Jeg ser alltid på dem når de er innom, på den sydenbrune fargen de kler så godt, som fortsatt sitter igjen hos noen av dem. Eller på den store vennegjengen som iblant er innom, de er hvert fall ti, og ler alltid så høyt av hverandres vitser. Som om ingen noensinne har hatt det morsommere sammen. Jeg ser paret som snakker lavmælt og sitter sammen og leser i flere timer, hun alltid med bena på fanget hans. Og på kollokviegruppa på fire som henger der hver eneste dag og har sine faste plasser og faste ting de kjøper. Vestlandslefsa, han som sitter nærmest der jeg sitter. Lilla «Go' morgen»- yoghurt, han som sitter lengst unna. Ellers ser jeg ut, på studenter og professorer som går på tvers og rett over plassen, på han som selger Dagsavisen, og på han som selger Aftenposten. Jeg ser, det er stort sett det jeg gjør.

Du tenker sikkert at det er trist, eller noe sånt, men det er liksom som, jeg vet ikke, som det å se på alt som skjer, eller å grave meg dypt ned i pensum, det får meg liksom til å føle at jeg er litt med likevel, hvis du skjønner. Som om jeg er veldig nær, selv om jeg er langt unna. Noen ganger hender det at jeg blir grepet av panikken fra første dagen, men det er korte anfall, et gufs gjennom kroppen, en urolig rumling i magen, og den kommer stadig sjeldnere. Jeg elsker at jeg er der, virkelig. Når jeg kommer hjem på ettermiddagen, snakker jeg som en foss til foreldrene mine. Om professorer jeg har, som ofte er på tv, og at de er de flinkeste av de flinke i landet. Jeg forteller om økonomien og hvorfor den fungerer som den gjør, og at renta på et huslån ikke trenger å endre seg selv om de på nyhetene sier at Norges Bank har satt ned renta. Jeg forteller om hvor uendelig mange bøker det er på biblioteket nede på Georg Sverdrup. At de har alle avlagte masteroppgaver der, og at min en dag kommer til å stå der, den også, på et bibliotek. Inshallah, sier moren min da.

Men jeg er glad den e-posten har kommet. Fet og ulest lå den øverst i innboksen på Studentweb. *Samling for seminargruppe 2 på ex.phil.* Det har kommet andre før den. Store fester, for hele universitetet, eller hele instituttet. For store. Den her er mindre. Vi er ikke flere enn 15–20 personer i gruppe 2.

Glad, men ganske redd egentlig, for jeg vet at jeg ikke kan la den sjansen her gå.

Fra: Mo <mo.1@hotmail.com>
Sendt: 11. oktober 2003
Til: Lars Bakken <lars.bakken@nova.no>
Emne: Kartlegging av hverdagen til unge i Groruddalen

Samlingen var hjemme hos en av studentene i gruppa. Jeg kjøpte tre øl på Rimi på Majorstua og fulgte Kirkeveien oppover og rota litt rundt i noen sidegater før jeg fant frem. En gammel bygård med eføy på veggene. Jeg dytta i en rusten smijernsport og kom inn i et mørkt portrom fullt av sykler. I enden av portrommet lå en trappegang. Asken fra røyken min falt ned på et gammelt, mørkebrunt tregulv. Det var en tynn stripe med gusjegrønne keramiske fliser midt på de sennepsgule veggene. Jeg røyka fort. Det hadde vært ok, egentlig, helt til jentestemmen i dørtelefonen sa:

«Hallo?»

Da pumpa alt, like heftig som musikken noen etasjer ovenfor.

Trappa knirka da jeg satte foten på den. Musikken kom nærmere. I tredje etasje sto det *Kurssamling ex.phil* ☺ på et A4-ark, festa på døra med en teipbit som også holdt på plass en stor, blå ballong.

Jeg ble stående utafor og høre på Kylie Minouge. «Can't get you out of my head.» Håndflatene som tok over ansiktet, var klamme. Høye stemmer brøt gjennom døra og ut i trappegangen. Det var like før jeg snudde og gikk ned igjen, men jeg stansa på et trappetrinn hvor jeg ikke var synlig fra kikkehullet. Jeg satte meg ned. Flisene var kalde mot bakhodet. Jeg fyrte på en ny røyk. Jeg skulle banke på når den var ferdig. Den ble ferdig altfor fort. Jeg pusta dypt og kjente hvordan munnen stinka av røyk.

«Ti, ni, åtte, sju ...» Jeg knakk en røyk til i to, kasta den ene delen ned trappa og fyrte på det som var igjen. Nikotinet fikk hjertet til å banke fortere. Jeg hadde bare spist kjøttbitene i den gryta vi hadde hatt til middag, bare det som kunne holde seg fast, men det kjentes litt som det begynte å løsne likevel. Kylie ble til Justin Timberlake og «Rock your body». Noen kom gående lenger nede i oppgangen. Jeg stumpa røyken i tregulvet.

«Tre, to, en.»

Altfor svakt. Ingen kom. «Tre, to, en.» Jeg banka hardere og hørte skritt.

«Kommer nå», ropte den samme jentestemmen, og så bøyde håndtaket seg og et seil av lys bretta seg utover den dunkle oppgangen.

«Ehh ... Det er her det er kurssamling?» Jeg nikka mot A4-arket. En jente med hestehale og blomstrete kjole smilte.

«Det er det vettu», svarte hun. «Kom inn, velkommen.» Jeg ville ned trappa igjen.

Hun geleida meg inn og lukka døra bak oss.

Entréen var smal, med et ryeteppe og en skohylle. Det lukta parfyme. På veggen hang en plakat med ansiktet til Marilyn Monroe i knæsje farger. Jeg tok av meg skoa, fulgte etter henne og fikk et glimt av et lite kjøkken og en vask som var overfylt med tallerkener. Så var vi på stua. Et avlangt rom med et separat område i hver ende. En svart skinnsofa og en gammel lenestol i det ene, og et hvitt spisebord med stoler i det andre. Det sto øl og vinflasker overalt, på spisebordet og i vinduskarmene. Et stereoanlegg sto omtrent midt på gulvet langs ytterveggen. To jenter nynna med til musikken. «Just let me rock you, to the break of day.»

Det var ikke mange der. Ti–tolv kanskje. Noen gjenkjente jeg fra seminaret, andre ikke. Jeg skled forsiktig bortover gulvet i strømpelesten, nesten lydløst, mens blikket saumfarte rommet for en ledig plass. Så sang Justin plutselig alene.

De hadde glemt han. Og hverandre. De så på meg, alle sammen. Jeg smilte til dem, jeg visste ikke at jeg kunne smile så bredt, det gjorde nesten vondt å holde det oppe, men jeg tvang det på plass.

Jenta som åpna døra, dukka opp foran meg med et glass vin. «Velkomstdrink», sa hun, fortsatt like smilende. Jeg likte henne.

Jeg helte i meg halve glasset. Det roa det litt ned. Et par nikka til meg, og fant hverandre igjen. Jeg fant en ledig plass ytterst i sofaen. Det var trangt, det ene låret ble skvist mot armlenet, men bedre enn stuegulvet. En lubben fyr satt ved siden av meg. Jeg kjente han ikke igjen, jeg var sikker, for det var vanskelig ikke å legge merke til han. Skjorta med lilla og svarte striper var så ny at butikkens press fortsatt var synlig på ermene. Buksa var hullete, sånne hull som produsentene lager, og veldig trang rundt de tjukke låra. Håret glinsa av gelé og var gredd i midtskill. Ansiktet var ganske rødt, som han var veldig varm, og enda mer lubbent enn kroppen. Han lyste opp da jeg satte meg ned. Hånda var fremme før kroppen min traff sofaen.

«Mikael.» Det stinka alkohol av munnen hans. Jeg trykka den myke hånda og presenterte meg.

«Mo.»

«Som han i Simpsons eller?» sa han og lo litt. Jeg smilte. «Noe sånt.»

«Så ...», han nikka mot glasset. «Vin?» Han gliste.

«Vin ja ...», svarte jeg og visste ikke hvor han ville. Det ble stille. Vi satt og nikka svakt til musikken.

«Så hvor er du fra a?» spurte han.

«Stovner», svarte jeg kort.

Han satte opp en grimase og la armene i kryss. «Yo, Stovner ass. Stovner punjabs. Skal ikke bråke med deg.» Han lo igjen. Jeg smilte fortsatt.

«Men foreldra dine og sånt a? Du ser ikke helt ...» Hendene peila ut i lufta.

«Langt borte.» Jeg var like kort. Han må ha plukka det opp. Han spurte ikke mer.

«Og du?» spurte jeg.

«Fagernes. Valdres.» Han rapte, unnskyldte seg, og helte konjakk fra en stor flaske i et kjøkkenglass. Det eneste i rommet uten øl eller vin i.

«Skål!» Glasset smalt inn i mitt. Det velta og rødvinen rant ut på bordet. Noen av de på den andre siden av rommet så bort på oss. Mikael løfta glasset mot dem. De snudde seg tilbake.

«Faen heller. Vin, det er kjerringdrikk uansett, unnskyld at jeg sier det», snøfta han mot glasset mitt.

«Ja ...», sa jeg og henta opp en øl fra Rimi-posen min.

«Kan ikke holde på sånn», sa Mikael og rista på det store hodet. «Vin og øl, da blir det bare krøll». Han tok det tomme vinglasset mitt og skjenka konjakk i det. Så fylte han sitt eget igjen.

«Her, skål!»

Glassene klirra igjen. Den brant nesten verre enn whiskyen til Raji.

«Shit», mumla jeg, gulpa opp litt, men fikk det ned igjen. Mikael flirte.

«Første er stivest. Sånn er det. Du må bare ha mer.»

Han hadde rett. Det ble enklere. Et glass ble fem. Vi hadde nesten tømt en flaske Jim Bean, og med den kom ordene. Først prøvende og stive. Hvor gamle vi var. Hvilke kurs vi tok. Så løsere, mye løsere, til vi satt bakoverlent med bena på bordet og skrålte.

«Det er så grisefett i byen her da!» Mikaels blanke øyne lyste barnslig. «Masse fester og damer overalt. Null problem å ordne seg noe ...» Han blunka til meg, og jeg gliste, jeg. Fester, jenter, karrierer, penger, det var sånt vi snakka om. Om å gjøre alt. Få alt. Ligge med alt.

Festen hadde tatt seg opp. Musikken var høyere. Midt på gulvet sto fire jenter og dansa. På sofaen satt Mikael og jeg og blåste oss opp til ballonger, høyere opp i lufta for hver slurk.

Han fikk meg til og med til å danse. Jeg som helst ville sitti på sofaen resten av kvelden. Men Mikael er tøff sånn. Mye tøffere enn meg. Den avstanden mellom å ville og å gjøre, han bare kutter så lett i den. Han bare hoppa ut dit, midt på gulvet, med armer og ben som bevegde seg på alle andre måter enn rytmens. De så på han, og noen av jentene flirte, jeg så det, men Mikael lot seg ikke merke med det. Han bare dansa som ingenting annet fantes, og selv om de flirende jentene gjorde meg sjenert, smitta han enda mer. Da han tok tak i armen min og dro meg inn på dansegulvet, gjorde jeg ikke motstand engang.

«Jag vil ha dej i mörket hos mej», sang alle, og jeg sang det, jeg også, jeg skrek det, mens jeg hoppa opp og ned ved siden av den svære kroppen til Mikael til konjakken rant ut av porene mine igjen og musikken brått stoppa.

Smilet var borte hos hun som åpna døra. Det var rødvinsflekker på den blomstrete kjolen hennes. Hun vinka matt med henda mot utgangsdøra. Vi ramla nedover trappene og spredte oss ut i Kirkeveien. Mikael og jeg ble stående med to jenter som prøvde å få tak i en taxi. Han spurte hva de skulle. Kanskje vi kunne dra på nachspiel? Han hadde en studentbolig ikke så langt unna. Den ene av dem var så full at hun så vidt klarte å stå.

«Nei!» ropte hun. «Nei, vi drar ikke på nachspiel med deg, ok?» Hun grep etter venninna, bomma og mista balansen. Mikael fikk tak i en arm og holdt henne noen centimeter over asfalten. Hun stabla seg på bena og rev seg løs. Hun andre spurte hva vi het og hvilke andre kurs vi tok, men da en taxi stoppa, forsvant hun med «God natt da, gutta».

Jeg ble gående med Mikael, på jakt etter noe å spise, mens vi tynte ut de siste dråpene av Jim Bean. Vi gikk oppover Kirkeveien til Ullevål sykehus, og fortsatte opp den lange bakken mot Ullevål Hageby. Ved Ullevål stadion fant vi et gatekjøkken. En liten bu, med fire–fem barkrakker og maiskorn på gulvet.

«Digg det her, ikke sant?» Kebabsaus rant ut av munnvikene hans. Han tørka seg med håndbaken.

«Jævla grei fest i dag da. *Så* nære nachspiel.» Han holdt

tommelen og pekefingeren millimetere fra hverandre. «Hun siste der hadde vært klar som bare faen hun, om det ikke var for venninna.»

Jeg smilte. «Neste gang, ikke noe stress.»

Mikael satte konjakkflaska til munnen og la hodet bakover. En tynn, brun stripe rant ned til tuten. Mannen bak disken plystra skarpt og rista strengt på hodet.

«Sikkert muslimer», hviska Mikael.

«Sikkert», svarte jeg.

Han tenkte seg om litt, så så han forsiktig på meg.

«Er du …?»

Jeg nikka.

«Men jeg skjønner ikke. Jeg trodde at … Du drikker jo!»

«Jeg vet.»

Han ble stille en lang stund og bare tygde, før han plutselig lyste opp.

«Veit du hva jeg syns er jævlig kult?» Det fårete ansiktet ble alvorlig. Han la kebaben fra seg.

«Ingenting betyr no her, ikke sant.» Han slo ut med armene i retning Blindern og byen. «Du er fri, ikke sant. Ingen kjenner deg. Samma om du er fra bygda eller er utlending, du kan være hvem faen du vil!»

Av alle de tusen ordene vi utveksla den kvelden, er det de jeg husker best. Med to cola i pappbeger tok vi nattas siste skål.

Respondent: Jamal
Bydel: Stovner
Innspillingsdato: 21. oktober 2003

Skjer a?

Høst nå ass. Folk skifter dekka sine. Jeg sa til sjefen at jeg kan skifte dekk istedenfor å vaske. Husker du, han lovte det. Nå, han bare: «Ok, få se da.» Og jeg bare: «Nå liksom?» For egentlig, jeg har ikke gjort det før, jeg bare har sett andre folk gjøre det. Så jeg tenkte liksom jeg kan trene litt først, men han bare: «Ja, nå.» Så jeg avor bort til den maskinen, du veit, lufttrykk som fjerner boltene. Men ingen har lært meg hvordan den funker, så jeg loka litt og sånn.

Egentlig jeg syns ikke jeg tok så lang tid, og jeg klarte det ganske bra. Sjefen bare: «Du må trene litt mer, men greit da.»

Nå jeg har skifta så mange dekk, du veit ikke.

I starten, det var så fett. Ikke vasking. Bare gå rundt der med den trykkluftgreia, liksom, pang, pang, pang, skruene går av. Du setter på dekken. Pang, pang, pang. Skruene går på.

Men liksom, det er ikke så fett heller. Det er så tung jobb. Har du løfta en dekk elle? Veit du hvor tung den er? Prøv å løfte sånn femti dekk på dagen.

Men jeg prøver å tenke sånn, ok, Jamal, det her er flus. Bare tenk på det sånn.

Men liksom, moren min ass. Sånn som den siste lønna min, den var sånn 5000. Den før det var sånn 4500. Og fra begge jeg gidde hun sånn to lapper. Det er bra da, er det ikke? Men hun liksom, jeg veit ikke, hun blir ikke glad liksom. Bare sånn første gangen, etter det, mange ganger hun har sagt sånn, ok, jeg trodde det skal være mere. Det var det hun sa, hun trodde det skal være mere. Og jeg tenker liksom, hva faen? Jeg jobber så heftig for dem flusa, skjønner du hva jeg mener? Jeg gir masse til hun. Sånn som nå, jeg trenger discman eller MP3-spiller, men liksom, dem koster mere flus enn dem jeg har. Og hun vil ha mere?

Hvorfor skal hun ha så lite flus? Faen ass. Liksom hele livet ass, ting har vært sånn. Det er ikke rettferdig, jeg sier til deg. Andre folk, dem betaler ikke hjemme engang. Rash og sånn, han har jobb nå, men han gir ingen flus hjemme. Hvorfor må jeg gjøre sånn?

Fucka.

Fuck staten også ass, mann. Hvis dem gidde skikkelig uføretrygd, ting var bedre. Nå siste dager hun starter å bli litt mere sånn syk igjen også. Jeg merker det. Litt mindre spør og sjekker om ting er bra med oss og sånn. Litt mere på den sofaen og sånn.

Fucka.

Snakkes.

Fra: Mo <mo.1@hotmail.com>
Sendt: 14. november 2003
Til: Lars Bakken <lars.bakken@nova.no>
Emne: Kartlegging av hverdagen til unge i Groruddalen

Vi er mye sammen, Mikael og jeg. Vi går ikke på samme fakultet, bortsett fra ex.phil har vi valgt forskjellig. Han studerer historie.

Det er som oftest mellom eller etter forelesningene vi er sammen. Det er en pub i Sørkedalsveien, ikke langt unna Majorstua T-banestasjon, som vi pleier å gå på ganske ofte. Det er billig øl, så det henger alltid masse studenter der, i tillegg til noen eldre stamkunder. I helgene er det stappfullt, og stamkundene er et annet sted. Det er veldig sparsommelig innredet, mørke vegger, metallstoler og bord, lite belysning, som et hardrocksted eller noe, men de har bare to album: *Jagged Little Pill* og *Stg. Pepper's*. Jeg kan hele «Lucy in the sky with diamonds» utenat nå. De fleste kommer uansett ikke for musikken, men for å snakke sammen eller sjekke hverandre opp. Det er vel mangel på det siste som gjør at jeg hører musikken så godt.

Mikael har stått for det vi har gjort av sjekking. Det har ikke gått sånn veldig bra. Han er så på, så rett frem, at jeg pleier å følge med på han med hendene for ansiktet. Jeg mener, hvis han er skikkelig full, da kan han rope ut ting som:

«Hei, du! Vent a, la meg snakke litt med deg», eller: «Hva gjør du i kveld a?», til jenter som går forbi oss, jenter han ikke har møtt før. Det fungerer ikke helt. Dialekta som skjærer gjennom musikken og kræsjer mot byen. Den knæsje skjorta som mister fargen mot hvite T-skjorter og svarte skinnjakker. Gutta han spanderte øl på i baren og prata så lett med, men som forsvant da de hadde drukket opp. Det føles litt vanskelig i sånne øyeblikk. Jeg vet ikke, jeg bruker det vel litt som en unnskyldning for ikke å prøve all verden selv.

Mikael har en hybel på Sogn studentby, på andre sida av Ring 3 for Ullevål stadion, såpass nærme at jeg hører det når Vålerenga eller Lyn scorer. Hybelen er veldig liten, jeg husker jeg tenkte at det ikke gikk an å bo så smått første gang jeg var der. På Stovner har folk hvert fall toroms. Hybelen har bare ett rom, på kanskje åtte kvadrat, i enden av en lang, grå gang med ni andre tilsvarende enheter og felles kjøkken og bad. Kjøkkenet lukter Grandiosa og nudler selv om vinduet er oppe. Badet mer Head and Shoulders. Alle beholder flip-flop-ene på i dusjen. Mikaels garderobe er en haug klær i en hockeybag. Ved siden av den er det en plastpose med deo, tannbørste, tannkrem og hårgelé. Inntil senga et lite bord, tv og en Playstation som han spiller Grand Theft Auto og Call of Duty på, men når jeg er der, spiller vi noe som to kan spille samtidig på, oftest FIFA.

Ellers drikker vi øl og prater. Han prater mye om andre verdenskrig. Om bestefaren som har vært på skauen. Han spredte radiosignaler og skjøt ikke på tyskere, men likevel, Mikael er veldig stolt av han. Langs den ene veggen i hybelen står det en stabel med bøker om krigen og hele «Band of Brothers»-serien på DVD. Jeg kan litt fra skolen som jeg sper på med, men han er på et annet nivå. Ikke bare den norske krigshistorien. Alt mulig. Tidspunktene for de avgjørende slagene. Sitater fra Churchill, Montgomery og Patton. Spesifikasjonene på våpentyper og tanks. Han kan prate om ting som M4 Sherman eller blitzkrieg i flere timer om han får sjansen. Han forandrer seg liksom da. Som om han har mer tid. Tilbakelent, smart, som foreleserne på universitetet. Jeg liker å høre på han. Ikke om krigen i seg selv eller detaljerte historier om slag og våpensystemer, jeg vet ikke, krig stresser meg fortsatt, selv om den er gammel, men jeg liker hvordan han blir når han forteller, og jeg liker å høre om bestefaren. Om store eventyr i en annen verden, og alle drakene han felte. Jeg liker å tenke at jeg liksom er litt sånn jeg også.

Det hender han snakker om den nye krigen også. USAs, mot «al-Qaida og Taliban og den gjengen der som dreper damer og unger», som han sa en gang. Han holder seg oppdatert, mer enn meg, jeg lukker øra når han prater om den krigen, og sier så lite som mulig.

I forrige uke ble han helt rød i ansiktet. På ex.phil-seminaret om Kant og pliktetikken hans og de moralske forpliktelsene til å unngå enkelte handlinger, uansett hva, som tortur. Seminarlederen sa Kant trolig ville syntes Guantanamo var moralsk forkastelig, uansett hvor mange terrorangrep det forhindra.

Mikael så ut som en tomat. Han pusta og peste. «Fy faen, for en idiot, hæ?», sa han da vi gikk side om side i korridoren. Jeg har ikke sett han så oppjaga før. «Kant ville trolig synes», han etterapte seminarlederen, og gjorde han enda mer femi. «Hva slags homseetikk er det a? Bøy deg ned og ta imot? Nei, fy faen».

Han heiv etter pusten. Jeg økte tempo mot kantina.

Hadde han vært på forrige seminar og hørt om John Stuart Mill, så hadde han hørt det motsatte, at målet helliggjorde middelet, men jeg droppa å si noe om Mill og håpa han skulle gjøre det samme med Kant.

Da jeg lukka døra på kjøleskapet, var ansiktet hans der igjen. Nesten oppi mitt.

«De ble jo angripi, for faen.»

«Ja», sa jeg og gikk til kassa.

«De må jo forsvare seg da, hæ?» sa han da jeg var ferdig. «Om du må torturere et par terrorister, faen heller. Er det ikke like mye en plikt å stoppe uskyldige folk fra å daue a?»

«Er faen ikke riktig», fortsatte han.

Han ble stående og se på meg, jeg vet ikke, som om det var et spørsmål der et sted.

«Shit, er tom for sigg», sa jeg og klappa meg på jakkelommene. «Stikker en kjapp tur på Bunnpris.» Så jogga jeg ut.

Jeg spurte han i går da vi satt oppe på hybelen hans og spilte Playstation om hvorfor han ikke dro i militæret, han som var så opptatt av sånt.

«Se på meg a», sa han og pekte på magen sin. «Jeg er ikke interessert i å dra i militæret, er mer interessert i å lese om det. Gidder vel for faen ikke rulle rundt i skauen, jeg. Syns rypejakt med faren min var pes nok.» Han lo så magen han hadde pekt på, dissa.

«Faren min vettu, alltid sagt at det ikke er no å hente på Fagernes. Ville jeg skulle dra ned til byen å studere. Var lærer vettu. Har trua på skolegang. Jeg tenkte, faen heller, det er i byen det skjer uansett. Alle festene og kjerringene. Var klar som bare faen, jeg.»

Det var jeg som lo den gangen. Jeg fortale han om en annen far med samme tro.

«Egentlig litt på grunn av han at jeg kom meg til Blindern og fikk det spesielle stipendet og alt», sa jeg.

«Spesielle stipendet?» spurte han.

«Ja, jeg har fått sånn spesielt stipend for minoritetsungdom.»

«Minoritetsungdom? Var det bare utlendinger som fikk det?»

Jeg nikka.

«Å ja», sa han.

Han så tankefullt på tv-skjermen. «Start game» sto og blinka utålmodig mens Blur spilte i bakgrunnen. Jeg angra på at jeg ikke hadde tenkt meg om. Tenkt på Aften-Aften og det knøttlille bildet i det mye større.

«Skal vi spille, eller hva?» sa jeg og løfta Playstation-kontrollen.

«Jeg har jævla masse studielån allerede», sa han. Jeg visste ikke hva jeg skulle svare. Det så ikke ut som han venta på svar. Han plukka opp kontrollen sin.

Jeg kommer ikke til å fortelle noen om det stipendet igjen.

Respondent: Jamal
Bydel: Stovner
Innspillingsdato: 24. november 2003

Jeg skal på moskeen i morgen da.

Yes, yes. Religiøs mann. Går på moskeen hver dag, veit du ikke?

Ha ha.

Nei ass, men id i morgen vettu. Må på moskeen da. Alle må gjøre det. Liksom, andre dager, jeg går ikke, men på id ass, jeg må gå. Alle muslimer må gjøre det.

Jeg tenkte å dra på Grønland. Den på Stovner er tæz. Når du kjører på T-banen, du kan se den røde husen ved politistasjonen. Rett der. Ser ut som du kan ta på den og den raser liksom.

Folka har prøvd å bygge ordentlig moské på Stovner lenge da. Pakkisene og sånn. Til og med dem har finni flusa for det, men dem får ikke lov fra kommunen eller no. Jeg veit ikke ass. Det er skikkelig tæz.

Hør a, veit du hvor mange muslimer det er på Stovner elle? Hvorfor får vi ikke ordentlig moské her? Det er så mange kirker her. Liksom, det er den ved senteret, det er den ved Stovner barneskole, og det er en borte der ved Høybråten, og det er ... Det er flere også.

Det er ikke riktig ass, jeg sier til deg.

Rash går der da, på moskeen på den røde husen, men jeg går ikke med dem, han går med family og sånn.

Jeg går alene ass. På Grønland. Der det er mange moskeer å velge, så liksom, jeg tar den med ikke mye folk.

Det er litt fucka. Moskeen i morgen.

Ikke sånn da, ikke at moskeen er fucka. Liksom, jeg kommer til å gå der, men jeg har ikke fasta så mange dager. Liksom, sånn ti kanskje. På tre av dem jeg tok sigg også. Men jeg spiste og drikte ikke da. Så liksom. Jeg mener det tells da. Sigg gjør ikke at du blir mett liksom.

For litt sia, jeg står med kompisa mine, alle gutta prater om sånn hvor mange dager dem har fasta. Mange av dem gutta, dem faster hver dag. Jeg bare sa til dem, fasta nesten alle ass.

Jeg veit, jeg veit, Gud sjofer alt og sånn, jeg kan ikke lure han. Men liksom, jeg syns sånn, det er mere bra gjort for meg å faste enn for dem. Fordi liksom, morene dems, dem lager schpaa mat når dem står opp og skal spise før fastinga. Liksom, da det er lettere, ikke sant, når du bare står opp og det er varm mat og du spiser den og går og sover igjen.

Mens moren min ... Du veit. Liksom, jeg må stå opp selv og lage brødskiver og sånn. Det er ikke så lett å faste da. Liksom, jeg skal vaske bil hele dagen og har bare hatt brødskive tidlig, tidlig på morningen. Det er hardt ass, mann, du veit ikke.

Sikkert Gud skjønner meg, tror du ikke?

Ok, helt ærlig.

Det er ikke bare på grunn av fastinga jeg tenker moské i morgen ikke er så bra. Moské er litt svett for meg ass. Liksom, jeg liker det også da. Sånn som når han imamen snakker fra Koranen, det er så heftig pent å høre på, skjønner du? Det er sånn, jeg veit ikke, fint, som musikk, og du sitter der på den myke teppen og hører på det og blir sånn rolig på hele kroppen, bare, ahh, alt er chill.

Men liksom. Jeg sliter med å be ass. Egentlig jeg skal lære det når jeg var kid, men han tisharen, jeg lærte ikke mye av han der. Liksom, du veit jo han avor og alt det der, men liksom også når han var her, han prøver å lære meg noen ganger. Han starta når jeg var sånn fem eller seks eller no. Plutselig, han bare: «Jamal, kom igjen. Nå skal du lære

Koranen.» Etter det, kanskje det går sånn to uker. Plutselig: «Kom igjen, Jamal. Nå skal du lære igjen.» Etter det, to dager. Etter det, tre måneder. Når han har lyst liksom.

Jeg sverger, han er første lærer jeg hadde, og verste ass. Glem alle dem på skolen, han der, han er så streng, bare kjefter dødsmye når jeg ikke skjønner ting. «Kom igjen a, det er ikke vanskelig.» «Hva er gærent med deg, din drittunge.»

Liksom, jeg sitter der og prøver å skjønne ting han sier, men du veit jeg sliter noen ganger med å forstå og huske og alt det der, og noen ganger også, han spør om ting han lærte meg for halvt år sia, da jeg husker hvert fall ikke. Men nei ass. Han gidder ikke høre når jeg sier sånn her: «Ehh, vent, kanskje ...»

Paff! Slæpp rett på ræva mi.

Jeg hadde så noia for den læringa der, du veit ikke. Noen ganger på natta, jeg sovde ikke for jeg tenkte sånn, shit, plutselig i morgen han kommer og sier vi skal ha mere læring.

Ja ass, tishar.

Men liksom, jeg kan mange av tinga også. Noen av tinga jeg husker. Andre av tinga jeg lærte fra moren min. Hun lærer ikke så mye da, mange ganger det var sånn, hun bare dritseriøs og sånn: «Du må lære Koranen og sånt. Jeg skal lære deg», og så etter det, ikke mye skjer.

Noen ting jeg lærer når jeg hører kompiser snakker. Liksom, jeg kan bare spørre dem også, men du veit, det er litt tæz å spørre folka om ting dem lærte når dem var kids. Liksom: «Hæ? Veit du ikke det elle?»

Orker ikke ass.

Men ja, noen ting jeg kan. Sånn som jeg selvølgelig kan shahada og sånt, ikke no stress, og jeg kan dem tinga du sier når du starter å faste og når du er ferdig med å faste, ikke no stress, og jeg kan wudhu, ikke no stress, og jeg kan mange andre greier også. Men jeg loker mye på beinga. Den følger sånn system, og jeg fucker opp systemen. Liksom, jeg kan mange av orda på beinga da, men jeg husker ikke alltid alle sammen, skjønner du? Ok, noen av orda jeg kan ikke heller, men mest egentlig jeg loker med når jeg skal bøye ned helt for å gå på bakken, og når jeg bare skal gå ned bare litt for å holde på knæra og hvor mange rakat det skal være, med sånne ting jeg loker heftig. Så på moskeen, jeg bare står ved siden av folka, og jeg sjofer på dem, og jeg gjør samma som dem gjør ...

Men liksom, hør a, selv om jeg sier dem tinga her til deg, ikke tro sånn, åhh, han er tæz muslim. Jeg er muslim som faen, jeg.

Faen, jeg kan ikke si sånn. Astaghfirullah.

Men liksom, jeg er ordentlig muslim da.

Det er bare sånn, med moskeen, jeg liker ikke å gå steder og ikke skjønne ting, skjønner du? Derfor jeg går bare på id ass.

Jeg tror Gud forstår sånt også da.

Ja ass. Jeg tror det. Gud forstår sånt. Gud veit alt.

Glemte det ass. I morgen jeg tar med Suli. Første gang jeg tar med han. Det blir bra da.

Oh shit.

Tenk om Suli pisser på teppen der på moskeen a. Shit ass, det må ikke skje ass.

Ok, jeg må få han til ikke å drikke no og gå på doen tre ganger før vi drar. Stress ass.

Prates.

Respondent: Jamal
Bydel: Stovner
Innspillingsdato: 25. november 2003

Halla.

Det gikk bra da. Han pissa ikke på moskeen. Alhamdulilah. Først vi tok wudhu hjemme, jeg lærte han, og så vi avor der på moskeen på Grønland. Jeg sverger, han loka så mye. Jeg bare: «Suli, gjør akkurat sånn som meg», men liksom, jeg også må se på hva andre gjør, så hele greia blir forsinkelser, sånn som når ene T-banen sitter fast på tunnel, andre T-banen bak den også må stoppe, og alt blir fucka.

Men liksom, mest det var bra da. Du veit, alle går rundt der på Grønland med så fine klær og kjøper kake, og alt er skikkelig bra stemning. Suli likte det så mye. Sånn som når det kommer folk og sier til oss «id mubarak», liksom, folk vi ikke kjenner, og han sier: «Hvorfor sa han mannen det til oss?» Jeg sier til han: «Du veit, det er sånn muslimer er, vi er alle bror, samma om vi ikke kjenner han.» Når vi kommer tilbake til Stovner, han bare ser en fra klassen sin, og liksom, han roper: «Jeg var på moskeen, jeg var på moskeen, id mubarak!» Så han løper inn til moren vår og snakker til hun om hvor schpaa det var og sånn.

Etter det, vi bestilte pizza. En heftig en. Peppes pizza ass, mann. Fortsatt dyrt da, jeg sverger, men id liksom. Må ha litt schpaa mat da ass.

Nå, jeg er så mett fortsatt.

Id mubarak a, mann.

Prates.

Fra: Mo <mo.1@hotmail.com>
Sendt: 27. november 2003
Til: Lars Bakken <lars.bakken@nova.no>
Emne: Kartlegging av hverdagen til unge i Groruddalen

Vi har fortsatt å være i hybelen til Mikael på Sogn og gå på puben på Majorstua. På hverdager er hybelen ok, i helgene er det ikke fullt så bra. Da sitter jeg og hører på andres studentliv. Spesielt på kvelden. Det dunker alltid bass i veggen fra hybelen ved siden av, og høye stemmer runger gjennom gangen. Fra den andre veggen hender det vi hører stønning fra hun som har kjæresten fra Sørlandet over på besøk for helga.

Jeg liker gatekjøkkenet bedre. Mikael insisterer på å spise der hver gang vi har vært ute. Det passer bra som siste stopp uansett. Jeg tar 5-ern fra Ullevål hjem til Stovner, han trasker opp til Sogn. Det må ha vært minst tjue ganger at vi har sittet der sent på natta. Tjue ganger nesten. Nesten jenter, men ikke helt. Se, kanskje snakke noen setninger med, ikke få. Ord om nachspiel som flyr rundt, men er umulig å få ned på bakken. Masse «With a little help from my friends» og «What if God was one of us», sunget av halvfulle menn over femti på en onsdag.

Men vi er ikke deppa, egentlig. Det blir bare mer kebab og flere ord. Som vi liksom puster luft i hverandre der inne, og flisene med maiskorn på, tyrkern bak disken og alle som kommer ut og inn for nattmaten sin, de forsvinner. Ingenting finnes lenger, men alt er likevel større, og to svære ballonger flyter fritt veggimellom.

Jeg drikker altfor ofte, selv om jeg prøver å unngå å bli altfor full. Ofte tar jeg siste bane like over midnatt og sitter der i 40 minutter. Det er bekmørkt, nå som snøen lar vente på seg. Beatles og Alanis Morissette summer i hodet og blander seg med lyden fra øretelefonene til andre passasjerer og sjåførens opprop. «Rislåkka.» «Grorod.» Til slutt hører jeg ingen av dem lenger. Jeg har sovna flere ganger. Duppa av og våkna på Vestli med sikkel rundt munnen og måttet gå hele veien tilbake til Stovner.

De sene nettene går utover studiene. Mikael er ikke bekymra. «Er ikke no vits å lese før et par dager før eksamen. Glemmer alt ellers.» Rådet hans fungerer ikke for meg. Jeg klarer ikke la være. Jeg vil ikke heller. Av og til åpner jeg bøkene når jeg kommer hjem, og leser til langt ut på natta, mens promillen glir vekk med sidene og jeg sitter halvt i svime morgenen etter og forsøker å følge en forelesning.

Moren min har stort sett lagt seg når jeg kommer hjem, så det er faren min jeg møter, som oftest liggende på den oppredde sofaen i stua, og han kikker alltid demonstrativt på klokka, men sier ikke mer enn:

«Gå og legg deg nå.»

Men her om dagen, da jeg låste jeg meg inn, kom han ilende ut av mitt rom mitt og stilte seg foran meg. Det var så uventa at jeg ikke rakk å reagere, og jeg fikk panikk av hvor nær han sto den stinkende munnen min.

«Hva driver du egentlig med ute på kvelden?» spurte han.

«Kveldsstudier», svarte jeg og holdt pusten.

Han studerte meg.

«Kveldsstudier ... Hva, til klokka tolv? Til klokka ett? I helgen? Jeg har aldri hørt om sånne studier.» Han snakka fort og høyt, men hørtes egentlig ikke sint ut.

«Ehhm ...» Jeg lette etter svar mens jeg knep leppene igjen, men fant et spørsmål.

«Skal du reise?» Pc-skjermen lyste inne på rommet. Øverst på skjermen var det bilde av vingen til et fly som seila mellom blå himmel og hvite skyer, og nedenfor var det lange tabeller fulle av små, utydelige tall. Men jeg så navnet på ankomstbyen.

«Å ja, det der ...», han snakka mens han gikk bort til pc-en og forsøkte å krysse ut vinduet. Foreldrene mine ser gamle ut når de bruker pc. Han gjorde det da også.

«Nei, ikke noen reise. Nå. Eller. Jeg tenkte. Ja. Ja, kanskje det er på tide at vi tar en tur snart. Moren din maser vettu. Men ikke nå. Om noen år. Kanskje. Vi må spare litt.» Han slo av hele maskinen.

«Hvis du venter, kan jeg spandere når jeg blir ferdig med universitetet og får meg jobb», sa jeg kjekt.

Han begynte å le. Den fine latteren. Han kom bort og tok tak i den ene skulderen min og rista i meg. Jeg holdt pusten igjen.

«Bare fortsett som du gjør du», sa han.

«Selvfølgelig skal jeg det», lovte jeg.

«Bra. Gå og legg deg nå.»

Fra: Mo <mo.1@hotmail.com>
Sendt: 18. desember 2003
Til: Lars Bakken <lars.bakken@nova.no>
Emne: Kartlegging av hverdagen til unge i Groruddalen

Siste delen av november og utover i desember forsvant promillen. Ingen flere turer ute til langt på natt lenger. Eksamener venta. Snøen kom også. Og den stoppa ikke når den først gjorde det. Folk sto utafor her med spader og gravde ut bilene sine om morgenen og ga gass gang på gang mens dekkene spant. Det var lyst midt på natta. Fra vinduet satt jeg og så på snøen dale i store flak nedover blokkene og legge seg på toppen av dem, som en lue som ikke stoppa å vokse. Jeg var ute i stua noen ganger for å spise, eller i gangen for å kjefte på småsøknene mine som alltid skal krangle om alt mulig rett utafor døra mi. Ellers satt jeg på rommet, i det skarpe lyset fra en bordlampe. Bøyd over bøker og kråkeskrevne notater som noen ganger ga mer mening enn da jeg noterte dem, og noen ganger mindre. To–tre ganger om dagen sto jeg ute, rundt hjørnet på blokka, med en røyk som hele tida ble våt av snøflakene mens alt jeg klarte å tenke på, var menn som Heckscher-Ohlin, Ricardo og Stiglitz.

Eksamenene kom i en sjudagers periode, med noen dagers opphold imellom. Jeg møtte opp til den første med en vannflaske, en «Go' Morgen»-yoghurt og en penn, trøtt og veldig spent, men ikke altfor stressa. Jeg var så godt forberedt jeg kunne være.

Gymsalen ved Frederikke var full av pulter og studenter,

flere hundre, men fortsatt lukta det av svette og gummi da jeg åpna døra. Jeg møtte panikk på innsiden. Jeg mener, jeg så folk som hadde med seg fem penner, svære matpakker, energidrikk og fruktsukker. Jeg så svetting, sukking og hamring i panna med fingertuppene. Et glødende rødt utslett som vokste fra halsen og opp til ansiktet til han ved siden av meg. En jente som tvang i seg korte snufs, rett etter at oppgavene ble delt ut. Jeg trodde hun holdt tilbake et nys, men så begynte hele kroppen å riste, og hun hiksta, og hun som satt bak henne, slo hånda i pulten og sa: «Herregud, kan du ikke gå og grine et annet sted? Du forstyrrer alle.» Hun styrta gråtende ut. Jeg skal ikke lyve, det var ganske deilig å se alle de veltilpassa så ute av kontroll.

Jeg ble ordentlig svett av en oppgave i ex.fac. Om allmenningens tragedie. Jeg ville gjerne sette det opp mot et begrep fra samfunnsøkonomien, men det sto fullstendig stille for meg hva det het. Jeg ble sittende en halvtime og stresse med det, og måtte ut og røyke i følge med en gammel dame, før jeg plutselig huska at det var «kollektive goder» på vei inn igjen til gymsalen. Utenom det var jeg stort sett rolig, men selvfølgelig, det tok på. Ukedagene gled over i hverandre. Kvelder gled over i netter og morgener der jeg våkna påkledd av at den spisse kanten på en bok stakk meg i ribbbena. Alt jeg hadde en klar oversikt over, var hvor mange sider pensum jeg hadde igjen å lese på hvor mange timer. Da jeg satt og skrev de siste setningene på den aller siste eksamenen, kjente jeg hvordan nakken slet med å holde hodet oppe. Ryggen var stiv og ropte etter å bli retta ut igjen. Jeg var dønn utslitt da jeg slapp pennen, og dønn glad. Som en maratonløper over målstreken, jeg vet ikke, jeg har aldri løpt så langt, men jeg tok meg i å småjogge mellom pultene bort til eksamensvakta, og da enda en gammel dame krysset av i rubrikken for innlevert, rett ved siden av kandidatnummeret mitt, kjentes det som jeg tok av fra bakken og letta.

Jeg ringte Mikael. Han satt allerede på bussen, på en telefonlinje som hoppa av og på, på vei til Valdres for juleferien.

Jeg ville ikke hjem. Jeg fløy rundt på Blindern en liten

stund uten å vite helt hvor jeg skulle. Det kribla og kilte i hele kroppen. Jeg ville le, men gjorde det ikke, bare gikk rundt på campus, et sted mellom jogging og gange, til jeg møtte en jente med piercing i nesa og lang ullfrakk, som sto midt på Frederikkeplassen og delte ut flygeblader.

«Kom da!» sa hun og ga meg et. Det hadde glorete skrift med nisseluer og reinsdyr:

Juleavslutning på Cheateu Neuf! Billig bar! God stemning!

Jeg spiste dagens på Frederikke. Wok med Uncle Ben's ris. Jenta med flygebladene sto fortsatt nede på plassen og delte dem ut. En jevn strøm av bøyde hoder tusla ut fra gymsalen og subba bortover den snødekte brosteinen. Noen tok imot. De fleste lot være. Jeg fikla med flygebladet mitt. Det kribla ennå svakt i kroppen, som små, behagelig etterskjelv. Jeg ville fly mer.

På puben i Sørkedalsveien var det stamkundene og meg. Jeg drakk i to timer med røyk som eneste pause. Ettermiddagsølet gikk rett i hodet på meg. Jeg gikk ustøtt da jeg kryssa Majorstua T-banestasjon og fortsatte de få meterne derfra til Cheateu Neuf. Det var stort, større enn jeg hadde tenkt at det var da jeg satt på Frederikke. Ti meter med sperringer og enda lengre kø. Jeg stilte meg bakerst, prøvde å stå stille, men måtte ta to støtteskritt. Jeg grep tak i en iskald sperring og holdt meg fast.

Det tok tjue minutter før jeg kom frem til dørvakta. Han brukte lang tid på å studere legitimasjonen min, så lang tid at jeg var redd jeg ikke skulle klare å stå rett.

«Fort deg litt da», maste en jente til han. «Det er kaldt.» Han ga meg legitimasjonen tilbake.

Jeg gikk inn i mørket, og det lyste ikke opp igjen før jeg hadde gått gjennom en lang gang og endt opp i et stort rom. Det var en scene der med dansegulv foran, discokule i taket og en lang bar. Lav musikk over høytaleranlegget. En klump av mennesker sto foran scenen, og en enda større klump foran baren. Det tok et kvarter å komme frem, og da jeg var der, ble jeg skumpa frem og tilbake og måtte henge halvveis over bardisken og veive med en hundrelapp for å få bestilt.

Lyset slukka i nesten samme øyeblikk som jeg fikk ølen min. En enslig lysstråle flakka søkende rundt i rommet før den landa på en fyr i sølvfarga dress på scenen. Han lot det hvile på seg litt før han tok en mikrofon til munnen.

«Er det noe liv her?!» ropte han og holdt den mot oss.

Tre venninner ved siden av meg skrek: «Ja!» Jeg skrek ja, jeg også.

«Hva er vi kjent for?!» Mikrofonen pekte mot oss igjen. Jeg venta på dem.

«Feste!» skrek de, enda høyere enn første gang.

«Så la oss feste!»

Han slapp mikrofonen i gulvet, og i samme øyeblikk den traff bakken, gikk discokula på, en røykkanon fyrte av, og musikken dunka ut av høyttalerne.

En av venninnene slengte håret fra side til side på vei ut mot dansegulvet. Det piska inn i ølen min. Den gikk i bakken. I røyken så jeg skummende øl flyte utover gulvet og forsvinne mellom høye hæler og flate såler som trengte seg forbi ut mot dansegulvet.

Jeg gikk på do. Da jeg kom ut, hadde køen i baren vokst seg lengre. Jeg sendte Mikael en melding: «Fester, du skulle vært her!» men hadde ikke dekning. Den ble liggende i utboks.

Musikken dunka så hardt at kroppen vibrerte. Folk snodde seg forbi meg på vei til steder. Flere høye hæler og mer sølt øl. Phoenix, «If I ever feel better». Ironisk discodansing på dansegulvet. Jeg visste ikke hvor jeg skulle. Jeg valgte barkøen en gang til, men skumpinga var hardere, og flere strømma til. Etter et nytt kvarters kamp ga jeg opp og fant en stolpe å lene meg inntil. Så en stol å sitte på. Så reiste jeg meg og sto inntil en vegg. Smilte til de som passerte. Nikka med hodet til musikken. Tasta meldinger som ikke kunne sendes, og viska ut teksten når de var ferdige. Ikke mer enn noen minutter av gangen på samme sted. Som om jeg hele tida var på farta. På vei mot noen. Til de som drakk Tequila-shots i en sofa.

«Skål, for faen!» Det var sikkert noe sånt de sa, like før de sleika salt av håndbaken og lagde grimaser av sitronen.

En gammel Madonna-sang. Discolysprikker i røyken. Jeg fra vegg til vegg. Stolpe til stolpe. Etter en time var det ikke flere vegger og stolper og enslige stoler igjen, og smilet verka.

Jeg gikk ut og møtte en stjerneklar himmel. Røde ringer lå lagvis rundt månen. Snøen knakte under føttene mine. Jeg hutra. En fyr i blazer og hullete jeans sto alene ved siden av sperringene og røyka sakte. Den blanda seg med frostrøyk. Skyer kom ut av munnen hans.

«Har du fyr?» spurte jeg selv om jeg hadde lighter i lomma. Han kom ut av skyen og tente røyken for meg.

«Vært her lenge?» spurte jeg og kjente kjeven protestere da jeg smilte.

«Ikke så veldig.» Han smilte vennlig, stumpa røyken i bakken og forsvant inn.

Jeg var sliten, merka jeg. Jeg kunne lagt meg på bakken og sovna ute i kulda. Klokka viste ti minutter til siste 5'er til Stovner. Jeg tente en ny røyk og hadde tatt de første skrittene bort mot stasjonen da hun snakka til meg.

«Har du en av de til meg også?»

Jeg skvatt. En jente i høye hæler og ullkåpe sto foran meg og smilte. Hun var pen. Virkelig. Med de skarpe linjene i ansiktet som ble enda tydeligere i det svake lyset. Håret som var slått ut og bølga nedover skuldrene. De feminine bevegelsene da hun gikk to skritt mot meg.

Jeg rakte henne røyk og lighter. Hun tok et trekk.

«Maria.» Hun strakte hånda mot meg, men trakk den tilbake før jeg rakk å ta den imot. Hun hosta.

Hun samla seg og tok et trekk til. Hun hosta ikke denne gangen.

«Maria», sa hun en gang til. Hånda hennes var sped og varm.

«Mo», svarte jeg.

«Så hva studerer du?» spurte hun.
«Samfunnsøkonomi.»
«Jeg også.»
Pusten galopperte. Jeg prøvde å slippe den jevnt ut.
«Liker du deg her?»
«Bedre og bedre», svarte jeg. Det hørtes mer slibrig ut enn jeg mente.
«Bedre og bedre», gjentok hun og smilte litt usikkert.
«Liker du deg?» spurte jeg. Hun trakk på skuldrene.
«Helt ok.» Hun tok et trekk til. «Ble liksom bare sånn.» Hun trakk på skuldrene igjen.
Vi snakka et par minutter om hvilke kurs vi tok. Ingen av de samme dette semesteret. Kanskje neste. Jeg håpa det.
«Må du dra?» spurte hun da hun så meg kikke på klokka.
«Burde rekke siste T-bane ja», svarte jeg og fikk lyst til å klaske meg selv i bakhodet da jeg sa det.
«Hvor bor du?»
Jeg nølte litt. så sa jeg Stovner, som om navnet ikke betydde noe som helst. Om hun tenkte noe, røpte hun det ikke.
«Stovner, det er langt, er det ikke?» spurte hun. Jeg nikka.
«Jeg kan godt følge deg bort til T-banen. Trenger luft uansett.»
Jeg har tenkt mye på det. På hvordan hun lo da hun skled litt, liksom kokett og leken samtidig, litt som de pene damene i gamle filmer, med ord som uttales sakte, som om det å gi for raskt slipp på dem betyr å gi for raskt slipp på spenningen, og seg selv. Så de drar på dem lenge. Som hennes «jaaaa ...» da jeg spurte om jeg kunne få telefonnummeret hennes.
Jeg blir nervøs nå, bare av å tenke på at jeg spurte. Jeg har lurt på om jeg egentlig gjorde det, eller om jeg innbiller meg ting. Men jeg var så sulten, og da hånda kom, ble jeg så overraska at jeg glemte alt og tok hele armen. Jeg vet at hun la til rette for det, men det føles som en seier likevel. En svær en, som jeg bar med meg hele veien hjemover. Jeg tok den lille biten av et flygeblad med de åtte sifrene opp fra

lomma og bare satt og så på den, så klemte jeg den i hånda, som om lomma skulle ha et hull jeg ikke visste om og hun bli borte i snøen på Stovner. Nå prøver jeg å finne ut hva jeg skal si til henne når jeg bruker det.

Fra: Mo <mo.1@hotmail.com>
Sendt: 22. desember 2003
Til: Lars Bakken <lars.bakken@nova.no>
Emne: Kartlegging av hverdagen til unge i Groruddalen

Hei! Jeg bare lurte på om du ville være med på kino eller noe?

Tre dager tok det å skrive den setningen. Det ble kino. Alle går på kino.

Hun svarte ikke samme kvelden. Jeg leste meldingen uendelig mange ganger. Sendte meg selv en melding for å være sikker på at alt fungerte på telefonen. Tenkte meg i hjel på om kino var noen god idé, kanskje det var for mye, for tidlig. Jeg ringte til og med opplysningen for å sjekke om nummeret hun ga meg, var riktig, og betalte 25 kroner for å vite at det var det. Maria Sørbye Lund fra Lofthus. Det gjorde meg rolig nok til å sovne.

På formiddagen vibrerte mobilen i lomma mi.

I dag?

Det var alt hun skrev.

Jeg sto og stirra på inngangen til en mørk tunnel. Jeg kunne høre T-banen lenge før jeg så den. Et sted mellom National og Majorstua. Det rista svakt i benken jeg satt på. Lyden ble sterkere. Du-dunk. Du-dunk. Bremsene kobla inn. Dunkinga dabba av. De røde vognene rulla inn på stasjonen. Femten doble dører nølte litt før de trakk seg til side. Blikket mitt flakka fra døråpning til døråpning. Folk trengte seg inn før folk hadde kommet ut. Dørene hadde lukka seg og T-banen begynt å kjøre igjen da jeg så henne. Kledd mer avslappa enn første gangen. Noen brune skinnstøvler, jeans, parkas og et tjukt skjerf. Hun kom gående rett mot meg, og alt jeg klarte å tenke på, var at hun kanskje ikke huska meg. At hun kom til å gå rett forbi.

«Hei ... Lever du?» Hun vifta med hånda foran ansiktet mitt og lo.

Vi var tidlig ute. Dørene til kinosalen hadde ikke åpna, og vi satt på en benk utafor Colosseum og slo i hjel tid. Jeg spurte om hun ville ha en røyk. Hun rista på hodet. Jeg fyrte på, men stumpa den halvveis da hun vifta bort røyken som blåste over ansiktet hennes.

«Det går bra», sa hun.

«Det går bra», sa jeg også.

«Så ...», sa hun. «*Spider Man*. Er det en type film du liker?»

«Jeg vet ikke helt», svarte jeg. Jeg mener, jeg verken liker eller misliker den type filmer. Og den virka trygg.

«Det går bra», sa hun og smilte liksom trøstende, «jeg ser på det meste, jeg.»

Vi snakka om filmer vi likte. *Løvenes konge*, *Casablanca*, *Ringenes Herre*. Hun ramsa opp flere også. Hun klarte ikke å bestemme seg for én. Jeg sa at jeg likte *Ringenes Herre*, jeg også, og at jeg syntes *The Shawshank Redemption* var ganske kul. Hun sa hun syntes den var fin. Da sa jeg at jeg hadde sett den mange ganger.

Vi var tidlig ute også i kinosalen. Vi satt på hvert vårt sete foran et grått lerret. Litt for tause, litt for lenge. Litt for mye sjekking av mobiltelefoner, og for mange spørsmål om hun ville ha mer popcorn.

Det ble bedre da reklamene begynte. Målretta mot det publikumet som ser filmer som *Spiderman*. En reklame fra Durex som fikk oss begge til å rødme. En annen fra et rekrutteringsselskap. En mann og en kvinne i smarte klær sto i et kontorlokale. I bakgrunnen sto pene mennesker i like smarte klær lent over skrivebordet til en kollega og diskuterte noe. «Hvor skal *du*?» spurte de to i forgrunnen og pekte på oss.

«Så, hvor skal du? Hva vil *du* bli når du blir voksen?» spurte Maria og pekte på meg. Vi lo litt av det. Voksen. Det virka fortsatt langt borte. Som noe jeg aldri kom til å komme helt frem til og kunne bøye og tøye på. Jeg likte det.

«Hmm ... Jeg vet ikke helt. Rik, kanskje?» sa jeg, for det var det enkleste å si, men jeg følte meg dum rett etter. Jeg kunne merke at hun syntes det var barnslig.

«Rik ... Ja ... Tja ... Kanskje ...» Hun trakk på skuldrene og så på et eller annet bortenfor lerretet. Det ene benet hennes rista lett, som om det forsøkte å hekte seg av, som om det var en av dem på fest som flyter fra menneske til menneske, som allerede er hos neste før den forrige, og som du tenker hele tida liksom glipper, og du blir rar, usikker og stammende.

«Familien min er veldig opptatt av utdannelse og karriere og alt det der. Man blir påvirka av det», sa jeg for å distansere meg fra det som lagde distanse.

«Skjønner», sa hun og kom tilbake.

«Hva med deg?» spurte jeg. Hun tenkte seg om. «Jeg vet egentlig ikke helt selv. Kanskje studere utenlands. Se verden.»

Jeg sa at det høres veldig kult ut, at jeg faktisk hadde tenkt på det selv, men vred meg litt i stolen.

Spiderman. Du kan spørre meg, men jeg kan ikke fortelle deg så mye fra selve filmen. Jeg kan fortelle mer om alle de dumme kommentarene vi slengte mot lerretet. Eller den eldre mannen ved siden av oss som satt alene og stadig kikka på Maria, og hun som bøyde seg mot meg og hviska om han. Pusten hennes som var varm, og det myke håret som strøyk over ansiktet mitt. Mannen som fortsatte å stirre, og jeg håpa han aldri ville stoppe, så hun skulle fortsette å hviske.

Det var mørkt, men ikke kaldt. Tre dager til julaften. Byen var rød og grønn. Girlandere og lys hang på tvers av Bogstadveien. Vi gikk forbi pyntede butikkvinduer og kikka inn. Hun fortalte om alle julegavene hun ikke hadde kjøpt. Jeg sa ikke noe om alle jeg slapp å kjøpe. Vi gikk i nesten en time, ned Bogstadveien, inn Parkveien, forbi Solli, videre opp Bygdøy Allé et lite stykke og så inn på Frognerveien, uten at noen stilte spørsmål om når den andre skulle hjem. Vi bare gikk. Mellom nedsnødde parker, bygårder i stille gater med julepynt i vinduene, kullsvart himmel og gatelyktenes gule lys.

På vei forbi Frognerparken kasta vinden seg mot oss. Hun surra skjerfet tettere rundt halsen og trakk seg nærmere. Hendene våre møttes. Da vi var tilbake på Majorstua, stoppa vi helt. Det var nesten midnatt.

«Jeg tror vi bør dra hjem», sa hun.

«Vi burde kanskje det.» En kort stillhet. Vi ville det samme. Det var hun som lente seg mot meg. Lipglossen hennes smakte jordbær.

Respondent: Jamal
Bydel: Stovner
Innspillingsdato: 25. desember 2003

Halla, mann.

Skjer med at Rash har starta å henge masse i den moskeen borte ved bauersstasjonen a?

Liksom, først det starta på ramadan, da han går nesten hver dag der etter iftar. Men liksom, nå etter ramadan er ferdig, han går fortsatt der på hver jummah, og noen ganger på andre dager også.

Liksom, i starten jeg tror det var sånn, ok, han går fordi Mustafa går. Du veit, Mustafa går der ganske mye, men nå jeg tror Rash bare går fordi han selv vil ass.

Forrige fredagen og sånn, jeg møter dem borte ved blokka min. Jeg sier: «Skjer a, gutta?» Dem sier: «Vært på moskeen.» Mustafa sier til meg: «Jamal, du burde gå der, du også.» Og han begynner å snakke om at liksom alle muslimer har to engler på sin skuldre. En heter Raqib og en heter Atid. Og den ene teller dem brae tinga du gjør. Den andre teller haram-tinga du gjør. «Så hvis du har planer om å komme på jannah …», sier han og sjofer på meg skikkelig lenge, og bare: «Vi alle har litt for mye på den ene skuldern. Du også.»

Og så han fortsetter til begge oss: «Dere er ikke barn mer vettu.» Jeg bare tenkte, hva, kaller han meg barn liksom? Men Rash bare: «Det er sant. Du også må begynne å tenke på det ass, Jamal.» Jeg bare: «Ok …?»

Liksom, hva leker han smart for a, for to dager sia, vi keefa sammen etter jobb.

Og Rash sier en gang mere: «Seriøst, mann, tenk på det.»

Jeg bare: «Ja, jeg skal tenke på det.» Men liksom, du veit meg og moskeen og alt det der ...

Shit ass.

Tenk om plutselig dem får skjegg og sånn og blir helt jihadi og sånn, og plutselig dem lager bombe som sprenger på Oslo.

Ha ha.

Jeg kødder med deg, mann. Slapp av. Det er bare poteter som tror folka sprenger bombe fordi dem går på moskeen på jummah.

Ellers, nå, ingen folk skifter dekk mere ass. Egentlig, det er greit. Jeg var så sliten fra dem dekka. Men liksom, også jeg hadde glemt hvor slitsom vasking var. Jeg tror jeg begynner å få betenning på skuldern eller no. Den gjør jævlig vondt ass, når jeg løfter sånn høyt, sånn for å vaske på taket og sånn, da det kommer liksom strøm fra skuldern og ned på hele armen.

Det har begynt sånn ny kar der da. Arash, heter han, sånn ny i landet-kurder. Han kan ikke så bra norsk han heller ass, men liksom, du skjønner hva han mener. Og han har skikkelig peil på biler. Jeg sverger, han kan så mye. Han lærer meg ting. Sånn, hvor mange hestekrefter det er på den bilen, hvordan type motor det er, sånt. Så nå, vi har lagd sånn lek. Når det kommer ny bil inn, vi tar konkurranse, vi skal gjette på hvor mange hester det er. Liksom, ok, Toyota Corolla, to liters bensin, jeg gjetter 130 hester. Og hvis det ikke står inne på bilen, vi spør han som eier, og da den som taper, må betale lunch for andre karen. Liksom, det er ikke så mye flus, det er sånn café borte ved der, vi kjøper bagett og sånn. Eller vi går til Rema på Haugenstua og kjøper brød og ost.

Når vi har sånn konkurranse, tida går litt mere.

Utenom det, det er bare vask, vask, vask.

Jeg sverger, jeg hater dem gummistøvla og hanskene ass. Det stinker så dritt inne på dem. Liksom, når jeg går hjem, jeg bruker så mye såpe på henda, likevel dem stinker som hanskene.

Og discmanen min er fortsatt fucka.

Jeg prøver sånn fortsatt da, liksom, Jamal, tenk på flusa, mann, tenk på dem, derfor du gjør dem greiene her, men liksom …

Jeg veit ikke ass.

Det er som jeg sier dem samme tinga til deg hele tida. Liksom, ja, jeg jobber og sånn ass. Ja, det er slitsomt ass. Ja, discmanen min er fucka ass. Ja, hjemme er hjemme. Ja, ute er ute. Jeg veit ikke hva mer skal jeg si til deg ass, Novamann.

Fra: Mo <mo.1@hotmail.com>
Sendt: 2. januar 2004
Til: Lars Bakken <lars.bakken@nova.no>
Emne: Kartlegging av hverdagen til unge i Groruddalen

I jula var Maria borte. På hytta i Beitostølen, skrev hun da jeg sendte en melding og sa god jul. Hytta. Det var alltid der de hadde vært, de norske i klassen, når læreren spurte hva vi hadde gjort i juleferien. Eller påskeferien. Eller vinterferien. Noen ganger sommerferien også. Jeg lurte alltid på hva de gjorde der, husker jeg. Jeg var ikke misunnelig, egentlig, det hørtes ganske kjedelig ut når de fortalte om ski i mange timer, appelsin og ikke noe tv.

Da fikk jeg litt lyst likevel.

Det gikk noen meldinger frem og tilbake. Korte, med mange smilefjes. I taket på rommet mitt danset bilder av henne og meg, som den gangen på skoleballet, bare ikke så klønete, mine hender på hoftene hennes og hennes armer over skuldrene mine, i smidige og elegante sirkler.

Det var ikke mye å gjøre. Romjula er stengte butikker og tomme gater. Gamle filmer. De sendte Shawshank andre juledag. Den var nesten bedre enn jeg huska.

Jeg har gått noen turer i skogen. Opp og ned til Liastua fra Fossumberget. Det var mye snø der og tungt å gå. Jeg har gått en del rundt på Stovner også. Stort sett til Mix-kiosken ved senteret for å kjøpe røyk, og så en lang tur der jeg røyker to–tre ganger, enten ned mot Rommensletta og helt bort til Smedstua, før jeg snur opp til Tante Ulrikkes vei, eller forbi

Stovner sykehjem, ned mot Stovnerbanen og så opp gjennom de grå blokkene og hjem.

Jamal sto utafor Mix en av dagene. Med en annen fyr, med palestinaskjerf over halve ansiktet, som om han hvert øyeblikk skulle løpe inn på kiosken og si henda i været. Rashid. Fra Bredtvet og Tante Ulrikkes vei han også, men vi snakker aldri sammen. Bare nikker. Jeg hilste kort på dem og hadde nesten passert da Rashid sa:

«Sjof karen, gidder ikke hilse ordentlig liksom.»

Jeg stansa. «Sorry, tenkte ikke på det», svarte jeg brydd.

«Tenkte ikke på det», etterligna han med jentete stemme og lo hånlig, så fortsatte han snøftende.

«Ok, jeg skjønner greia liksom, du er en viktig mann. Kan ikke hilse ordentlig på folk og sånn. Tssk.»

«Er ikke at jeg er viktig ...», begynte jeg, men lot det være. Jeg gikk bort til dem og strakte ut hånda. Jamal klapsa lett til min og gliste til meg. Rashid tok tak i hånda mi og klemte til. Pekefingeren min ble pressa ned mot lillefingeren.

«Sånn hilser vi her, ok?» Han fortsatte å klemme hånda mi.

«Ok?» spurte han igjen.

«Slipp han, mann», sa Jamal og grep tak i håndleddet hans. Han slapp. Jeg begynte å gå igjen med en gang. Jeg vet ikke hva som skjedde bak der, men jeg hørte Jamal si: «Hey, slapp av. La han gå. Han plager ingen, mann.»

Jeg takka Jamal, i stillhet, og gikk fort, til jeg ikke hørte dem lenger. Da stoppa jeg, halvveis ute på brua, og først da kom det, en helt ukontrollerbar skjelving, som ikke stansa selv om jeg stramma alle musklene jeg hadde. Så ble jeg sint. Jeg skyggeboksa på vei nedover brua og smelte til Rashid. Høyre, venstre, i magen. Han blødde fra nesa. Nede på asfalten lå han og ynka seg og så bedende opp på meg. «Slutt», tagg han, «vær så snill.»

Jeg lot han ligge der. Han kunne stå der utafor Mix og si hva han ville, jeg kunne ikke brydd meg mindre om idioten. Jeg var egentlig på vei hjem, men snudde da jeg kom ned brua, bort fra Tante Ulrikkes vei, og løp over bilveien ved politistasjonen, hoppa over gjerdet og rakk akkurat en T-bane på vei mot byen.

Jeg var på Majorstua igjen. Med en smak av jordbær i munnen gikk jeg mange av de samme gatene vi hadde gått, nedover Bogstadveien og inn Parkveien, til jeg til slutt kom ned til inngangen til National i Drammensveien. Jeg klappa, i rommet som fyltes med ekko, og applausen fulgte meg ned rulletrappene. Jeg merka det da, da jeg kom til de buede veggene med alle fargene, at hodet mitt ikke var som det skulle lenger, at fargene gikk i hverandre. De ble til regnbuer, klossete og hakkete regnbuer, sånne som Asma tegner med fettfarger og vil henge opp på kjøleskapet. Så avløst av grått metall, en ny rulletrapp, en perrong som virka uendelig lang og fikk de lange togene som dundra inn langs sidene, til å se korte ut. En ny rulletrapp fikk meg opp til T-banene. Jeg så fettfarger fortsatt og trodde ikke at bena mine ville klare et eneste skritt til, men fikk meg innafor dørene og ned på setet på 5-ern.

Jeg sovna momentant da jeg kom hjem. Da jeg våkna, var jeg syk. En influensa har sitti i kroppen min i en uke. Halsen har en klump som skraper når jeg svelger. Jeg har sovet for det meste, eller sett på tv med øyne som svir av feber. Hodet er fullt av såpebobler som sprekker så fort jeg tar på dem.

Nyttårsaften feira jeg foran vinduet. Da det nærma seg midnatt, banka faren min på og spurte om jeg ville være med ut. Jeg reiste meg sakte, og satte meg raskt ned igjen. Jeg ble sittende ved vinduet. Dovent så jeg raketter bli fyrt opp over Tante Ulrikkes vei og legge fargerike dusker til de hvite luene. På bakken hadde noen fjortiser fått tak i et rakettbatteri, lagt det sidelengs og tent på. Det var krigssone der ute i noen minutter. En søppelbøtte tok fyr. Små barn løp panisk til foreldrene sine. Jeg så moren min holde seg for ørene og faren min legge armene rundt søsknene mine. En politibil kom sakte inn på plassen et kvarter etter batteriet hadde slukna. Fjortisene jogga rundt hjørnet. En politimann gikk ut av bilen og sparka borti batteriet, hilste mot folket, og gikk tilbake til bilen igjen.

Jeg sendte Maria en melding og ønska henne godt nyttår. Jeg ble sittende ved vinduet. Det smalt ikke like ofte lenger. Politiet kjørte av sted. Jeg hørte resten av familien låse seg inn og moren min be søsknene mine pusse tenner. Hun kom inn og spurte om jeg trengte noe. Jeg sa nei. Fem minutter senere kom hun inn med te med honning. Jeg drakk den og svetta. Det rant av meg. Jeg kunne vridd opp undertøyet i vasken. Maria svarte. Hun ønska meg et godt nyttår og håpa vi kom til å møtes snart. Jeg håper det.

Godt nyttår til deg også, forresten.

Fra: Mo <mo.1@hotmail.com>
Sendt: 16. mars 2004
Til: Lars Bakken <lars.bakken@nova.no>
Emne: Kartlegging av hverdagen til unge i Groruddalen

Jeg møtte henne igjen en knapp uke ut på nyåret. Jeg var frisk. Sola var oppe, det husker jeg, men jeg husker ikke nøyaktig hva vi gjorde akkurat den dagen. Vi var på kaféen i øverste etasje på Steen & Strøm, iallfall. Men det har vært flere dager. Vi har møttes igjen og igjen, hyppigere og hyppigere, som om vi konstant har dårlig tid.

Hun jobber noen dager i uka for et revisjonsfirma, en slags lærling hos mannen til venninna til moren. Jeg syntes det hørtes veldig fancy ut.

«Stort sett drikker jeg kaffe og lager tabeller i Excel», sukka hun.

De dagene hun ikke jobber, er vi stort sett sammen. Ofte møtes vi på universitetet etter forelesning og spiser dagens sammen på Frederikke. Etter det går vi tur rundt i byen. Starter på Blindern og bare går. Til steder i Oslo jeg ikke vet om, og ofte ikke hun heller. Fagerborg. Stensparken. Bislett. St. Hanshaugen. Regjeringskvartalet. Vika. Observatoriegata. Gyldenløves gate. Frognerparken, på baksida med Madserud allé, der jeg aldri har vært med skolen. Vi kjører rundt noen ganger også, i en RAV4 som ikke er hennes, men foreldrenes, men som hun får bruke om den er ledig, og som vi sitter så høyt i at jeg føler vi flyr mer enn vi kjører. Da drar vi litt lenger. Vi var på Holmenkollen en gang og gikk i trappene der. På Sognsvann og traska rundt hele. På Grefsenkollen og stirra ned på byen.

Når vi ikke er på Blindern eller vandrer rundt, ser vi flere filmer på kino. *Kill Bill. Bridget Jones. Harry Potter.* Eller vi er på kaféer, som den på Steen & Strøm.

Hun er ... Jeg vet ikke helt. Jeg bare liker henne veldig godt. Som når vi er ute på tur og hun beskriver ting, liksom på måter som løfter dem. Hun kan fange opp små detaljer på en bygård og få den til å bli mye finere enn jeg hadde tenkt da jeg så dem. Som små nesten usynlige ornamenter, brystningsprofiler eller rammene rundt vinduene og porten. Eller hun kan finne på ting. Lage historier om at vi er på strender under palmene når vi er under et tre på en plen på Blindern. Jeg er med henne uansett hvor hun drar. Jeg elsker det, bare å gå rundt og oppdage størrelsen på byen. Alle stedene og navnene jeg ikke kunne før. Alle menneskene som på en måte er så kjente, samtidig så fremmede. Byen som bare vokser med henne. Veier som aldri slutter, aldri treffer et skogholt, aldri møter på et fabrikkbygg eller en motorvei, bare finner veien inn i andre veier og fortsetter.

Jeg er rolig. Hun gjør meg rolig. Alltid positiv. Alltid like ved å le. Jeg er hvem som helst med henne. Jeg tror det er det jeg liker aller mest. Kanskje fordi hun snakker så lite om seg selv. Ingenting, nesten, bortsett fra generelle historier fra oppveksten. Hun spør like lite som hun forteller. Hun spør om ting, selvfølgelig, ting om familien og oppveksten min, men hun graver ikke dypere enn de stort sett korte svarene jeg gir henne.

Vi snakker egentlig mest om andre ting. Filmer, tv, Blindern, pensum, foreleseren i ECON 1310 som lesper. Vanlige ting. Ikke de andre tingene, du vet, ting jeg knapt orker å tenke på og forsøker så godt jeg kan å stenge ute. Som de bombene som drepte nesten 200 mennesker i Madrid i forrige uke. Jeg så dem. Jeg glapp. Jeg huska å snu hodet vekk da jeg gikk forbi Narvesen på Stovner, men jeg glemte det i køen på Bunnpris på Blindern, og i avisstativene rett før kassa så jeg dem, på forsiden av både Dagbladet og VG, rykende, utbomba tog og spanjoler med sot i ansiktet og tårer nedover kinnene.

Men vi har ikke snakka om dem. Eller annet som ligner. Om sånt, om hun sier noe i det hele tatt, er det liksom helt generisk, som:

«Folk er folk, ikke sant?»

Jeg liker det.

Da Mikael kom tilbake til semesterstart, var Maria det første jeg fortalte han om.

Han satt klistra til tv-en med Playstation-kontrollen i henda da jeg dumpa ned på senga hans. «Ja, liksom», sa han.

«Tror du jeg kødder?» spurte jeg og tok imot kontrollen han kasta til meg.

«Jeg *veit* du kødder.»

«Nei!»

Han gadd ikke høre skikkelig etter, ikke før jeg viste han et bilde av oss på mobilen min.

«Så ...» Han zooma langt inn på det kornete bildet. «Så, hvordan skjedde det her, egentlig?»

Jeg fortalte om julefesten på Cheateu Neuf og om Colosseum Kino og gåturen, men han avbrøt meg hele tida med spørsmål, som: «Ok, så hun kom bare bort av seg sjøl liksom?»

«Tro hva du vil», svarte jeg til slutt, irritert.

Han trakk pusten dypt og pusta hardt ut.

«Nei, faen, det får'n si. Gratulerer a.» Han smilte forsonende. «Hun har kanskje ei venninne og?»

Jeg lovte å spørre.

De møttes før jeg rakk å spørre. Vi satt i kantina på SV-fakultetet dagen etter, Mikael og jeg, da hun kom bort, klemte meg og satte seg på stolen ved siden av meg.

«Hei. Maria», sa hun og rakte frem hånda mot Mikael. Den ble hengende noen sekunder før han oppdaget den. Han var rød i ansiktet.

«Mikael», mumla han.

Samtalen hakka. Jeg snakka mest. Om at Marias familie hadde hytte på Beitostølen. Var ikke det i Valdres, det også?

«Ja», sa begge to, men ingen fulgte opp.

Mikael kikka til stadighet bort på henne. Hun smilte høflig, om litt brydd, og det lille hun sa, var henvendt til meg. Mikael begynte på en historie om noe som hadde skjedd under julemiddagen hjemme, jeg vet ikke, noe med en bikkje, og lo høyt og veldig lenge uten at Maria eller jeg forsto noe, og da jeg for å hente han inn spurte om forelesningen han nettopp hadde vært på, fikk han jernteppe og stressa fullstendig ut. Han stotra i nesten et minutt, og vi forsto enda mindre av forelesningen enn av julemiddagen. Jeg håpa nesten han skulle begynne å snakke om andre verdenskrig. Etter et kvarter brøt jeg opp.

«Han var litt … ehh… spesiell», sa Maria som hadde tatt hånda mi og svingte den frem og tilbake over brosteinene på veien til Frederikke.

«Jeg vet», svarte jeg, og merka selv tonefallet mitt, og jeg burde kanskje retta det opp, jeg vet ikke, jeg gjorde det ikke. Jeg ville liksom ikke at hun skulle se på meg som hun hadde sett på han.

«Han lurte forresten på om du har en venninne å koble han med», sa jeg. «Liksom, ikke noe stress, du må ikke.»

Hun så litt skeivt på meg. «Hmm … Kanskje», sa hun. Så trakk hun på skuldrene.

Fra: Mo <mo.1@hotmail.com>
Sendt: 6. april 2004
Til: Lars Bakken <lars.bakken@nova.no>
Emne: Kartlegging av hverdagen til unge i Groruddalen

Mikael og jeg har ikke møttes så mye. Maria har rota til flyten. Tida jeg hadde med han, går til henne. Det er liksom ikke det samme lenger heller, å gå ut og drikke masse øl og se på jenter eller fylleprate på kebabsjappa. Jeg var med han et par ganger rett etter semesterstart og tok meg i å kjede meg litt. De andre gangene han har prøvd, har jeg vel sagt det uten å si det, at jeg heller vil til Maria. Og om jeg ikke kan det, vil jeg i alle fall snakke om henne.

Han er lei av å høre om henne. Jeg merker det. Og jeg blir irritert over at han ikke vil høre på.

Det har ikke blitt noen dobbeldate heller. Jeg har ikke nevnt det flere ganger, for å være ærlig. Ikke Maria heller.

«Jeg ordner det snart», har jeg sagt til Mikael likevel. Han svarer ikke på det.

Jeg vet ikke helt, han har forandra seg, synes jeg. Liksom som om lufta siver ut av ballongen eller noe, ikke med et skrik, men med en tynn visling. Det er mindre av alt. Han snakker lavere, er sjelden ute, og stort sett sitter han og drikker øl og går i beste fall til kebabsjappa og så rett hjem til Sogn igjen. Den eneste gangen jeg har sett han gire seg skikkelig opp, var dagen etter Madrid-bombene.

«Fy faen til sjuke folk», fråda han. «Kan ikke bare la dem få holde på som dem vil. Må ta det faenskapet der ved rota.»

Jeg dro rett etter.

Men det er egentlig det. De fleste gangene jeg har vært oppe hos han, har vi sittet på hybelen og spilt Playstation uten å si mer enn noen setninger hver.

Forrige uke dro jeg innom etter å ha vært sammen med Maria, og da klarte jeg ikke la være. Jeg holdt på i en evighet om henne. Han fulgte nesten ikke med, bare grynta tilbake mens han fikla med mobilen.

«Dama di, eller hva?» spurte jeg bitende. «Om det er dama mi?» svarte han og stemmen ble skarp. Jeg ble litt spakere, men så gled ansiktet hans sakte over i et glis. «Faktisk ja.»

Han begynte å le av noe på skjermen. «Hun er gæren ass», sa han og rista på hodet.

«Hæ? Gæren? Hvem er gæren?» spurte jeg. Han rista på hodet og lo litt mer. Så kasta han mobilen sin til meg. «Møtte henne i jula. Sjekk hva hun skriver til meg.»

Det var en tekstmelding. Fra en Hanna. Det som sto, var for grovt til at jeg tør å skrive det til deg. Beskrivelser av hva hun ville han skulle gjøre med henne, skrevet liksom poetisk, som i pornobladene som pleide å ligge helt nederst i skråningen mot garasjehuset i Tante Ulrikkes vei.

«Såpass», sa jeg.

Han gliste fortsatt. «Klin gæren dame», sa han.

Fra: Mo <mo.1@hotmail.com>
Sendt: 14. april 2004
Til: Lars Bakken <lars.bakken@nova.no>
Emne: Kartlegging av hverdagen til unge i Groruddalen

Våren er fin. Den er alltid det. På Stovner også. Til og med jeg synes det. Og enda finere nå. Malingen i Groruddalspakka kom med vårsola. Det er stillaser og arbeidere. Polske stemmer utafor vinduet fra tidlig på morgenen. Malings- og tobakkslukt som sniker seg inn gjennom luftekanalen. Det gjør ikke noe. Jeg kan lene meg ut av vinduet og røyke og skylde på polakkene. Nå er blokka gått fra å være lakserosa til å bli hvit. Det tok en stund før jeg ble vant til den, som om en pent kledd fremmed står og venter når jeg kommer hjem på kvelden. Faren min er litt irritert fordi husleia har økt med noen kroner. Men jeg liker den sånn. Den og hele Tante Ulrikkes vei. Den strekker på seg, som om den våkner fra en lang ettermiddagslur og endelig kommer seg opp av senga. Nye lekestativ med lange sklier er på plass, som går i rare buer, som slangene i et stigespill. Søsknene mine nekter å komme inn igjen på kvelden. Nye benker og søppelkasser er plassert langs veien. Nede i Tokeruddalen, på grussletta der statsministeren holdt talen sin, har de sperra av et område med høye gjerder. Langs gjerdene er det klistra opp plakater der det står:

Nå kommer veldig snart det helt sTore

Jeg har ingen anelse om hva de planlegger, men gjettekonkurransen har tatt seg opp igjen. Kona til onkel Hameed mente det skulle bli en liten park med en bekk, liksom en japansk hage. Søsknene mine vil ha et badeland. De vil ikke høre når jeg sier at området som er avsperra, er for lite.

Jeg aner ikke hvor de tar alle de ville ideene sine fra, men jeg vet ikke, det er liksom noe fint med å gå forbi naboer på gata som snakker i munnen på hverandre om det som kommer. Jeg mener, til og med Svendsen er ute. Her om dagen så jeg han fra vinduet mitt, han gikk rundt og inspiserte de nye lekestativene, røska litt i dem, kjente på malinga på veggene og prøvesatt en benk. Han ble sittende og sole seg i en halvtime.

Shani i første etasje spøkte med at han hadde kjøpt seg ny bil for å matche de nye blokkene. En hvit VW Golf med metallisk lakk og svarte skinnseter. Han er opphengt i den. Jeg har sett han henge ut av vinduet og gestikulere til en fugl som nærma seg. Moren min fortalte at han hadde fiket til en unge fra blokka bak oss fordi fotballen hans traff panseret. Jeg vet ikke. Det kan ha skjedd.

Han stoppa meg på vei hjem. Med bilen stående utafor oppgangen. Han ville jeg skulle sitte i den. Spurte om jeg ikke syntes skinnsetene var kule. De var det. Om ikke lukta var god. «Nybillukt, mann, beste i verden.» Jeg syntes egentlig ikke det. Det lukta kjemikaler. Så ville han at jeg skulle kjøre litt. «Prøv å kjøre noen meter», insisterte han og ville ikke høre på at jeg ikke har lappen. «Bare noen meter, bhaia, det går bra. Du må kjenne hvor deilig den er å kjøre.» Det var første gang jeg har sitti i førersetet på noe. «Bare slipp opp clutchen sakte til du kjenner gripepunktet. Da gir du litt gass, ok, bhaia?» Jeg forsøkte, virkelig, men jeg forsto ikke hvor det gripepunktet han maste om, var. Den bare rykka og nappa, og Shani grep etter håndbrekket. Det ble med det forsøket.

Utafor Stovner er det Maria. Fortsatt går vi rundt i byen, eller vi er på Blindern. Ofte går vi ut på baksiden av psykologibygget, helt nederst på campus. Parken der er ikke noe særlig på vinteren, bare et hvitt og hellende jorde, men nå som våren er her, skinner sola på trærne ned mot Marienlyst og bladene glinser blafrende i vinden og ligner grønne pomponger, hengende i klynger på grenene. Vi kan sitte der i timevis.

Mesteparten av tida er vi bare oss, men det hender noen ganger at vi er sammen med venner av henne som går sammen med oss på Blindern. Et par av dem om gangen, på Frederikke eller i SV-kantina. De er som andre venner, egentlig, forskjellige. En innadvendt, en utadvendt, en selvsentrert, en glup, en som aldri betaler tilbake det han låner. Likevel, jeg sliter litt med å skille dem. Ada og Tina husker jeg, men de andre, ikke egentlig, og de gangene jeg tenker på dem, tenker jeg alltid på dem som én. Én gjeng, vokst opp sammen på Lofthus. Gamle historier, nye planer, kjente navn og hendelser, smil og blunking mellom linjer.

«Ja, han bare forsvant, akkurat som i Hersonissos!» Så ler de seg skakke. Eller: «Så kjipt det som skjedde med Kristine og Stian», og ansiktene blir gravalvorlige. Jeg sitter mye og stirrer i kaffekoppen eller ut av vinduet da, mens øyeblikk dukker opp og lukker seg. Det hender jeg vil si ting, men ikke tør, fordi jeg ikke er helt sikker på hva de snakker om. Som en ny bagettsjappe nede på Majorstua som jeg har gått forbi, men ikke inn i. Da de snakka om den, var jeg stille. Men når jeg er helt sikker, prøver jeg å snike inne noe, liksom:

«Jeg vet, det kapitlet er så vanskelig å forstå.» Eller: «Ja, jeg likte den, jeg også, men toer'n var dårlig.» Noen ganger begynner jeg å tenke over hva jeg har sagt, og skulle ønske jeg sa noe mer, eller kanskje noe annet. Men jeg pleier å være fornøyd med å ha sagt noe. Da kan jeg se ut av vinduet igjen resten av samtalen uten å tenke på at jeg ser så mye ut av det.

De snakker sjelden direkte med meg. Iblant gjør de det, som når vi kjøper mat: «Åh, du gikk for den, du også. Samme her», kan en si, og så stopper det. De er veldig høflige. De smiler og hilser hver gang vi møtes. Jeg vet ikke, døra er åpen den, eller på gløtt i alle fall, det er ikke det, men på de kanskje ti gangene jeg har møtt ulike kombinasjoner av dem, har liksom ikke glippa vært stor nok.

Kanskje Maria kan åpne den mer, men hun gjør det ikke. Jeg vet ikke om hun legger merke til det, eller om hun kanskje vil ha det sånn. For det virker som hun sliter med å bestemme seg. Mange ganger når vi er sammen med dem, tar jeg henne i å skjene langt til sida. Hun blir helt borte, som hvem bryr seg, eller iblant som om hun synes alt er komisk, på en måte bare hun forstår. Ikke overlegen, egentlig, hun følger bare ikke med, og jeg må pirke i henne noen ganger. Men en og annen gang kan hun også bli helt oppslukt. Hun hiver seg ivrig på i fortellingen av en gammel historie. Hun ler, og de alle ler, og jeg ler, jeg også, for det smitter, selv om jeg ikke helt liker det. Ofte forstår jeg ikke latteren helt, og jeg synes hun virker så annerledes når hun er sånn. Som om hun på en måte ikke er Maria lenger. Det får meg til å lure på hvilken versjon som egentlig stemmer. Om det er jeg som har den eller de andre, eller om vi bare låner litt, alle sammen.

Fra: Mo <mo.1@hotmail.com>
Sendt: 16. april 2004
Til: Lars Bakken <lars.bakken@nova.no>
Emne: Kartlegging av hverdagen til unge i Groruddalen

Jeg sto på Lofthus og prøvde å følge instruksjonene Maria hadde tegna opp for meg på en serviett på Frederikke.

«Du kan komme hjem til meg i morgen, hvis du vil?» spurte hun, ganske tilfeldig. Jeg svarte ja med en gang. Det var første gang vi hadde tid helt for oss selv, innenfor fire vegger. Og jeg var nysgjerrig. Hun forteller så lite.

Jeg fulgte veien fra busstoppet i Grefsenlia nedover Frennings vei før jeg svingte inn til Aschehougs vei og fulgte den. Jeg skimta byen mellom noen av husene. Boligblokker hadde jeg lagt bak meg for lenge siden. Det var eneboliger, hekker og hager, epletrær og stakittgjerder. Lofthus minte litt om hus-Stovner egentlig, bare flere bakker. Hele stedet var en bakke. Jeg skjønner ikke at de eldre orka å bo der, og det var mange av dem, traskende uti gatene, eller i hagen med spader og rivjern. Og de så. Ikke så mye på de store hovedveiene, men på de smalere mellom husene, der så de som om de aldri hadde sett før, og det rumla litt urolig akkurat da, og jeg satte opp det brede smilet, men jeg fikk ikke helt vist det frem, det kom liksom litt for sent hver gang, for de snudde seg stort sett i samme sekund jeg oppdaga dem.

De forsvant uansett for meg da jeg så Maria stå i en døråpning.

«Mo! Her borte.» Hun vinka meg til seg.

Jeg hadde lurt på om hun var rik. Hun snakka aldri om penger. Ikke sine og ikke mine. Jeg tenkte ikke på henne som det, egentlig. Rikere enn meg, men ikke rik. Og da jeg så huset, tenkte jeg at det var fint, men ble ikke blåst over ende. Det var et hvitt hus i to etasjer, ganske gammelt, med en liten og pen hage, som bortsett fra to epletrær også hadde en ripsbusk og en liten platting med en gassgrill.

Jeg gikk på knasende grus. «Au, au», sa Maria som hadde trippa ut på den i sokkelesten for å gi meg en klem.

«Kom.» Hun tok hånda mi og førte meg inn i en entré med hvitmalt trepanel på veggene og sko og støvler som lå hulter til bulter nede på gulvet. Det lukta svakt av peis der inne.

Jeg tok av meg skoene, retta opp et par av de andre som lå løst, og satte mine ved siden av. Så fulgte jeg etter henne opp en trapp forbi mer hvitt panel, til en åpen stue med store vinduer, en vegg dekka med bokhyller, en svær peis i murstein og en vinkelsofa.

Der satt de. Foreldrene hennes. Det hadde ikke falt meg inn å spørre om de var hjemme engang. De så like overraska ut som jeg.

«Hei», sa de, nesten i kor, og veksla mellom å se spørrende på Maria og meg. Jeg ble stående rett opp og ned etter å ha sagt hei, fomlende etter etikette. Skulle jeg sette meg? Presentere meg? Vente på dem?

Jeg fortsatte å stå. De ble sittende. En tynn dame, pent kledd, med snilt ansikt. Han var like tynn, nesten skalla og med briller. Han så ut som han kunne forelest på Blindern.

Han gjør ikke det. Han jobber i en kommunal etat. «Han har vært der i tjue år», sa Maria, «det er like lenge som jeg har levd. Jeg skjønner ikke at han orker.» Hun jobber i staten, i et direktorat, utdanning, tror jeg. Maria fortalte meg det for lenge siden, og spurte hva mine gjorde. Jeg mumla at faren min var uføretrygda og moren min hjemmeværende.

«Å ja», sa hun og tenkte seg om en stund. «Moren til Aksel i klassen min på ungdomsskolen var også hjemmeværende.»

«Det her er Mo», sa Maria til foreldrene. De reiste seg. Vi håndhilste. Knut, Anne og Mo.

«Vi går inn på rommet, vi», sa Maria. Jeg fulgte etter henne til en dør like ved kjøkkenet. Så snart den var lukka bak oss, spurte jeg henne:

«Var det meninga at de skulle være her?»

«Fikk ikke sagt fra til dem at du skulle komme.»

«Men de vet ...? Jeg mener, de vet at vi er ...»

«Kjærester? Ja, sånn halvveis. Ikke tenk på det.»

«Men skal vi ikke ... Jeg mener, kan vi være her? Burde vi ikke gå ut, eller noe?»

Hun lo. «Slapp av, Mo. Det er ikke noe problem.»

Hun klappa på senga si. Jeg satte meg ned med henne. Hun skrudde på tv-en. «Friends» gikk. Rachel og Ross hadde pause. Ross var med en annen dame. Jeg tror Maria ville vite hva jeg syntes om det, men jeg fulgte ikke ordentlig med. Den lukkede døra og de som satt på den andre sida av den, plagde meg. Det var så rett opp i ansiktet på dem.

«Helt sikker på at det er greit at vi er her oppe?» spurte jeg, men Maria bare lo igjen og ba meg slappe av. Jeg klarte ikke. Men da «Friends» var ferdig og hun la seg oppå meg, glemte jeg et øyeblikk hvor jeg var. Klær falt mot gulvet, men så ropte moren på henne, og på sekunder var jeg nede på bakken og dro på meg klærne. Maria ropte «kommer snart» og snudde seg mot meg igjen, men jeg ble sittende der nede med klærne halvveis på.

«Du er litt rar noen ganger», sa hun og forsvant ut.

Jeg kom meg på bena og gikk rundt i det tomme rommet. Så på de hvite veggene. Klær som hang på en stumtjener. Kommoden med bilder av familien og venninner. En grønn hage utafor vinduet. Grenene på et av epletrærne rakk helt opp til vinduskarmen og slo forsiktig mot den. Jeg var i kjernen, og da mista jeg taket. Jeg fikk jeg ikke fatt i henne lenger. Jeg gikk rundt på rommet hennes og klarte ikke å huske stemmen hennes. Ikke ansiktet, selv om jeg så på fotografiene. Ikke kroppen, selv om henda mine nettopp hadde tatt på den.

Jeg rista på hodet, som en hund som har svømt. Åpna øynene til de bulte ut. Jeg anstrengte meg for å finne henne igjen, men hun var en drake, sånne som faren min flyr på et hustak på et gammelt bilde, høyt oppe på himmelen, så vidt synlig. Der var hun. Nede sto jeg. Halende i en line som ikke leda til noe.

Så sa hun navnet mitt. Først en gang, så en gang til. Jeg fant henne igjen ute på stua. Foreldrene var på vei ut.

«Da går vi», sa moren til Maria og vendte seg til meg. «Hyggelig å hilse på deg.» Faren ga meg et nikk og et raskt smil.

Så gikk de.

Maria ville ha meg med til kjøkkenet for å lage noen sandwicher. Hun hadde funnet frem brød, grovbrød, hun spiser alltid grovbrød, når jeg tenker meg om, agurk, tomat og to forskjellige oster. Jeg smurte den mykeste av dem på bunnen av brødskiva og la den harde oppå, sammen med to skiver tomat og tre med agurk. Jeg hadde akkurat tatt en bit da hun ropte ut:

«Du kan ikke spise camembert med edamer!» Hun lo så mye at smulene fra brødskiva hennes spruta utover kjøkkenbenken.

«Hvorfor ikke?» spurte jeg fårete.

«Det bare ... Det bare er ikke sånn det er», hiksta hun.

Jeg spiste hele skiva, selv om jeg egentlig ikke liker grovbrød og de to ostene smakte ganske vondt. Bit for bit tvang jeg den ned. Så tok jeg hånda hennes og leide henne med meg tilbake til rommet.

«Oi», sa hun og fniste, «noen som har dårlig tid?» Jeg svarte ikke. Jeg ville føle henne. Ta på henne. Klemme henne. Dra henne inntil meg til vi begge var nede på bakken igjen.

Fra: Mo <mo.1@hotmail.com>
Sendt: 26. april 2004
Til: Lars Bakken <lars.bakken@nova.no>
Emne: Kartlegging av hverdagen til unge i Groruddalen

Maria og jeg fortsetter. Mest på Blindern, av og til på Lofthus. Foreldrene har vært der noen av gangene. Det er fortsatt litt ukomfortabelt, som øynene i de smale gatene, men jeg har vent meg til det, på en måte. Jeg prater med dem når jeg kommer og går. Ikke lange samtaler akkurat, et par setninger fra hver av oss om vær og vind.

Jeg liker den tida her. Jeg liker sanger som er overalt nå, men som liksom har blitt våre egne, som «Hey Ya» og «White Flag». Jeg liker å være hjemme eller på forelesning og vite at jeg snart skal møte henne. Jeg liker å ha henne i nærheten. Høre henne snakke. Le. Liker at hun legger hodet på skulderen min eller stryker hånda gjennom håret mitt. Jeg liker å dra fra henne. Jeg liker den lange veien hjem. 25-bussen til Stovner fra Majorstua når jeg har vært på Blindern, eller fra Lofthus når jeg har vært der. Jeg har bytta ut T-banen med den, for bussen er mye mer over bakken, selv om det ofte er mørkt eller skumrer. Jeg liker å se på byen. Se Ullevål bli til Sogn, bli til Kjelsås, Grefsen, Lofthus, Årvoll, se hvordan Groruddalen plutselig dukker opp uten forvarsel på vei nedover fra Tonsenhagen til Linderud, der høyblokkene kommer i rekker på fire. Så Kalbakken og tvers over hele dalen, over togskinner og industri og opp til Lindeberg, ned igjen til Furuset, Gransdalen og Haugenstua, og til slutt

Stovner. Da har bussen vært så lenge blant blokker og små bydelssentre at det ikke lenger er noen tvil om hvor jeg er, men det gjør liksom ingenting at det er endestasjonen, for jeg skal andre veien dagen etter. Jeg liker å sitte der i mørket og se alt det mens jeg kjenner lukta av henne på klærne og huden min. Jeg kunne sittet på den 25-bussen natta gjennom.

Fra: Mo <mo.1@hotmail.com>
Sendt: 10. mai 2004
Til: Lars Bakken <lars.bakken@nova.no>
Emne: Kartlegging av hverdagen til unge i Groruddalen

Maria har vært hos meg også, forresten. Én gang. Foreldrene mine var borte for natta hos en gammel venninne av moren min i Moss, med en mann som faren min holder ut med, men ikke liker veldig godt. Jeg har eksamen om ikke så altfor lenge. Jeg nevnte akkurat det flere ganger uka før de dro. Da dagen kom, lagde moren min mat som hun satte i kjøleskapet. De dro uten å spørre om jeg ville være med.

Jeg fortalte Maria at jeg kom til å være alene, uten egentlig å ha ment det som en invitasjon. Hun tok det vel sånn, for hun spurte meg:

«Vil du at jeg skal komme?»

Det tok noen sekunder før jeg svarte henne. Jeg ville gjerne ha mer tid alene med henne. Og, jeg vet ikke, jeg ville vise henne frem for Stovner. Jeg tenkte ofte på det når jeg gikk av T-banen alene, at jeg hadde med meg henne, og at vi gikk hånd i hånd forbi folk, folk som Jamal og Rashid, eller Shani, men jeg var ikke like sikker på om jeg ville vise Stovner til henne. Forfengeligheten vant.

«Ja, selvfølgelig vil jeg det», sa jeg.

Jeg rydda bort lekene til Asma og Ayan. De tomme tekoppene moren min ikke hadde rukket å sette tilbake på kjøkkenet. Bretta sammen noen klær som hang på tørkestativet inne på badet, og tørka alle overflatene for støv, selv om det knapt var noe på dem.

Hun vinka ivrig til meg gjennom vinduet da T-banen rulla inn på Stovner. Hun var veldig fin. Hun hadde høye hæler, jeg hadde ikke sett henne med det siden vi møttes første gang, og håret hang løst, som jeg liker det. På leppene hadde hun skinnende lipgloss som jeg visste hvordan smakte.

Det var rushtid. Og de gjorde akkurat det jeg ville. De så etter henne. Fjortisjentene som var ferdig på skolen og drepte tid fram til middag inne på stasjonen. Taxisjåførerene på rekke og rad i nedoverbakken utafor, som lente seg inntil bilene sine og røyka på røyk som aldri tok slutt. De tre røslige damene med hijaber og handleposer som skravla med hverandre. Maria sa ikke mye. Blikket hennes flakka. Fra fjortisene som skulte, til taxisjåførene. Da de tre damene kom rett mot oss på brua fra senteret, gikk hun så langt til siden at hun nesten snubla i meg.

«Er det ikke fint her?» spøkte jeg rett etter vi hadde passert dem og var nede ved blokkene i Tante Ulrikkes vei.

«Ja ...», sa hun og bøyde nakken og så helt opp til toppen av blokka mi, alle ti etasjene.

«Ja, det er fint.» Hun smilte raskt. Jeg angra allerede litt på at jeg ikke hadde kommet opp med en unnskyldning for å holde henne borte, og enda mer da vi låste oss inn hjemme. Leiligheten hadde blitt styggere mens jeg var ute og henta henne. Jeg kunne sverga på det. Grell grønn tapet hoppa av veggen. Laminatet i gangen bølga ujevnt opp og ned.

«Hjemmekoselig», sa Maria da hun hadde tatt av seg skoene. Hun stansa ved inngangen til stua, under en innramma arabisk tekst.

«Hva betyr det?» spurte hun.

Jeg hadde glemt at det hang der. De aller første ordene jeg hørte, hviska inn i øret mitt på Aker sykehus. «Trosbekjennelsen», sa jeg.

«Klarer du å lese det som står der?»

«Ja.»

«Er det sant, kan du?»

Jeg hadde ikke sagt de ordene høyt på mange år. De føltes klebrige, som de slet med å løsne fra munnen. «La ilaha illa Allah, Mohammad rasoul Allah.» Hun så undrende på meg. Lenge.

«Kom», sa jeg, og tok henne med inn på stua. Hun fulgte etter med korte, nesten uhørbare skritt.

«Er det deg?» Hun stoppa ved et bilde. Jeg hadde strøket skjorte inni et par stoffbukser med press. Jeg smilte spent. Skolegården på Rommen lå i bakgrunnen.

«Første skoledag», sa jeg.

«Så søt du var.» Hun kløp meg i kinnet. «Har du flere?»

Jeg henta en haug gamle bilder fra kommoden.

«Det hadde vært hyggelig å møte foreldrene dine en gang», sa hun da vi hadde bladd gjennom ti bilder av moren min foran løvene på Stortinget, 17. mai 1989.

«Ja», svarte jeg og ga henne en bunke bilder av meg.

Hun så gjennom bildene, så ble hun med meg ut på kjøkkenet for å varme opp maten moren min hadde lagd. Kjøttgryte med erter og ris. Hun var nysgjerrig. Gikk fra hylle til hylle, spurte om hun fikk lov til å åpne noen av kryddenglassene og krukkene, og lukta på dem. Hun spurte hva de het, hva vi brukte dem til, hvordan de skulle tilberedes. Spørsmål jeg ikke kunne svare på, men jeg likte hvordan hun var, så jeg fant på ting der jeg ikke visste. Hun kom nærmere. La armene rundt livet mitt mens jeg sto over stekepanna. Jeg liker å dele sånt med henne, mat, bilder av barn, sånne vanlige ting.

Vi så en piratkopi av *Atter en konge* etter maten, en som faren min hadde fått tak i på Tøyen. Det var hindi bakpå coveret, og et par ganger skygga silhuetten av mennesker som reiste seg i kinosalen, for Frodo og Sam, men det hindra oss ikke i å sitte fengsla foran skjermen i tre timer, til lavaen lukka seg rundt ringen og sakte slukte den. Klokka var nesten elleve.

«Kan du ikke overnatte?» spurte jeg henne. Hun kunne ikke. Hun hadde forelesning. Hun pleide ikke å være så opptatt av å rekke dem.

«Den er viktig», understrekte hun. «Siste før eksamen.» Jeg spurte en gang til likevel, klemte henne, holdt henne fast, sa hun kunne få låne notatblokk og skrivesaker av meg og ta første banen på morgenen. Hun kløp meg i kinnet igjen, men ga ikke etter.

Tante Ulrikkes vei var øde da jeg fulgte henne til T-banen. Den skarpe lyden av hælene hennes som klakka mot asfalten, var det eneste som brøt gjennom den flate stillheten. Blikket hennes flakka ikke lenger. Det var festa rett fremfor henne. Hun sa det var kaldt, og begynte å gå enda fortere.

T-banestasjonen var like tom som gatene. Hælene klakka enda høyere og raskere der inne. De grønne, sprukne benkene var kalde å sitte på. Hun satt veldig tett inntil meg. T-banen kom nesten med en gang. Jeg vinka letta til henne da den kjørte.

Fra: Mo <mo.1@hotmail.com>
Sendt: 21. mai 2004
Til: Lars Bakken <lars.bakken@nova.no>
Emne: Kartlegging av hverdagen til unge i Groruddalen

Eksamen har lagt seg over Blindern igjen. Maria og jeg leser sammen i lesesalen på SV-fakultetet under hver vår grønne lampe på en halvmeter bred arbeidsplass. Jeg tenkte det skulle bli fint å lese med noen, kunne diskutere og teste hverandre, men det er ikke lov å snakke der inne, og hun klager hele tida.

«Det er sååå kjedelig», jamra hun og klappa sammen en bok om bedriftsøkonomi. Det smalt i hele salen. «Oops.» Hun hviska da hun fortsatte.

«Blir du ikke lei av de fagene her?».

«Jeg har aldri likt skolen så godt uansett», hviska jeg tilbake. «Tall og sånt er ok, utenom det er det det samme for meg hva jeg studerer egentlig.»

Hun så dumt på meg. «Du, *du* liker ikke skolen? Ehhm...» Hun kremta og flytta blikket til bunken med notater ved siden av meg.

«Jeg begynte på universitetet for å møte jenter som deg», hviska jeg.

Hun lo høyt, tok seg selv i det, og holdt en hånd over munnen.

«Jeg mener det», sa jeg og så så alvorlig jeg kunne på henne, men hun bare lo igjen.

På kvelden 17. mai var en haug med folk fra Stovner samla

på grusplassen i Tokeruddalen. Jeg også, i en innlagt pause fra eksamenslesing, dro faren min og jeg ned for endelig å få vite hva det sTore var.

Det var en del barn der, selv om klokka var nesten halv ni. De holdt i grønne ballonger med «Groruddalspakka» skrevet på i hvitt og spiste drops i samme farge. Vi eldre fikk et plastglass som så ut som et vinglass, da vi ankom, med Mozell. De sto ferdig skjenka på et bord med hvit duk, og han som delte dem ut, hadde svart servitøruniform. Bydelsdirektøren var tilbake i Tokeruddalen sammen med mange andre fra bydelen og kommunen. Men to menn med skjorte og notatbok fikk mer oppmerksomhet enn de andre. «Guinness Book of Records»-logo var sydd fast på skuldrene på vindjakkene deres. Det vrimla med folk rundt dem.

«Hva skal dere? Si det da!» maste noen unger. De smilte tilbake til dem, sa noe på engelsk, og lagde glidelåsbevegelse over leppene sine. En fotograf med et kamera hengende over nakken kikka utålmodig på klokka. De høye sperringene som hadde stått rundt plassen i flere måneder, var borte. Innafor lå et enormt, svart teppe drapert over det som så ut til å være en like enorm sylinder. Minst ti meter høy og fem i diameter. Som om en kjempe av en tryllekunstner hadde rigga opp en forestilling.

Vi sto litt bak i mengden og hørte bydelsdirektøren ønske oss velkommen til vernissasje.

«Hva er det?» spurte faren min. Jeg klarte ikke gi han noe svar.

Bydelsdirektøren snakka om estetikk, og kunst, hvor viktig det var, ikke bare fordi det i seg selv var en verdi, noe vakkert å beskue, noe som ga innsikt i, og utsikt mot, oss selv, men det ga trivsel, det ga eierskap og fellesskap, og profilering. Han snakka om at Stovner kom til å bli unikt nå. Så unikt at vi kunne vente oss besøk fra hele landet.

«Ja, for ikke å si hele verden!», sa han og slo armene ut til sida.

Det begynte å summe.

«Hva er det?» ropte noen.

«Ja ... hva er det?» svarte han ettertenksomt, før han plutselig gira opp igjen og ropte ut:

«Er dere klare? Er dere klare for verdensrekord?!»

Vi forsto ingenting.

«Hva snakker du om a?» ble det ropt, men bydelsdirektøren var for varm til å høre etter. «Er dere klare? Er dere klare til å se hva som skjuler seg her?»

«Få opp farta, for faen.» Mannen ved siden av oss kasta røyken sin på bakken og pekte på håndleddet.

Bydelsdirektøren og en annen mann fra kommunen stilte seg høytidelig opp ved et tjukt hampetau. De poserte for fotografen med tauet i henda, så dro de til. Tauet stramma seg og teppet steg. Vi så en slags fot, en sirkel med grå sementerte benker, rundt en tjukk metallstang. Teppet fortsatte oppover. Det samme gjorde stanga. Den vokste i mange meter, til teppet nesten var dratt helt opp. Med et krafttak i tauet falt teppet til bakken. En flat, sirkelforma og oransje skjerm satt på toppen av stanga.

«En sopp?» sa faren min. «Jeg skjønner ikke ... Hvorfor har de gitt oss en sopp?»

Det summa igjen. «Hva i helvete?», sa mannen ved siden av.

Bydelsdirektøren holdt den ene hånda opp mot oss, i den andre holdt han en bryter. «Et lite øyeblikk nå», sa han. «Et lite øyeblikk til. Tell med meg nå. Tre, to ...» Han lot oss vente. «En!»

En kule lyste opp i skumringen. Soppen hadde tatt fyr fra innsiden. Mennene fra Guinness var allerede i gang. Den ene ble heist opp i en kran og hev et målebånd ned til den andre. De målte fra den ene siden. Fra den andre.

«Kryss fingrene!» ropte bydelsdirektøren og burde kanskje kryssa beina i stedet, det så ut som han holdt på å tisse på seg av spenning. Krana ble heist ned igjen. Noen ord ble utveksla mellom dem og bydelsdirektøren. Han løp bort til mikrofonen.

«Vi har den! Verdens største lampe, mine damer og herrer! Det er bekreftet av Guiness. Dere ser herved på verdens største lampe!»

Han gikk frem og tilbake med henda i applaus, som han leda en tv-produksjon. Vi klappa, like forundra alle sammen. Noen plystra.

«Verdens største lampe ...», sa bydelsdirektøren da applausen la seg. Stemmen var lav og intens. Han smakte på sine egne ord. «Verdens største lampe ...»

Han stirra tankefull mot den. Vi stirra med han. Jeg lurte på hvordan han ikke ble blenda. Jeg så rare farger og snudde meg vekk. «Vet dere, jeg tenker, dette er mer enn bare en lampe, ikke sant? For her, ved inngangsporten til Stovner, vil den stå og lyse mot alle som kommer. Lyse, som et håpets symbol. Som et symbol på en ny start. Som sola som står opp og varsler en ny dag.»

Han venta på applaus. Den var spredt.

«Så igjen, gratulerer med dagen», sa han, før han høyt gjentok det: «Gratulerer med dagen, hele Norge og hele Stovner!» De fra kommunen klappa på nytt, men gjorde det omtrent alene. Folk hadde begynt å bryte opp.

«En lampe», sa faren min da vi gikk hjemover. Han rista på hodet. «Det er lamper overalt. Se der», han pekte på en gatelykt. «Se der», han pekte på en annen. «Se der, der, der.» Han holdt på sånn hele veien hjem.

Nå må jeg gå og lese igjen.

Fra: Lars Bakken <lars.bakken@nova.no>
Sendt: 22. mai 2004
Til: Jamal <c.r.e.a.m@hotmail.com>
Emne: Kartlegging av hverdagen til unge i Groruddalen

Hei, Jamal!
Har du husket å sende de siste ferdiginnspilte kassettene dine? Ser frem til å høre fra deg.

Hilsen
Lars Bakken
Seniorforsker NOVA

Fra: Mo <mo.1@hotmail.com>
Sendt: 30. mai 2004
Til: Lars Bakken <lars.bakken@nova.no>
Emne: Kartlegging av hverdagen til unge i Groruddalen

Hadde du sett meg utenfra, hadde du sett en brun gutt som satt med to norske jenter og holdt hånda til den ene, etter en lang dag på lesesalen. Som med den andre hånda drakk kaffe fra et pappbeger. En som takler alle fagene. Som har vært der ett år og ikke tar feil av veien lenger. En som aldri er uredd, men mye mindre redd enn før. Hadde jeg sett meg, ville jeg sikkert misunt meg selv.

Jeg lurer på hva Mikael tenkte da han gikk forbi på andre siden av de store vinduene i SV-kantina, fem meter unna der jeg satt. Det har gått nesten to måneder, men det er jo ikke som han ikke kjenner meg igjen, og han så meg, jeg vet han gjorde det. Det var overskya og nesten mørkt ute, vi må ha lyst mot han fra innsiden.

Jeg banka på vinduet. Han fortsatte å gå. Jeg løp ut.

«Mikael!» Han stansa ikke før jeg hadde ropt to ganger. Jeg jogga de få meterne bort til han.

«Hvordan går det?» spurte jeg. «Lenge sia.»

«Går bra», svarte han. Han så ikke skikkelig på meg. Jeg syntes han så blekere ut. Vi ble stående og sparke litt i brosteinen.

«Skal du være med inn?» spurte jeg. «Er en venninne av Maria der.» Han så på meg, smilte bitte litt, men så ikke mot kantina.

«Tror ikke det. Har ting å gjøre.»

«Lese til eksamen, eller? Hva skjedde med at det holder å lese et par dager før?» Jeg dulta spøkefullt borti han. Kroppen hans stramma seg, men ansiktet var uttrykksløst.

«Det er ikke det.» Han så bort fra meg igjen. «Veit ikke om jeg gidder å ta siste eksamenene heller. Kanskje jeg bare slutter.»

«Hva? Slutte? Du kan ikke slutte!»

En gruppe som passerte oss, snudde seg, og i øyekroken så jeg Maria og venninna følge nysgjerrig med. Jeg må ha skreket. Det var vanvidd, det han hadde sagt.

«Er litt lei», svarte han kort.

«Lei?! Seriøst, det er det dummeste jeg har hørt, Mikael.» Denne gangen hørte jeg at jeg skrek.

«Det kan du si», mumla han, nesten uhørlig, før han sukka og heva stemmen. «Har ikke bestemt meg ennå. Får se.»

Jeg sukka, jeg også.

«Tenk deg om, seriøst. Du fikser det her.» Jeg klappa han oppmuntrende på skulderen. Den var stiv.

«Må stikke», sa han og begynte å gå.

«Ta en øl eller noe etter eksamen?» ropte jeg etter han.

Han ga meg tommelen opp. Jeg gikk inn igjen. Til Maria.

«Hva skjedde?» spurte hun.

«Du veit», sa jeg. «Han er litt spesiell.»

Jeg har ikke snakka med han etter det. Jeg har tenkt på det et par ganger. Jeg vet ikke akkurat hva, men jeg burde forsøkt på noe. Jeg burde bedt han forklare ting. Jeg burde lytta når han forklarte. Jeg burde tatt den ølen samme kveld. Jeg burde gjort noe annet enn bare å stikke av med alt.

Kanskje jeg skal ringe han. Jeg må bare bli ferdig med eksamen først.

Fra: Mo <mo.1@hotmail.com>
Sendt: 5. juni 2004
Til: Lars Bakken <lars.bakken@nova.no>
Emne: Kartlegging av hverdagen til unge i Groruddalen

Døra til gymsalen på Blindern lukka seg bak meg og stengte inne hundre skrik av angst. Jeg fløy igjen. Utafor traff jeg en bølge av varm sommervind som løfta meg enda høyere. Maria satt ved fontenen, med ett ben i vannet og ett utafor. Et par sandaler sto nede på bakken. En lang, lys kjole hang løst på henne. Hun så på meg gjennom store, runde solbriller.

«Der er du!» smilte hun og jumpa opp fra vannet.

Jeg spurte hvordan det hadde gått på hennes eksamen.

«Du gjorde det sikkert mye bedre.» Hun lagde en trist grimase, men lyste opp sekundet etter.

«Kom, vi skal feire.»

Hun hadde bilen stående på parkeringsplassen. Det lå en flaske musserende vin i baksetet, og vi gjorde et kort stopp på Ullevål stadion, der vi spiste hver vår burger på Burger King og kjøpte jordbær, brød og kalkunpålegg på ICA, så kjørte vi, gjennom den kokende byen der det krydde av shorts og skjørt, ut til Mosseveien, med vinduer åpne og P4 på maks. Oslofjorden blinka. Folk fiska rett nedenfor motorveien.

«Kan du komme hjem i morgen?» spurte hun. Jeg sa ja uten å vite hvor vi skulle.

Vi fortsatte lenge i samme retning, forbi Vinterbro og

Tusenfryd, før hun svingte av mot Drøbak. Vi kjørte gjennom et virvar av fargerike gamle trehus og trange gater før vi kom ut til en klynge mindre hus, nesten nede ved fjorden. Det lukta saltvann da jeg gikk ut av bilen. En måke skrek, og svake dønninger kunne høres mellom husene.

Vi fulgte en grusvei noen hundre meter til Maria stansa utafor et lite, blått hus.

«Her», sa hun. «Sommerhuset til bestemor og bestefar.» Hun fikla med et stort nøkkelknippe. Det klikka hardt i låsen da hun vred om.

Et tynt lag støv lå oppå de nakne plankene som dekka det meste av det lille rommet. Det spredte seg ut i lufta da vi åpna vinduene.

«Ingen har vært her siden i høst», sa hun. Vi tørka av og feide opp det støvet som ikke hadde letta, før vi gikk ned til fjorden med vinflaska og jordbærene.

Vi var alene, bortsett fra en ungdomsgjeng med engangsgrill femti meter unna. De spilte musikk fra et stereoanlegg. Vi gikk langs vannkanten. Balanserte bortover de glatte svabergene. Vassa litt i det kalde vannet. Seksten grader, sa Maria og utfordra meg til å dyppe hele underkroppen oppi. Jeg feiga ut. Hun spruta vann på meg i stedet og lo. Jeg spruta tilbake. Vi satte oss ned på et nesten flatt svaberg og spiste jordbær og drakk vin rett fra flaska. De var ikke helt modne ennå, men smakte godt. Sola var på hell og dansa i krusningene på fjorden. Måker balanserte på de svake vindkastene. Ungdommene spilte elektronisk musikk. Behagelig og lett. Som oss. Vi var lette. Som om vi kunne fly med måkene og ingenting kunne bli tungt. Som om vi nærma oss Pareto-optimalitet der ute.

Vi drakk opp vinen og ble døsige. Sola forsvant ned i fjorden. Ungdommene var på vei bort. En av dem pissa i sjøen. Vi gikk inn og la knusktørre vedkubber i en liten, svart kamin. Det sprakte. Gnister kasta seg ut i flukt, men slukna før de nådde gulvet. Maria lå med hodet på fanget mitt under et pledd. Jeg lot fingrene gli gjennom håret hennes. Hun sov.

Jeg gikk ut for å ringe faren min. Gresset hadde blitt fuktig og var kaldt mot de bare føttene mine. Dønningene var høyere. Jeg gikk bak en vegg hvor de ikke hørtes like godt.

«Jeg feirer at eksamen har gått bra, med noen venner», sa jeg da han tok telefonen, med trykk på «gått bra».

«Når kommer du?» spurte han. Jeg sa en av dem bodde ved Blindern og at jeg måtte dit tidlig på morgenen for å levere noen papirer.

«Så jeg sover der.» Han grynta, men sa ikke noe.

Jeg tok en røyk. Det var bekmørkt, bortsett fra vinduet, der kaminen kasta et oransje skjær over ansiktet hennes. Som om jeg sto og så på en skjerm. På en film.

Hun bevegde på seg. Strakte seg litt, gjespa og så seg om etter meg. Jeg frøs behagelig i natta.

Jeg kasta røyken i gresset.

«Hva går det av deg?» spurte hun da jeg la meg oppå henne.

«Jeg er bare glad», sa jeg. «Skulle ønske vi kunne vært her lenger.»

Hun smilte. «Vi kan dra på ferie, bare vi.» Hun strøk en finger over ansiktet mitt.

«Ja, det gjør vi», svarte jeg og forsvant inn under pleddet.

Samme natta smalt et skudd på Stovner. Lyden vekka naboene, som ringte politiet. Fem minutter senere kom første patrulje. De lette ikke lenge. En mann satt utafor blokka si med armene i været og en pistol på bakken foran seg.

Maria og jeg spiste brød og kalkunpålegg til frokost da vi sto opp og drakk Earl Grey-te fra noen gamle poser vi fant i et kjøkkenskap. Etter det kjørte vi tilbake til Oslo. Hun slapp meg av utafor Østbanehallen.

«Jeg skal flytte», sa hun da jeg åpna bildøra.

«Flytte hvor?» Jeg lukka døra igjen.

«Ble du redd nå?» Hun lo. «Til Bislett. Jeg flytter til høsten.»

«Det er ikke så stort», la hun til. «Men det blir fint. Jeg lover at du får komme når du vil.» Hun lo igjen og kyssa meg.

På T-banen hjem fløt jeg fortsatt på lettheten fra dagen før, og jeg tenkte på Bislett, på en leilighet for oss selv, på alt som lå an til å bli enda mer, enda bedre, men da jeg kom til Stovner, var alt tungt. Like utafor T-banestasjonen passerte jeg en gruppe jenter som holdt armene rundt hverandre. To av dem gråt høylytt. Folk gikk lavmælte forbi.

I Tante Ulrikkes vei falt en glødene sneip ned fra himmelen og landa på bakken rett foran meg. Jamal hang ut av vinduet seks etasjer over.

«Hva skjer?» ropte jeg opp til han.

Fingerne hans forma seg til en pistol. «Poff! Karen plaffa hun ass. Helt gæren!» Han rista på hodet.

Du vet sikkert hvem hun er allerede.

Fra: Lars Bakken <lars.bakken@nova.no>
Sendt: 6. juni 2004
Til: Jamal <c.r.e.a.m@hotmail.com>
Emne: Kartlegging av hverdagen til unge i Groruddalen

Hei igjen, Jamal
Nå er det en stund siden jeg har hørt fra deg. Har du husket å sende inn kassettene dine? Trenger du flere frankerte konvolutter? ***Husk at du fortsatt er med i trekningen av en sykkel og et reisegavekort til verdi av 10 000 kroner, men da må du også fullføre ut prosjektperioden.*** *Ser frem til å høre fra deg.*

Hilsen
Lars Bakken
Seniorforsker NOVA

Fra: Lars Bakken <lars.bakken@nova.no>
Sendt: 6. juni 2004
Til: Barne- og familiedepartementet
<postmottak@bfd.dep.no>;
Oslo kommune <postmottak@oslo.kommune.no>
Emne: Midtveisstatus – Kartlegging av hverdagen til unge i Groruddalen

Som kjent arbeider NOVA med en kartlegging av hverdagen til ungdom med minoritetsbakgrunn i Groruddalen. Da vi nå er halvveis ut i prosjektperioden, sender vi en midtveisstatus.

Ved prosjektstart var det 31 respondenter. Det har imidlertid vært noe frafall underveis. P.t. er det 23 aktive respondenter. NOVA ser behov for å omdisponere noen av de tilførte midlene til tiltak som kan bidra til at ikke flere respondenter faller fra.

Overordnet finner vi at ungdommene i overveiende grad rapporterer om hverdagslige sysler. De bruker mye tid på å beskrive forhold som skolegang, forholdet til foreldrene, venner og kjærester, kanskje ikke så ulikt hva en kunne forvente å finne hos ungdommer i andre bydeler. NOVA mener likevel å kunne se noen utfordringer som skiller seg fra den gjengse oppvekst i Oslo. Dette handler i en del tilfeller om levekår og økonomi, samt at enkelte opplever at deres bakgrunn kan virke tyngende, særlig i møte med eksterne.

NOVA opplever også at ungdommene i sterkere grad enn ungdommer i andre bydeler i Oslo oppfatter seg selv som å tilhøre bydelen sin, eller delbydelen, fremfor å være Osloborger eller nordmann. Hos enkelte av respondentene er dette særlig fremtredende. En respondent oppgir å ha tatovert delbydelens navn på underarmen, etter sigende fordi han «er stolt av Romsås», mens andre er opptatt av det de kaller «å representere».

Vi observerer imidlertid noen motstridende trekk hos en del av respondentene. Dette kommer f.eks. til uttrykk ved at de beskriver oppveksten sin i positive ordelag, og at de villig forsvarer sin bakgrunn, særlig overfor eksterne, men internt likevel uttrykker et ønske om å flytte på sikt. Gjerne begrunnet med utsagn av typen: «Her er det så mye rart. Jeg ville ikke latt barna mine vokse opp her.» Eller at det er «for mange utlendinger her.» Denne dikotomien opplever vi hos flere av respondentene, og den fremstår for oss som noe av et paradoks.

For øvrig synes forhold utenfor Norges grenser å oppta mange i nesten like stor grad som hjemlige forhold. Terrorangrepene i USA 11. september 2001 og påfølgende krigføring i Afghanistan og Irak har gått sterkt inn på flere. Det synes også blant enkelte å være en oppfatning om at majoritetsbefolkningen tar for lett på slike tema.

De fleste uttrykker at de har fått med seg Groruddalspakka, om ikke så mye i navn, så i tiltak. Flere respondenter viser til at de har registrert ulike utbedringer av fasade, lekeplasser m.m., men oppgir i begrenset grad at det har vært av større betydning for deres daglige liv. Én respondent oppgir riktignok at et tiltak fra satsingen har hatt en direkte effekt på hans hverdag. Vedkommende mottar som del av Groruddalspakka et særskilt studiestipend for ungdom med minoritetsbakgrunn.

Flere av respondentene fra bydel Stovner oppgir at de har vært og sett på den nylig avdukede lampen, et av de større enkeltprosjektene som er ferdigstilt, dog er tilbakemeldingene noe vekslende. En kan imidlertid spørre seg om de er rette målgruppe for denne typen uttrykk. Eller kan det kanskje være at dette, samt andre av tiltakene i prosjektet, tren-

ger noe mer tid på å få satt seg og blitt gjort kjent? De neste årene vil i så henseende være interessante.

Vi gleder oss til å fortsette prosjektet.

Vi ser frem til videre godt samarbeid og ønsker dere god sommer.

Hilsen
Lars Bakken
Seniorforsker NOVA

Fra: Lars Bakken <lars.bakken@nova.no>
Sendt: 12. juni 2004
Til: Jamal <c.r.e.a.m@hotmail.com>
Emne: Kartlegging av hverdagen til unge i Groruddalen

Hei igjen, Jamal!
Gode nyheter!

Vi setter veldig stor pris på innsatsen du har lagt ned hittil i prosjektet, og har derfor bestemt oss for å sende deg en ny MP3-spiller med tilhørende hodetelefoner. Pakken er på vei til deg, og du må hente den på ditt lokale postkontor. Gratulerer!

Jeg la ved noen nye frankerte konvolutter i den samme forsendelsen, i fall du skulle mangle det. ***Husk å fortsette å spille inn. Da vil du fortsatt være med i trekningen av en Scott terrengsykkel og et reisegavekort til en verdi av 10 000 kroner, som trekkes ved enden av prosjektperioden. Du er over halvveis nå, det er ikke lenge igjen! God sommer!***

Hilsen
Lars Bakken
Seniorforsker NOVA

Fra: Mo <mo.1@hotmail.com>
Sendt: 20. juni 2004
Til: Lars Bakken <lars.bakken@nova.no>
Emne: Kartlegging av hverdagen til unge i Groruddalen

Hun som ble skutt, var Farah. Han som skjøt, var broren hennes. Skuddet var mot tinningen, på kloss hold. De sier blod skal ha spruta ut på veggene i leiligheten.

Jeg vet egentlig ikke så mye om henne. Jeg har sett henne på T-banestasjonen og senteret noen ganger med en flokk venninner, ikke mer. Hun er yngre enn meg, jeg mener, hun *var*, og hun bodde i de grå blokkene langt nede i Tante Ulrikkes vei, ikke i min del av veien. Du vet sikkert det her, for historien har gått hundre ganger på tv allerede. Ulykkelig kjærlighet. En 17-åring som var sammen med en familien mislikte. En familie som ikke respekterte det, og en bror som til slutt skjøt henne. Det er kortversjonen. NRK og TV2 sin historie. Ikke den som går på Stovner. Den som er lenger, og som alle her har fått høre. Moren og faren min også. Om mannen som gråt på tv over en død kjæreste, men som hadde en annen dame hele tida. Som holdt på med dop. Som gikk rundt med pistol og hadde trua familien til Farah med den et par uker før drapet, noe som fikk dem til å skaffe seg en pistol selv.

Jeg forsvarer dem ikke. Virkelig. Jeg mener, hva slags familie dreper barna sine? Hvem skyter sin egen søster? Som om jeg skulle skutt Asma. Det er sykt. Bare å tenke på den glade tenåringen jeg så på T-banen, med et hull i hodet og blod rennende ut av det, det er så uvirkelig. Jeg blir dårlig bare av å tenke på det. Jeg krymper meg og ber henne la være når moren min forteller om detaljer fra drapet hun har plukka opp fra noen ute. Jeg stansa da jeg gikk forbi hundrevis av mennesker som la ned blomster for henne ved T-banestasjonen. Noen med T-skjorter med bilde av Farah, andre med fakler. Jeg ble stående nesten trollbundet med gåsehud på hver eneste del av kroppen da en av venninnene sang «Tears in heaven», og jeg kjente tårer presse mot øynene da resten av dem brøt fullstendig sammen over haugen av blomster. Jeg kjente sorg og sinne mot Farahs familie rase gjennom meg, ikke bare da, i flere dager nå har det rast, så kraftig at det egentlig ikke stemmer overens med hvor dårlig jeg kjente henne. Som om skuddet som ble avfyrt, fortsatte inn i meg.

Ellers er det rolig. Maria er borte denne uka. Drøbak igjen. Med familien nå. Hun kommer hjem et par dager før de andre og skal være alene på Lofthus. Jeg gleder meg.

Jeg har ikke noe å gjøre her, bortsett fra å overleve i varmen. Vinduet på rommet mitt står vidåpent hele døgnet, men lufta som kommer inn, er tørr og lukter litt av søppelrommet nede på bakken. Asfalten på brua til senteret er så myk at jeg setter fotavtrykk med joggeskoa mine om jeg bare trykker hardt nok til. Barna her i Tante Ulrikkes vei, de som pleier å løpe rundt i gatene med fotballer eller leke boksen går, de går rundt i svime nå, bare for å våkne én gang om dagen. Klokka fem strømmer det vann ut av en hageslange og plasker ned på den hvite Golfen til Shani. Allerede kvart på fem flokker de seg rundt bilen, Asma og Ayan også, de hoier og hyler om vannkrig, like spent som dagen før på om han kommer til å sprute vann på dem. Han gjør det hver dag, men de hyler like høyt den tiende gangen som den første.

Jeg håper ikke Maria går rundt og tenker like mye på Farah som jeg gjør. Kanskje hun tror at familien min en dag skal skyte ned henne eller noe. Eller at jeg skal gjøre det. At jeg er en annen, en som bare later som.

Jeg tror ikke det, egentlig. Men jeg tenker litt på det likevel.

Jeg håper Farah forsvinner snart.

Respondent: Jamal
Bydel: Stovner
Innspillingsdato: 21. juni 2004

Yo, Nova-mann!

Lenge sia ass. Går bra elle?

Helt ærlig da, jeg var litt sånn lei av å prate til deg. Liksom, jeg veit ikke hva mer jeg skal si. Jeg har sagt så mange ting til deg siste åra.

Men ja ass, takk for den MP3-spillern.

Den er så heftig da!

Jeg sverger, jeg viste den til noen av kompisa mine. Bare: «Hør a, jeg har fått den fra dem forskningsfolka.» Før, du veit hvordan dem pleide å si: «Olø ass, hvorfor gidder du?» Nå dem bare: «Fuck ass, jeg vil også være med på den greia der.» Ha ha. Kødder ikke. Liksom, jeg har pæsa dem mailen din da. Kanskje noen av dem sender deg mail. Bare sånn at du veit.

Nå, jeg har putta så mye musikk på MP3-en. Bare går hjem til folka med data og går på Pirate Bay og laster ned masse greier. Først jeg putta på den dobbelalbumen til Outkast og sånn. Helt ærlig ass, du veit jeg digger Outkast da, og liksom, dem har alltid vært litt gærne, men nå jeg hørte hele den albumen ordentlig, og nei ass. Big Boi sin er ok liksom, men André sin album, den er altfor gæren for meg. «Hey Ya» og sånn. Hva faen? Wack ass. Plutselig drittunga går rundt på senteret og snakker om Outkast er så kul og sånn.

Så jeg fjerna Outkast og putta på noen gamle greier isteden. Du veit, ekte greier. «All Eyez on Me». «Reasonable Doubt». Sånn shit.

Jeg sier til deg ass, Nova-mann, ting er ikke samma mere ass.

Hør a, dem maler blokkene her på T.U.V. hvit nå. Liksom, hvorfor gjør dem sånn?

Du veit jeg sa til deg sånn, når jeg går på moskeen, jeg liker når imamen snakker fra Koranen, for det er sånn pent og alt blir chill? På en måte sånn er det når jeg kommer på T.U.V. også. Liksom, samma om dagen har vært den mest fucka dagen, når jeg kommer her, hele kroppen min blir sånn, slapp av, mann, du er hjemme på steden din nå. Men nå, nei ass. Nå jeg kommer her og bare, hva faen, har jeg gått på feil sted elle? Liksom, det ser ikke ut som T.U.V. mere.

Også det er litt sånn. Dem blokkene pleide å være *så* ghetto, skjønner du hva jeg mener? Det var sånn, du kommer på T-banen her, og stasjonen er skikkelig ghetto, ok, den var enda mere ghetto back in the days da, svære graffitier overalt og sånn, men fortsatt den er ganske ghetto, og du går ut fra den, og da du ser T.U.V.-blokkene som er skikkelig ghetto, dem også, og egentlig det var fett, skjønner du, fordi liksom, å være ghetto er greia vår, og da jeg kan si sånn, vi er en av dem heftigste ghettostedene i Oslo, men nå, det går ikke like mye å si det. Nå, blokkene er helt hvit og ser helt ny ut og sånn, nesten som andre steder på byen.

Digger ikke det her.

Liksom, dem bare kommer og tegner på hele livet mitt og gir faen, skjønner du?

Og også det skal koste litt mere å bo her nå fordi den malinga og dem andre greiene har kommi.

Skjønner ikke hva dem som bestemmer, driver med ass.

Ellers ... Sommer og sånn. Sol. Digg.

Egentlig ass.

Bare, jeg veit ikke ass, jeg blir ikke så glad når det kommer sol nå. Det er digg at det er varmt og alt det der, men plutselig for noen dager sia, det var sol og vi var på en benk borte på Jesperud og chilla på sola, og da jeg starta å tenke på hun Sarah. Du veit, liksom det var vår greie, skjønner du? Sitte på benk og sola går nedover. Og hele resten av dagen, når jeg var hjemme og sånn, jeg bare var på rommen og hørte på «The Blast» ti ganger og tenkte på hun og alle dem brae tinga som skjedde.

Jeg sverger, jeg holdt på å ringe til hun. Bare si liksom, jeg veit ikke ass, sånn, hør a, Sarah, det som skjedde, var fucka, men fuck det.

Men liksom, jeg ringte ikke da. Fordi jeg klarer ikke stoppe å tenke på hvor fucka dem fucka tinga var heller.

Men jeg har lyst liksom, noen ganger, skjønner du?

Uansett, det er ikke vitsi. Hun bor på Sandefjord nå. Jeg veit fordi jeg har hun på MSN fortsatt. Sånn, vi chatter ikke, men liksom, på MSN-statusen til hun, det var for litt sia sånn, «Flytta til Sandefjord».

Liksom, jeg har ikke tenkt på hun på så lang tid, plutselig nå hele tida jeg tenker på hun. Alltid når sola kommer, jeg tenker på hun.

Skjønner du elle.

Jeg er i fuckings Norge, men jeg våkner og tenker sånn, fuck ass, sol i dag også elle?

Hei, shit ass, jeg glemte å si til deg. En kar blæsta søstera si her på Stovner. Men sikkert du veit om det for lengst. Farah ...

Det er sykt ass, ikke sant? Blæste ned søstra si liksom?

Shit ass.

Jeg veit hun var kæbe liksom, hør a, alle veit hun var det. Hun var med karer fra hun var fjortis liksom. Og han karen du sjofa på tv-en, du tror det var sånn ekte kjærlighet og sånn, kanskje ass, for hun og sånn, men han karen der, han dreiv og snakka til folk om at han arsko hun liksom. Sånn første gangen dem gjorde det. Hvem gjør sånn når du er seriøs med hun dama liksom? Hvem går til folk på Stovner Senter og snakker om titsa til hun og hvordan lyder hun lagde, og hvordan hun ikke var no flink på, liksom, du veit, gå ned og sånn, men at han skal lære hun til å bli mere flink. Jeg sverger, jeg var der selv, mann. Ved rulletrappa til Rimi der. Der dreiv han og prata om det. Etter det jeg visste helt hvor store titsa til hun var liksom.

Jeg skal fortelle deg om han karen. Han er skitten, jeg sier til deg. Skriv det på forskninga di, seriøst. Karen til Farah er skitten. Du veit, jeg og kompisa mine og sånn, vi har gjort ting, skjønner du? Liksom, vi har hustla litt, vi får på, har kæza noen folk, men vi har ikke gjort sånn skitne ting. Sånn tæsje folk med dårlig keef og si det er boblings. Sånn være colafjern og true foreldra til dama di med gunner. Sånn drive å bøffe ting fra kompisa dine. Jeg sverger, Navid, han sier at karen har vært hjemme hos han, og dem har liksom vært kompiser lenge, og plutselig det mangler en klokke fra faren hans. Skjønner du?

Men nå ...

Fy faen, jeg må le ass.

Nå, jeg ser tisharen stå og grine. Grine som den fake bitchen han er. Liksom, kom igjen a, nå du skal være stakkar liksom? Nå du skal grine, og alle poteter skal være så glad i deg og gi deg masse klem, som på, hva faen heter det, han NRK-karen sin program? Men på gata her karen går med en annen kæbe?

Fuck sånt søppel.

Og fuck hun Farah også ass. Hva trodde hun liksom? At dem skal si: «Ja, ok, bare knull han så masse du vil.» Hun visste det, skjønner du? Hun visste hun dissa familien sin så jævlig heftig med han søpla der.

Likevel hun gjorde det.

Liksom, Rash og jeg, vi prata om det. Begge vi var sånn, på en måte ass, hun bedde om det. Du veit, det finnes grense for ting. Hun bedde om bråk, og da hun får bråk. Men liksom, Rash er litt mer gæren enn meg da. Han bare: «Egentlig ass, jeg skjønner litt at dem blæsta hun.»

Liksom, jeg tror ikke han mente det sånn på ordentlig, jeg tror han bare skal leke hard, og jeg sa til han sånn: «Blæste kæba er for brutalt ass, mann, men liksom, ok, dem kan slæppe hun.»

Det hadde vært greit da, ikke sant?

Ok, mann. Nå jeg skal ut en tur.

Peace

Respondent: Jamal
Bydel: Stovner
Innspillingsdato: 22. juni 2004

Yo.

Nå jeg er litt stein ass, jeg skal ikke juge til deg, og jeg begynte å tenke litt mere på hun Farah og alle dem greiene.

Liksom, jeg veit jeg sa sånn, ja, dem kan slæppe hun litt, det går bra, men hør a, du trenger ikke bli helt sånn som folka på tv-en nå: «Åhh … Disse innvandrerne. De forstår ingenting. De synes det er helt greit med vold mot kvinner.» Nei ass, mann. Det er ikke sånn ass. Jeg sa dem tinga fordi jeg veit ting. Liksom, jeg veit ting om menna som kæzer damer. Jeg kødder ikke med sånt. Tro meg.

Jeg har ikke snakka om det til deg, men liksom, faren min … Glem han karen til Farah og den familien, faren min, wallah, han er mest ekte tishar av alle.

Ja ass. Han kæza moren min så mye, du veit ikke. Han kæza hun da jeg var liten. Han kæza hun når hun var gravid liksom, med Suli. Han gidde faen. Eneste tida han er fornøyd med oss, er når han er alene hjemme. Noen ganger han er borte mange dager, ingen veit hvor han er, gidder ikke ringe eller no, og han kommer hjem, han begynner å kjefte med en gang. Sier jeg bråker for mye. Klager på mat moren min lager for han. Kæzer hun.

Eller han sier til hun at han så hun prate med folk ute, liksom, andre damer og sånn, han hater det vettu, og når han finner ut, han kæzer hun.

Sånn var han. Liksom, ikke bare kæzinga, nesten det var enda dårligere alle tinga han sier til hun. «Drittkjerring.» «Idiot.» «Tulling.» Hele tida han snakka sånn til hun.

Så, han blir borte noen dager igjen. Så, han kommer tilbake. Så, han sier mere dritt. Kæzer mere. Sånn er livet med han.

Jævla fitta der.

Til slutt, når Suli var ikke helt født enda, men det var sånn ikke lenge til, og ramadan var starta første dagen, faren min kæza hun så hardt, hun bare: «Du dreper den, du dreper den.» Hun fikk stor blåmerke på ansiktet. Noen folk sjofa det og sånn, jeg tror det ass, fordi liksom litt etter det, plutselig bauersen kommer til oss. Dem sier noen har ringt dem om vold på familien. Dem ser moren min og sånn, og faren min er ikke der da, og dem sier dem skal få tak i han, og jeg veit ikke hva dem gjør med han, men etter det, det blir krisesenter for oss.

Liksom, det var ikke som barnevernet. På krisesentern, da jeg var med moren min hele tida. Det var en sted her på Oslo, men jeg husker ikke helt. Jeg husker bare en rom, liksom, sånn som leirskolen eller no, liksom, noen seng og en bad. Og vi var ikke der mye, tre dager eller no, men når vi kommer tilbake på T.U.V, tisharen kommer aldri mer tilbake der.

Helt ærlig da, jeg var så jævla glad ass, når han ikke kom tilbake, skjønner du? Så jævla glad.

Men så moren min blidde syk og sånn da.

Men likevel ass, fortsatt jeg er så glad han er borte.

Eneste greia er liksom ... Du veit, noen ganger jeg tenker, fuck ass, jeg var så liten, jeg var så mye redd for han. Jeg tørte ikke si noenting til han liksom. Og jeg starter å tenke sånn her, liksom, la han komme nå da. La han komme og si dem tinga. La han komme og prøve å kæze oss nå. Da jeg dreper han. Wallah. Mange ganger jeg tenker på det. Bare kæze han så hardt ass, blod på hele trynet hans, liksom bare gi albue i nesa hans og kne på magen hans og liksom kaste han ut fra vinduen og la han være på bakken der og spytte på han.

Jævla dritten der.

Men liksom, nå du skjønner, jeg veit ting om menna som kæzer damer. Jeg veit Farah fortjente å få litt kæz. Og jeg veit moren min ikke var kæbe som Farah, hun var bare bra person hele tida, og gjorde ingen av dem gærne tinga. Hun fortjente ikke kæz, likevel hun får så mye kæz.

Og nå alle folka digger Farah. Aldri noen av folka digger moren min.

Får ikke skikkelig uføretrygd engang.

Fucka opplegg ass.

Snakkes.

Fra: Mo <mo.1@hotmail.com>
Sendt: 15. august 2004
Til: Lars Bakken <lars.bakken@nova.no>
Emne: Kartlegging av hverdagen til unge i Groruddalen

Farah ble ikke borte.

Så du *Hatets hovedkvarter?* Det sto i VG, over et bilde av blokka til Farah. Leiligheten var ringa rundt med rødt, et avstandsbilde av en ganske vanlig veranda med en parabol, et par stoler og en blomsterkasse. Forrige helg hadde Dagbladet et luftbilde av nesten hele blokk-Stovner og overskriften:

Drabantbyen som dreper? Vitner forteller:
Æreskultur utbredt på Stovner.

Carl I. Hagen sa til TV2 at deler av Stovner er en feilet bydel, og at ingen har hørt på dem. De har advart mot dette i mange år. Han sa det var FrP som var opptatt av muslimske jenters beste i dette landet. De andre partienes silkehansker har ikke sjanse mot pistoler, sa han. Så ble de andre partiene fly forbanna, og flere av dem skrev kronikker om hvordan de vil ta knekken på ukultur i innvandrermiljøer.

Jeg leste ikke noen av dem.

Her om dagen, da jeg bladde gjennom tv-kanalene, stansa jeg på NRK. Det var et talkshow, trodde jeg først, for publikum sto oppreist og klappa i ekstase som på Oprah. Det var en debatt. Kamera skifta fra publikum til en professor i religion fra Blindern. En eldre dame, veldig spinkel, med langt og flatt, grått hår og store briller. Øynene hennes var røde og fuktige. Stemmen sprukken.

«Farah skal ikke skje igjen! Det er vårt ansvar. Det er vår plikt å snakke om det som er vanskelig!» Applausen eksploderte igjen. Det føltes som hele tv-en rista. Jeg skrudde av hele greia.

Foreldrene mine fikk et brev fra bydelen med invitasjon til en gruppesamtale med en barnepsykolog om gode holdninger i barneoppdragelse.

«For noe tøv», sa faren min og forbanna gærningene, som han konsekvent kaller Farahs familie.

Moren min ville at han skulle lese hele for henne.

«Har ingenting med oss å gjøre», sa han og skjøv det til side. Senere den kvelden kom hun inn på rommet mitt og ba meg lese det for henne. Hun sa ingenting mens jeg gjorde det, bare lytta, og da jeg var ferdig, reiste hun seg for å gå, men hun stansa i døråpningen.

«Har jeg noen gang gjort noe mot deg som ikke har vært rettferdig?» spurte hun.

«Nei», svarte jeg. Hun ble stående i døråpningen og se på meg. Som hun gjorde da jeg var liten, til jeg sovna. Jeg fikk vondt av henne.

«Ikke tenk på det», sa jeg.

«Tror de virkelig jeg kan drepe mitt eget barn?» Stemmen hennes dirra.

«De bare ... Jeg vet ikke. De vil sikkert bare være sikre på at det ikke skjer igjen.»

Jeg vet ikke helt hvem jeg forsvarte.

Hun har vært overalt. tv, aviser, ute på gata. Selv om jeg har prøvd, tro meg, jeg har det, har det vært umulig å unngå henne. Jeg har løpt sikksakk mellom mye, men hver eneste gang jeg har skrudd på en tv eller passert en avis, har hun vært der og stirra på meg likevel. Det samme klassebildet fra 90-tallet, zooma inn på henne, med midtskill og bølgete hår og store, litt triste øyne. Det har trukket meg til seg, til jeg har sett hver eneste av de små, røde strekene i øynene hennes og kjent pusten hennes på ansiktet. Jeg har dytta henne vekk, men neste morgen har hun vært tilbake igjen, og jeg har ikke bare blitt sint på familien hennes, jeg har blitt sint på alle, VG, Dagbladet, de politiske partiene, og til slutt henne også, for at hun valgte den idiotiske kjæresten og ble skutt i min bydel.

Jeg har brukt mye tid på å tenke på hva Maria tenker. Som oftest har jeg rista det av meg. Men noen ganger, noen ganger har det bare rast på, og jeg har sittet der og ikke klart å la være å tenke på om jeg plutselig frastøtte henne på en eller annen måte. Jeg har ringt henne da, selv om det var veldig sent, bare for å høre henne ta telefonen, og så funnet på en unnskyldning for hvorfor jeg ringte, lyttet etter den minste avsløring i stemmen hennes, og sovnet igjen etter vi har snakka om noe helt annet. Oftest om leiligheten hennes. Etter hun kom tilbake fra Drøbak, er det mest den det har gått i. Det er ikke så lenge til hun flytter nå, og hun er hele tida ute og handler. Hun har målebånd i veska, og drar det frem i butikker og noterer resultatene i en Filofax. Eller hun krysser av på en eviglang liste over ting som trengs. Lamper. Sofa. tv-bord. Bokhylle. Vaser. Iblant er jeg med henne, som på Kid for å se etter sengetøy, og jatter med etterpå om hva som er bra og dårlig.

Det burde vært greit, likevel var det ikke det. Det fortsatte å gnage i meg. For et par dager siden klarte jeg ikke mer, jeg prøvde å hale det forsiktig ut av henne, inne på T-banen ned fra Blindern. Hun skotta bort på en plakat med ansiktet til en jente som ikke var henne, men som alle forsto hvem var. *Opplever du eller noen du kjenner, ekstrem kontroll? Ring 815 00 567.*

«Kjipt, det med Farah», sa jeg.

«Forferdelig.» Hun trakk kroppen sammen og skalv.

«Jeg vet», sa jeg. «Skikkelig kjipt.»

«Kjente du henne?» spurte hun.

«Nei.»

Så stansa T-banen på Majorstua, og vi gikk av.

Jeg er glad jeg gjorde det. For nå er det som Farah ikke er

noen annen enn den anonyme jenta fra Stovner hun pleide å være. Sammen med oss to lever hun igjen. Ingen skudd har falt. Ingen blomster ligger visne ved T-banestasjonen. Ingenting trenger å tenkes på lenger.

Respondent: Jamal
Bydel: Stovner
Innspillingsdato: 7. september 2004

Jeg sverger, etter det som skjedde med hun kæba og den gærne familien der, nå, det er masse flere bauerser ute på gata. Hele tida dem kjører rundt. Natta, dagen, hele tida.

Jeg veit ikke ass, som dem vil skremme folk eller no, skjønner du hva jeg mener? Liksom, som andre folk som tenker å blæste noen, når dem sjofer ut av vindua, dem ser bauers, og da dem tenker, nei, bauers jo, da jeg skal ikke gjøre det.

Ha ha.

Men greia nå, det har blitt stress å få på en joint liksom. På garasjetaket der vi pleier å gå, hele tida det kommer bauersbil opp og ned på gata like ved der. Vi må stresse røykinga skikkelig.

Og også, ikke så mange folk får på så mye mere. Liksom, André slutta etter han blidde sammen med dama si, jeg tror hun tvingte han eller no. Jeg sverger, han er så heftig tøffel, han der ass. Nå dem har flytta sammen på Vestli. Ekte potetstil, foreldra veit det og sånn, dem hjelpte han å flytte liksom. Abel er sånn, kanskje på helga noen ganger, men han også har dame nå, som han er med hele tida. Navid og Tosif og sånn, jeg veit ikke ass, dem gutta der er ikke mye på T.U.V. for tida. Tosif har blitt helt freaka. Liksom, forrige gang jeg trefte han, han hadde sånn ring som henger ned mellom hulla på nesa. Du veit, han soperoksen på tegnefilmene? Han som liker blomster? På en episode han møter en skikkelig bad ass gangsterokse som skal ta han, og sånn ring som den gangsteroksen har, sånn har Tosif. Han har tatt den etter han starta å henge mere med noen folk han trefte når han gikk på Elvebakken. Dem henger på den husen like ved Elvebakken der, du veit, den med masse tagging og sånn utapå. Men Majid, han får på som faen da, men litt for mye andre ting også. Liksom, meste av tida han sitter på Tokerud med noen andre like shkække folk.

Rash, jeg møter han ikke så mye for tida. Ikke sånn hver dag mere. Han jobber og sånn, og fortsatt han henger på moskeen ganske mye. For en uke sia han sendte meg melding og spør om jeg skal være med. Jeg bare finner på no. «Ehh, nei ass, må hjelpe moren min med no greier, du veit».

Men han får på noen ganger. Sånn som i går. Da jeg møtte han etter jobb og vi fikk på en kjapp en på tunnelen før du kommer til gamle Fossum skole. Men når vi tråkker fra der, plutselig han bare: «Fuck», og hele han får noia, liksom, kroppen hans blir sånn, skal jeg stå her eller skal jeg løpe, og jeg blir stressa også, tenker det er bauersen, men det er Mustafa i Toyotaen ass. Han kjører på veien rett ved siden av, og han har sjofa oss og tuter med bilen.

Rash bare: «Fuck, Jamal, hvordan ser øya mine ut? Er dem rød elle?» Jeg bare: «Det går bra», men egentlig dem var jævlig rød, og han avor til Mustafa og Mustafa gir meg sånn stygg blikk, liksom, jeg veit hva du driver med, og jeg gir han sånn blikk, slapp av, mann, du veit, bare gjør greia vår, og han tar fingern og vifter med den på bilvinduen, sånn, nei nei, det her er ikke bra.

Ja ja.

Ellers.

Jobb og sånn ass …

Lei den steden der.

Gidder ikke snakke om det. Jeg kødder ikke. Lei av jobbing.

Hook up-en på Jackson er ferdig da. Abel og jeg drar dit, liksom, vi spørte andre folk også, men ingen gidder, så bare oss to avor der. Rashid, han bare: «Ahh… Mann, ikke spør meg engang a, jeg prøver å ikke drikke og sånn, kan ikke dra på byen da.»

Uansett, vi kommer der og det står en annen kar på døra. Jogurt eller no. Vi bare: «Ehh… Hvor er Nico a?» Han sier: «Nico jobber ikke her mer.» Og han ler litt og sjofer på en annen vakt, og han andre sier: «Nico er gæren, han», og dem ler litt mere. Vi bare: «Ok, men vi er kompiser av Nico, så liksom, dere slipper oss inn, ikke sant?» Dem bare: «Sorry, gutta, bare for medlemmer. Blitt strengt her nå.»

Fucked up. Liksom, Abel sier: «Vi går på Gamle banken da, og tar noen pils», men liksom, han har dame og sånn, så greit for han, men jeg vil ha ordentlig musikk og ordentlig damer, skjønner du? Ikke sånn råtne steder som Gamle banken eller steder på Grønland. Fuck det liksom.

Kanskje når jeg blir 21, tinga blir bedre. Da det er mange flere steder å velge på. Men veit ikke helt ass. Lei av dem greiene der også.

Samma hjemme også. Suli pisser fortsatt på seg og sånn. Liksom, før han starta å være bedre, nesten det var borte, men nå det er litt mere igjen. Ikke på dagen, liksom, nesten alltid det er på kvelden. Når han skal sove. Lysen går av, han skal sovne, vi venter litt, går inn der til han, og vi ser flekk på senga.

Og dem greiene med skolen og han …

Liksom, jeg var på sånn konferansetime på Rommen for ikke lenge sia. Bare lærern og sånn nå da. Ikke rektor. Hyggelig og sånn, hun dama. Jeg sverger. Hvert fall sånn på starten. Hun snakka ingenting om barnevern. Det er bra da. Og hun snakka ikke om at det lukta piss fra buksa hans heller. Og hun snakka om at det var litt bedre matpakke.

«Det er kjempebra», sier hun til meg og sjofer på meg sånn glad og sånn.

Jeg bare: «Ja», og jeg sjofer på hun, og jeg starter å tenke, faen, hun er egentlig litt schpaa, hun dama her, og jeg begynner å tenke sånn syke greier, men da hun plutselig sier:

«Han er fortsatt i den svakeste halvdelen faglig, men den

største utfordringen er nok at han fortsetter å være veldig innadvendt. Når jeg spør han om noe, ser han bare ned i pulten uten å svare. I gruppearbeid sitter han og skribler i bøkene sine mens de andre prater sammen.»

Jeg bare: «Ok …»

«Vi har snakket litt sammen her, også med spesialpedagogen, og vi lurer på om det kan være lurt å sende han på utredning. Det er ikke noe farlig, altså, bare for å få kartlagt han skikkelig.»

Da hun er ikke schpaa mere ass. Jeg bare tenker, hva, utredning? Er ikke det når dem setter eksperter for å sjofe på han og finne alle tinga som er fucka med han? Liksom, det er litt for kaos ass. Plutselig dem begynner å finne på ting som er gærent med han. Du veit, dem kan gjøre sånne ting. Plutselig alt blir gærent med han. Plutselig dem starter med den fuckings barnevernen og sånn igjen. Nei ass. Så jeg sier til hun på litt sånn måte, liksom, ikke pissed, bare litt sånn, ok, ikke lag kaos liksom, jeg er seriøs nå.

«Hva mener du?»

Du sjofer hun blir litt sånn, fuck ass, nå, rektor må være her, da jeg kan være litt mer tøff i trynet.

Hun sier: «Vi tar selvfølgelig ikke en sånn avgjørelse uten dialog med familien. Men kan ikke du ta en prat med moren deres og diskutere det?»

Jeg bare: «Ok, greit.»

Egentlig, kanskje jeg heller kan svare hun på sånn seriøs måte igjen, fordi når jeg sier ok greit, kæba blir sånn, ok, nå han er med, nå jeg kan fortsette med mere. Bare: «Ja, og så er det jo sånn at selv om mye har bedret seg, er det fortsatt problemer med oppfølgingen.» Og hun kommer med masse greier. Liksom, ofte han glemmer gymtøy. Eller lekser blir ikke gjort bra. Eller dem skal på tur, Suli har ikke med seg regnjakke selv om dem skrivde på lapp at alle skal ha med regnjakke.

«Veldig viktig at dere leser beskjedene fra skolen», sier hun.

Jeg sier: «Ok, greit.»

Når jeg kommer hjem, jeg går til Suli og sier til han: «Fuck ass, Suli, kan du ikke bare prate litt mere på timen sånn at dem ikke lager kaos?»

Han bare: «Nei, jeg vil ikke.»

Jeg sier til han: «Hva faen, Suli, hvorfor vil du ikke prate?»

Han bare blir helt sånn: «Jeg vil ikke. Jeg vil ikke.» Og jeg spør han mange ganger, men han vil ikke. Til slutt jeg sier til han: «Jævla drittunge.»

Etter det han går og griner og sånn.

Jeg blir sliten liksom, skjønner du hva jeg mener? Jeg har liv også. Jeg har jobb også. Jeg har lyst å sove helt til en kvarter før jobb starter, ikke bare stå opp drittidlig for å sjekke om gymtøy er ok. Jeg klarer ikke alltid ta alle tinga og fikse alle tinga.

Liksom, du veit moren min ...

Tinga er gamle dager igjen der ass. Hun gjør ikke ting. Bare, du veit, bare er syk mere og mere.

Jeg sier til hun dem greiene med utredning.

«Nei, han skal ikke på noen utredning», sier hun, helt sånn, det skjer ikke. Liksom, jeg tenker, jeg veit ass, utredning er fucka opplegg, men samtidig jeg tenker, ok, hvorfor var du ikke der på møten og snakka sånn til dem på skolen?

Bare helt studio gangster som Ja Rule liksom.

Men kanskje nå hun skjønner ting er seriøst igjen ... Jeg veit ikke.

Så ja ass. Everyday struggle, mann. Biggie veit.

Ok, snakka nok, stikker nå. Snakkes.

Fra: Mo <mo.1@hotmail.com>
Sendt: 4. oktober 2004
Til: Lars Bakken <lars.bakken@nova.no>
Emne: Kartlegging av hverdagen til unge i Groruddalen

Marias leilighet ligger i tredje etasje i en bygård i Grønnegata. Den korte delen av gata, den som svinger inn fra Pilestredet, rett ved trikkestoppet i Dalsbergstien. Hun løy ikke. Den er liten. 39 kvadratmeter, inkludert en liten balkong. Kjøkkenet er et avlukke. Badet er så lite at det spruter vann over doen når du dusjer. Men det er høyt under taket overalt, og to sett med doble vinduer i stua gir masse lys og gjør at det føles større.

Hun tok hånda mi og dro meg etter seg første gangen hun viste meg rundt. Dansa med meg gjennom rommene mens hun fortale om plasseringa av forskjellig interiør.

«Se på den lampa, bryter den ikke fint mot veggen?»

«Det ser dødsbra ut her», sa jeg og fulgte etter henne med noen stive dansetrinn som fikk henne til å le. Det ligna på en leilighet fra oppussingsprogrammene på tv. Saueskinn på gulvet. Lav sofa og lavt bord. Små kvadratiske fliser over kjøkkenbenken. Det var ganske fint å tenke på at jeg hadde en kjæreste med en så fin leilighet.

Foreldrene hennes kom første dagen. Maria hadde fulgt meg ned, og vi sto i døråpningen til oppgangen da bilen stansa foran oss. Jeg så konturene av søppelsekker og pappesker gjennom de sotete bakvinduene. Faren kom ut, hilste kort, åpna bagasjerommet og plukka opp en pappeske. Han stønna da han løfta den. Jeg ilte til.

«Skal jeg hjelpe deg?»

«Det går greit.» Han gikk pesende forbi meg og videre inn i oppgangen.

«Hei, hei», hilste moren til meg før hun vendte seg mot Maria og klappa hendene sammen. «Du, nå er jeg så spent på hvordan det har blitt seende ut der inne.»

Maria ga meg et hadetkyss som jeg vendte meg vekk fra og som landa halvt på leppene og halvt på kinnet. «Ha det» sa jeg til moren som så ut som hun skulle si det samme, men hun gjorde ikke det.

«Du», sa hun, «er ikke du fra det stedet der hun stakkars Farah ble drept?»

«Mamma!» sa Maria skarpt.

«Altså, jeg bare spør», sa moren. De to ble stående og se trassig på hverandre. Ubehagelig lenge.

«Vi har verdens største lampe der», sa jeg. Det var det jeg klarte å komme opp med.

«Jeg går opp, jeg», sa moren. «Ha det.»

«Herregud asså.» Maria sto med armene i siden og stirra olmt etter henne.

«Ikke bry deg om det der, ok?» sa hun til meg.

«Nei nei», sa jeg.

«Virkelig, ikke bry deg om det», insisterte hun.

«Det går bra», svarte jeg så høyt jeg klarte.

Fra: Mo <mo.1@hotmail.com>
Sendt: 25. oktober 2004
Til: Lars Bakken <lars.bakken@nova.no>
Emne: Kartlegging av hverdagen til unge i Groruddalen

Maria hadde innflyttingsfest i helga.

«Jeg må liksom ha det», sa hun og spurte om jeg ville være med. Hun sa det var greit om jeg ikke ville, eller om jeg hadde andre planer. Det var bare noen venner, ikke noe formelt. Jeg sa jeg kunne komme, hvis hun ville.

«Selvfølgelig vil jeg», svarte hun.

Det var omtrent ti av oss i leiligheten. Jeg hadde møtt de fleste av dem før. Det ligna på de møtene, bare at dagens var bytta ut med øl- og vinflasker. Jeg satt ved siden av Maria foran et bord overlessa av innflyttingsgaver og hørte de andre snakke om å reise til Ibiza neste sommer.

«Skal du være med, Maria?» spurte flere. Maria svarte kanskje. Hun måtte se det an. Hun forsvant ut på kjøkkenet etter hvert, og jeg ble sittende ved siden av et tomrom. De fortsatte å snakke om Ibiza. Hva slags hotell de ville til. Hvor de beste partyene var. San Antonio eller San Rafael. Eller lå ikke de like ved siden av hverandre? Jeg drakk mye øl, og irriterte meg over et bilde på veggen som hang skjevt. Maria drøyde med å komme tilbake. Jeg tok med meg ølen min, retta på bildet og gikk ut på balkongen.

Det var kjølig ute. Stjernehimmel over Bislett. Jeg ble stående og kikke inn. På alle i sofaen. Maria på kjøkkenet med et glass vin og en venninne. Jeg lytta til stemmene som trengte gjennom vinduene og ut mot gata, og tenkte på en annen kveld jeg hadde stått nede og sett opp på en annen balkong, et annet sted. Jeg tenkte plutselig på Mikael. Jeg lurte på om jeg skulle ringe han. Jeg hadde ennå ikke gjort det. Nå hadde jeg lyst. Bare si til Maria at jeg tok en tur ut, og så møte han. Drikke øl i Sørkedalsveien og spise kebab på Ullevål helt til festen endte, og så komme tilbake til henne igjen etter det.

Mobilen var ute av lomma og tastelåsen deaktivert, så møtte jeg meg selv i vinduet. Tastelåsen gikk på igjen. Skjermen skrudde seg av. Det var barnslig. I en stor slurk drakk jeg opp ølen og kasta røyken ned på gata.

Jeg gikk inn og satte meg igjen og venta jeg på at Tina skulle bli ledig. Hun var ganske stille hun også, første gangen jeg traff henne. Andre gangen jeg traff henne, var på et kurs vi begge tok, vi snakka ikke sammen, men vi hilste. Jeg kunne spørre henne om hun tenkte å ta fordypningskurset neste semester. Jeg vet ikke. Noe sånt. Det spilte ingen rolle, egentlig. Jeg fikk ikke spurt uansett. Da jeg bøyde meg mot henne, bøyde hun seg mot meg.

«Mo …», sa hun. De to bokstavene skal ikke kunne høres så rare ut, det er ikke så mange andre måter å si dem på enn «Mo», men de gjorde det.

«Ehh …» Hun hikka. Blikket var ufokusert. Hun snakka veldig høyt. «Bor du der hun Farah ble drept?»

Jeg så meg om etter Maria. Hun var fortsatt på kjøkkenet. Svaret mitt trakk ut, og mens det gjorde det, så jeg at flere enn Tina venta. De satt og venta alle sammen.

Kanskje jeg bare kunne ha svart nei, men jeg vet ikke, jeg tror liksom at de hadde venta for lenge til at det ville forandra noe.

«Ja», sa jeg.

Tina lurte på om jeg kjente Farah. Jeg gjorde ikke det. Hun syntes det var grotesk, det som skjedde med henne. Var jeg ikke enig? Jeg var det. Ada lurte på om jeg var muslim, jeg virka ikke helt som det. Ikke noe stygt ment, hun hadde ikke noe imot muslimer, men hun syntes hijaber og burkaer var veldig kvinneundertrykkende. Hun skjønte ikke at de holdt ut med å leve sånn.

«Og så er det sikkert skikkelig varmt inni dem», sa en av gutta. Han virka oppriktig bekymra for det.

Jeg sa lite, bare satt der og smilte til dem mens jeg venta på Maria. Hun hadde gått fra kjøkkenet og inn på do. Magen min var i ulage. Det var løst der inne, jeg kunne kjenne det, og jeg knadde frenetisk på den for å holde den på plass. Hun tok en evighet, føltes det som. Da hun endelig kom ut igjen, var han som bekymra seg for varme burkaer, nettopp ferdig med å fortelle om lillebroren som ble rana av utlendinger på National i fjor. De tok mobilen og en hundrelapp.

«Han var så redd for å dra ned til byen etter det. Jeg måtte …»

Maria avbrøt han. Hun dumpa ned i sofaen mellom Tina og meg. Hun virka veldig full. «Tina! Tina!» ropte hun, selv om Tina bare var centimetere unna. «Du veit Anders, eksen din?! Jeg så han på Storo med den nye kjæresten. Ada! Ada!» Hun grep tak i armen til Ada. «Gjett hvem den nye kjæresten til Anders ligner helt på?» Hun pekte på Tina og lo. Jeg har ikke hørt henne le sånn før. Hodet bakover og gapskratt. Hun så nesten gal ut.

De fortsatte å snakke om kjæresten til Anders. Jeg kom meg opp av sofaen og inn på do. Jeg må ha brukt en halvtime der. Til slutt kom Maria og banka på.

«Går det bra der inne?» spurte hun. «Det er andre som venter.»

Jeg spraya litt av parfymen hennes rundt i det lille rommet. «Kommer snart», svarte jeg.

«Du ser ikke bra ut», sa hun da jeg satte meg ved siden av henne igjen. Hun holdt hånda mot panna mi. «Herregud, du er helt varm.»

«Jeg føler meg ikke helt bra», sa jeg. «For mye øl eller noe, jeg vet ikke.»

«Gå og legg deg litt på rommet og slapp av», sa hun. «Legens ordre.»

Jeg ble liggende i bekmørket og høre på dem. Hvordan alt ble høyere med klokka. Stemmene, latteren, musikken. Sanger om øl, berusende ord og om sommer og om sol. Om å sitte på brygger. Om kokken Tor. Gamle, rare, norske sanger. Sanger jeg stort sett bare hørte i tv-reklamer, ble sunget falskt ut i natta i Grønnegata. Jeg vet ikke hva klokka var, men sangene stansa. De snakka om å dra videre ut. Jeg tenkte noen kanskje kom til å banke på og spørre om jeg skulle være med, og forberedte meg på å si at jeg fortsatt var dårlig. Ingen banka på.

De flytta seg til gangen og kledde på seg. Ada og Tina spurte hvor jeg hadde blitt av. «På rommet», sa Maria.

«Vi liker han», sa Ada.

«Ja, han er veldig ålreit», sa Tina.

«Han er det», sa Maria.

Så maste de på henne om å være med ut.

«Gjør det da, du er nesten aldri med lenger.»

Jeg venta. Hun tok ganske lang tid.

«Nei, jeg blir her. Neste gang», sa hun. Jeg elsker henne. Virkelig.

Føtter trampa i trappa. Døra smelte igjen nede i gangen. Det ble stille noen sekunder før en sprayflaske spruta. En klut gnikka mot bordplata. Flasker klirra. Myke skritt bevegde seg over parketten. Så fyltes rommet av lys, og ble mørkt igjen like fort. Hun la seg ned ved siden av meg.

«Er du våken?» spurte hun.

«Ja.»

Hun holdt hånda mot panna mi igjen. «Du er fortsatt varm.» Hånda hennes ble liggende der. Det føltes godt. Hun prusta.

«Folk er så opptatt av problemer hele tida.»

Jeg elska henne mer.

Hun krøp inntil meg. Vi lå og klemte hverandre lenge. Så rulla hun av meg og sukka.

«Hva har du uansett med det som skjedde med Farah å gjøre? Det er så teit.»

«Jeg vet», svarte jeg og smilte, men klarte ikke mer enn et halvhjerta et. Hun så det vel ikke i mørket, for hun hørtes oppmuntra ut og kyssa meg.

«Glem det nå», sa hun.

Respondent: Jamal
Bydel: Stovner
Innspillingsdato: 24. desember 2004

Yes, mann. God jul.

Digg med ribbe elle? Og akvevitt? Er det ikke det dere spiser på jula? På senteret, jeg sverger, overalt det står sånn reklame: «Billig ribbe!» Ikke no stygt ass, men dem greiene der ser ikke digg ut. Kjøttet er sånn rart og sånn, og det stinker dritt.

Men shit ass, jeg skal ikke kødde med deg, plutselig du lager kaos på meg. Sånn som Rash og sånn. Liksom, jeg krangla med han for litt sia ass. Om mat ass. Eller sånn, det var ikke krangel, det var mer diskusjon.

Du veit, liksom, sånn som meg da, jeg er ikke så flink med å spise halal. Bare jeg veit det ikke er svin, jeg spiser ting. Og før, Rash, han kjørte samma stilen. Men du veit hvordan han er, nå han skal bare spise halal og snakker som hele livet sitt han har gjort det.

Liksom, jeg er med Rash og vi møter Abel. Han sier: «Skjer a, gutta, skal opp på senteret og ordne no mat. Skal dere være med elle?» Vi bare: «Ja.»

Etter det, diskusjon starta. Liksom, Abel vil gå på Burger King. Rash vil gå på Terrassen, for der det er halal. Men Abel vil ikke ha burgern dems, for den er ikke så bra som på Whopper på Burger King, og Abel er kristen habesha, han driter i halal. Og jeg er sånn, samma faen, kanskje jeg er litt mer hypp på Whopper.

Liksom, Abel er litt tulling også, han blir skikkelig drittunge. «Da går jeg bare viggo på Burger King da. Jeg gidder ikke dra til Terrassen ass.» Og Rash også er litt tulling, liksom: «Ok, bare gå da.»

Jeg bare: «Fuck det her a. Hvorfor lager dere kaos?»

Liksom før, vi hadde ikke sånn problem, alle gutta drar sammen og spiser sammen, nå ting skal være kaos for en burger? Men jeg sverger, dem vil ikke høre, og til slutt Abel bare: «Rash, jeg gidder ikke det her ass, jeg går på Burger King.» Og Rash bare: «Greit, gjør hva du vil.»

Så han går. Og vi står der, jeg og Rash, og jeg sier til Rash: «Kompis, slapp av, det er ikke big deal liksom.»

Han bare: «Det *er* big deal, vi skal ikke gjøre det. Bare for at andre skal bli glad, jeg skal gjøre haram ting? Nei ass, kompis. Muslimer skal spise halal.» Han sier den siste greia med sånn blikk på meg, liksom jeg veit ikke ass, som liksom nå han skal fortelle meg hva som er hva, og jeg blir litt sånn irritert egentlig, men mere enn det jeg er sulten, så jeg bare:

«Vi går til Terrassen da.»

Men når vi er ferdig med å spise, veit du hva han sier elle?

«Du har keef, ikke sant? Vi tar en nattings a.»

Jeg bare får lættis. Sier til han, på sånn køddete måte: «Skjer med at du skal spise halal, men fortsatt du vil keefe?» Han blir litt pissed og sånn, bare: «Jeg har slutta å drikke da.» Jeg bare: «Hæ? Men jeg snakka om keefe, ikke drikking.» Han sier: «Du veit jeg ikke keefer så mye heller.»

«Ok, fuck it», sier jeg, men han er fortsatt på sånn diskuteringshumør.

«Hva, det står ikke på Koranen at du ikke kan keefe gjør det? Men det står at du ikke kan drikke alkohol», sier han.

Jeg bare: «Veit ikke ass, mann. Jeg tror ikke Gud er sånn, ok, ene dopen er braere enn andre dopen. Liksom, hvis du har stress med sånne ting, da du må slutte med alt.» Og jeg ser han blir irritert, og jeg sier til han: «Seriøst, hør a, jeg driter i hva du gjør, mann, det er ikke big deal liksom.»

Han bare: «Du veit ikke hva du snakker om, Jamal. Hadde det vært sånn som du sier, det hadde stått på den måten. Det gjør ikke det.»

Liksom, jeg starta å bli irritert da, når blidde han Gud og veit alt om hva Gud tenker? Men liksom, jeg var sånn, ok, vi henger ikke så mye som før, så det er ikke vits å lage kaos med hverandre, så jeg bare: «Ok, greit», og jeg holder kjeft.

Så vi avor til sånn sted. Jeg har glemt å fortelle deg om lampa elle? Ja ass, jeg sverger, mann, vi har verdens største lampe her på Stovner. Det er lenge sia den kom da. Men liksom, dem sier den er Guinness-rekord. Stygg som faen da. Ser ut som en sopp liksom. Som på Super Mario. Bare ikke rød og hvit, mer sånn grå og oransje.

I starten den lyste, hvert fall, som en lampe liksom. Nå den har slutta å lyse ass.

Men egentlig det er bra. Når du sitter der, det er ikke lett å sjofe deg. Når du går femti meter bort, du sliter heftig med å se folka som sitter der liksom. Bauersbilene kjører ganske nærme der, men dem sjofer ingenting.

Det har blitt den nye steden liksom. Masse folk går der for å keefe. Mest det er sånn fjortiser som henger der. Eller liksom, mange er sånn 16–17 år og sånn også.

Når vi nesten kom på lampa, Rash begynte å lage kaos med det. Bare: «Hæ? Henger du med dem?» Og han peker på sånn fjortiser som er der borte.

Jeg bare: «Hæ? Nei. Tenkte bare å sitte der liksom.»

«Jeg sitter ikke med masse fjortiser ass.»

Jeg sier: «Samma for meg, jeg bare sa det fordi det er en bra sted å få på.».

Han bare: «Glem det a.»

Så isteden vi avor på tunnelen ved Fossum skole og røyka der. Liker ikke den steden. Går ikke å sitte engang. Bikkjer pisser overalt der og sånn.

Men samma det.

Nå jeg må avor. Må til senteret og kjøpe ting før den stenger. Mat og sånt. Kanskje kjøpe no godteri til kiden her. Du veit, lage julestemning. Ha ha. Nei ass. Ikke no tre og sånn her. Men vi ser på tegnefilmene da. På morningen. Alle gjør det liksom. Og spiser digg.

Snakkes.

Fra: Mo <mo.1@hotmail.com>
Sendt: 31. desember 2004
Til: Lars Bakken <lars.bakken@nova.no>
Emne: Kartlegging av hverdagen til unge i Groruddalen

Hei

Pc-en vår hjemme har streika. Bruker en her på biblioteket på Stovner. De har åpent et par timer i dag.

Ble ferdig med tre eksamener før jul. Fordypning i makroøkonomi, blant annet, den var ganske vanskelig.

Det gikk bra da. Én B, men ... Greit nok.

Ellers har jeg forsøkt å gjøre det Maria sa til meg etter innflyttingsfesten, glemme det. Det har gått, nesten.

Farah har fortsatt å dukke opp fra tid til annen. Kvinnegruppa som ville starte et minnefond i hennes navn. FpU-eren som stilte i Dagbladet med en T-skjorte med bilde av henne på. Jeg leser fortsatt ingen av sakene, og når jeg tenker på henne nå, da klarer jeg liksom ikke å tenke at hun er herfra lenger. Jeg vet ikke, som hun liksom har blitt løst fra Stovner med det skuddet mot hodet og trykket til alles bryst.

Med jula roa alt seg. Farah forsvant, og Maria det samme, til Beitostølen. Hun kommer tilbake om et par dager. Jeg har ikke gjort så mye i mellomtida. Lest litt på pensum til noen kurs kommende semester, og venta på at hun skal komme hjem igjen.

Jeg kan sende deg en ny mail igjen når vi får pc-en hjemme i orden. Jeg får bare bruke pc-en på biblioteket i 20 minutter.

Godt nytt år.

Respondent: Jamal
Bydel: Stovner
Innspillingsdato: 15. januar 2005

Du veit ikke. Folk behandler meg som fuckings søpla dems.
Jeg sverger. Søppel.
Det er liksom, fordi jeg vasker biler, dem tenker dem kan si så mye dritt dem vil. Dem kan snakke til meg på sånn frekke måter.
Jævla drittfolka der.
Jeg er ferdig med den jævla bilvaskinga. Han fuckings albanern kan stikke den svampen opp i den feite ræva si.
Jeg fortjener respekt også, skjønner du? Jeg er ikke søppel, skjønner du?
Fittested ass.
Jeg skal aldri glemme det der, jeg sverger. Du skjønner hvordan folka er når du jobber sånn sted. Jeg har vært så hyggelig mot tisharer. Jeg har ikke sagt en dritt. Jeg har vaska fuckings tusen biler og fått betenning på skuldern. Men nå, jeg gidder ikke mer. Jeg skal finne flus en annen sted.
Fuck det her a.

Respondent: Jamal
Bydel: Stovner
Innspillingsdato: 1. februar 2005

Halla.

Alt bra elle?

Shit ass. Jeg er sliten kar nå ass. Vært på jobb og sånn.

Ordna meg ny jobb. Kødder ikke. Norsk Gallup Institutt heter den. Borte ved Gunerius der.

Forresten, jeg glemte å si til deg forrige gang jeg snakka til deg, hvorfor jeg slutta på bilvaska.

Liksom, det var ikke én ting, skjønner du? Mye av greia var liksom, det er slitsomt som faen. Du veit jeg har sagt til deg mange ganger hvordan kroppen min har vært ødelagt. Jeg klarer ikke sove ordentlig, fordi nakken min gjør vondt, sånn heftig hele tida. Jeg må ha tre puter. Neste uke, ryggen min er fucka og jeg får noia, liksom, kanskje jeg har fått prolaps på ordentlig ass. Og skuldern, den er helt ødelagt.

Men også da, liksom, folka snakker til deg som du er dritt på bakken, bare fordi du jobber der. Faen, jeg gjør jobb, jeg tjener flus, jeg gjør en bra ting, men folk skal disse meg liksom? Han ene karen ass. En norsk kar. Han kommer der med bilen sin. Fet Merce og sånn, greit. Arash og jeg starter å vedde om hvor mange hester det er på den. Liksom, han sier 180, jeg sier 170. Vi veit ikke sikkert, så jeg går til han og jeg sier: «Kompis, hvor mange hester er det på bilen din a?» Veit du hva karen sier? Bare: «Sorry, har ikke tid nå.»

Skikkelig overlegen. Så går han ut og står der og tar sigg og prater i mobilen sin. Jeg sverger, jeg hadde lyst til å slå han.

Jeg gøgga inni på bilen hans ass. Liksom under dashborden. Skikkelig svær gøgg.

Og en annen kar, han hora Shani fra første blokka på T.U.V., han kommer med Golfen sin. Tror han er så rå kar. «Åh, forloveden min i London, hun er så schpaa.» Fuck deg a, din dritt, alle veit bilden du viser, er av hun der fra India som vant Miss World. Forlova liksom. Fake som faen. Kommer og tror han er så rå. Liksom, hør a, det er en Golf, mann. Hvorfor tror du du er no? Hele Norge kjører den bilen der liksom.

Uansett, han sjofer meg der, og han sier til meg: «Hva gjør du her?» Jeg bare: «Jobber ass, du veit.» Han bare: «Seriøst, jobber du på det stedet her?» Liksom måten han sa det på ass, jeg starta å bli litt sånn, ganske pissed, egentlig, men litt sånn flau også, for plutselig han kan starte å si ting til masse folk: «Åh, veit du hva elle, Jamal vasker biler.» Så jeg sa til han hora: «Jeg jobber med mekanikerting her.» Han bare ledde liksom, peker på gummistøvla mine og sånn og sier: «Nei, nei, du vasker her. Mekaniker liksom», og får skikkelig lættis og sånn. Jeg hadde lyst til å slå han enda mer enn han norske karen ass. Jeg sier til han: «Check yourself before you wreck yourself liksom.» Han bare: «Hæ?» Jeg bare: «Ikke lek smart.» Han sier: «Bare kødder, bhaia. Slapp av.» Og han avor og ler samtidig.

Jeg skal ikke glemme han hora der. Wallah, vi skal se hvem sin tryne som ler mest på slutten.

Men ja ass, det ble for mye ting der. Så jeg stakk fra den steden. Bare sa til albanern, liksom: «Jeg avor ass, mann, og jeg kommer ikke tilbake.» Han sier til meg greit. Ikke mer ass. Bare gir så faen.

Jeg sier til deg, ingen respekt fra noen folk på den steden der.

Men fuck det. Jeg sverger, kroppen min er bedre nå. Jeg

merker det. Plutselig når jeg våkner, det gjør ikke vondt noe sted.

Så ja ass, Norsk Gallup Institutt nå. Mann, du veit ikke hvor lett det var å få jobb der. Jeg sverger, hadde jeg visst, jeg hadde gått der før.

Liksom, i starten jeg var så stressa. Bare, shit ass, plutselig jeg har ikke jobb, jeg har ikke flus, hva skal jeg gjøre.

Jeg går til Rash og sier til han: «Er det no jobb for meg på budgreiene dine?» Kjøre og levere ting liksom, høre på musikk og ta sigg på bilen, det er schpaa jobb ass, men han sier til meg: «Kompis, du veit jeg hadde hooka deg opp, men du må ha lappen ass. Dem trenger ikke folk som ikke har lappen.»

Så jeg møter Navid og en kompis av han på senteret, og jeg sier til Navid: «Hva skjer a, lenge sia», og han sier: «Bare jobber og sånn.» Jeg sier: «Hvor jobber du a?» Han bare: «Jeg jobber B2B med salg av strøm.» Jeg liksom: «Hæ? Hva mener du?» Han sier: «Jeg selger strømavtaler til bedriftskunder.» Jeg sier til han: «Kan du hooke meg opp med jobb der elle?» Han sier: «Ok, på videregående, tok du noen økonomifag eller markedsføring eller salg?» Jeg sier: «Nei ass.» Han sier: «Sorry ass, mann, det blir vanskelig da.» Jeg sier til han: «Har du sånne greier?» Liksom, Navid var ikke så seriøs på videregående heller. Han sier: «Jeg har begynt på BI nå ved siden av jobben.» Jeg bare: «Ok ...»

Da han kompisen til Navid sier til meg: «Jeg kan sjekke hos oss om det er ledig jobb.» Jeg sier: «Hvor jobber du?» Han sier: «Jeg jobber deltid med salg. I Torggata. Jeg selger krill.» Krill liksom, hva faen er krill? Han starter å snakke om det, liksom, sier det er sånne tabletter lagd av fisk. Nordmenn er gærne etter dem. Dem elsker sånn fisketing. Du veit, tran og sånn. Han mener han tjener masse flus, men liksom, jeg sjofer på karen, og han er sånn som Navid, du veit, iraner, skjegget er liksom så ordentlig barbert, med sånn kanter og sånn, trent litt eller bola litt, jeg veit ikke, men har litt bra kropp, og du veit, masse gelé på håret og skjorte og sånn.

Han er sånn selgerkar. Jeg er ikke sånn selgerkar. Glem det. Liksom, ikke faen om jeg står på den vinterlanden her og prøver å selge fisk på gata. Jeg sier til han: «Veit ikke helt ass.»

Da Navid sier: «Hvorfor ordner du deg ikke jobb på Norsk Gallup? Du trenger ikke søke engang. Bare dra dit hver tirsdag og torsdag klokka fem.»

Og Navid hadde helt riktig.

Jeg drar der og kommer til sånn venterom, du veit, som på legen, og det er kanskje ti andre folk der. Alle mulig folk ass. Liksom, en dame var kanskje sånn femti år. Men en annen dame kommer inn på venterommen, litt sånn pene klær og sånn, og hun sier til oss: «Alle kan bli med meg», og vi går med hun til en annen rom. Der er det bare pc-skjerm og telefon og alle har liksom sin pult. Som på skolen, på en måte, bare med telefon da. Og skjerm.

Vi får sånn oppgave. Sånn, liksom jeg må ringe hun dama som sitter foran meg og si til hun tre spørsmål som er på skjermen. Og hun skal liksom late som hun er vanlig person som tar telefon. Det var lett da. Liksom, litt som skuespill. Jeg er ikke dødsbra på skuespill, men du veit, jeg har jugd mye til lærerne og bauersen og sånn. Ha ha.

Jeg bare sa sånn: «Hei, jeg heter Jamal. Jeg ringer fra Norsk Gallup institutt.» Med skikkelig sånn sossemåte å snakke på. Ha ha, du veit ikke ass, mann, jeg var så nærme å få lættis av meg selv. Og liksom etter det, jeg leste dem spørsmålene, hun dama kommer forbi, hører, sier det var bra, og det var det.

Alle folka fikk jobb. Bare, ta med skattekort første dag du starter. Sånn var det. Jeg sverger.

Jeg bare gikk der på sånn kontor på Tøyen og henta den skattekorten, og så jeg starta å jobbe.

Liksom, Jamal har ordentlig jobb og betaler skatt.

Kaos ass!

På en måte, den jobben er litt som din jobb da, ikke sant? Liksom, snakke med folk, og dem skal fortelle deg ting du trenger, og sånn.

Shit ass. Jeg driver dobbel forskning liksom.
Ha ha.
Men nå jeg må sove snart ass, mann. Det er seint ass.
Peace

Fra: Mo <mo.1@hotmail.com>
Sendt: 21. mars 2005
Til: Lars Bakken <lars.bakken@nova.no>
Emne: Kartlegging av hverdagen til unge i Groruddalen

Etter at Maria kom tilbake fra juleferien på hytta, har det bare vært henne. Enda oftere enn før, nå de siste månedene. Som om vi er svaner. En av de få artene som lever i isolerte par. Det var Maria som sa det, for litt siden, en funfact, jeg vet ikke, men det minner meg om oss. Svaner på kino, på kaféer, på turer i byen. Svaner på Blindern, i lesesalen, på Frederikke, på trikken. Og hver gang flyter vi tilbake til leiligheten i Grønnegata. Der bare vi er. Hun møter ikke vennene sine så ofte nå. Noen ganger, tror jeg, uten meg. Et par ganger har vi begge truffet på dem i korridorene på SV-fakultetet eller et annet sted på campus, og utveksla noen ord. Ikke noe mer. Jeg ser ikke foreldrene særlig ofte heller. Med leiligheten behøver vi ikke være på Lofthus lenger, og de gangene jeg er i Grønnegata, er de sjelden der. Det er ikke sånn at hun ber meg om ikke å komme om de er der, eller noe sånt, jeg vet ikke, det er liksom mer som om veiene våre bare ikke krysser hverandre.

Ingen av delene gjør meg noe. Egentlig. Jeg har henne, i hvert fall. Den som uansett betyr mest. Jeg fordyper meg i akkurat det, i henne, så mye at jeg noen ganger nesten glemmer henne oppi det.

Jeg håper hun er glad nå, hun også. Jeg tror hun er det. Hun smiler ofte og ler mye. Hun pleier å synge til musikk på tv-en og høres helt forferdelig ut, men hun bryr seg ikke. Hun gjorde kanskje det før også, når jeg tenker over det. Men hun ser glad ut, synes jeg. Og hun er varmere enn før. Klemmer meg mer og lenger. Ringer hver eneste kveld vi ikke er sammen. Hun sier ofte hvor mye jeg betyr for henne og hvor glad hun er i meg.

Jeg mener, vi har øyeblikk vi også, sittende på hver vår side av sofaen tause, eller jeg drar hjem til Stovner sur eller angrende, eller begge deler. Det hender jeg irriterer meg over hvor rotete hun kan være. Klærne hun bare slenger fra seg på sofaen når hun kommer hjem. Eller oppvasken som ikke tas før jeg tar den. Eller at hun distraheres så lett, som på lesesalen eller i butikken når vi skal handle. Men det er bagateller, egentlig, aldri fundamentale greier. Aldri noe som det tar langt tid å komme tilbake fra og som krever svære handlinger, jeg vet ikke, blomster og sånn, sånne ting de gjør på tv. Vi har ikke trengt det. Vi flyter av gårde, og det er skikkelig bra, egentlig, bare å flyte, gjennom dager nå med sur vind og masse regn, lange forelesninger og kvelder foran tv-en. En sånn dag i forrige uke satt vi i flere timer foran laptopen hennes og så på bilder av asurblått hav og gule sandstrender. Vi fikk endelig gjort det vi snakka om forrige sommer. Bestilt en reise sammen.

Vi reiser på langhelg til Spania om en måned!

Vi har pc igjen hjemme, forresten, men det skjønte du kanskje. Det tok en stund. Faren min prøvde å fikse den selv. Jeg aner ikke hvorfor, han har ikke peiling på sånt. Men han åpna hele greia likevel og fikla med noen tråder. Så tok han den med til en fyr han kjenner på Stovner. «Skikkelig ekspert på alt datating. Han fikser den.» Eksperten sa den ikke kunne fikses. Noen tråder hadde røket.

Vi har en ny en nå. Vi kjøpte den på Elkjøp. På avbetaling. 400 kroner i måneden i tolv måneder. Jeg sa til faren min jeg kunne chippe inn siden jeg bruker den mest.

«Slutt med sånt tull», sa han og så bare dumt på meg. «Når du blir ferdig med skolen, da får vi se.»

Jeg lot det ligge. Egentlig var det greit. For jeg trenger mer penger.

Penger er ikke noe problem, vanligvis. Stipendet er helt greit, og Maria og jeg deler alltid på det vi kjøper av mat og annet. Klær kjøper jeg stort sett fra H&M. Det er billig der, og de ser ok ut, og jeg slipper de plagsomme selgerne på Carlings og Varners. Så kommer månedskort, kontantkort og røyk og den slags i tillegg. Men jeg går greit i null, stort sett, noen ganger litt i pluss.

Men den turen kosta såpass mye at jeg ikke har noe igjen, virkelig ingenting, og jeg kan ikke dra ned dit og la Maria spandere hvert eneste måltid heller.

Jeg fikk meg liksom ikke til å nevne noe om det for henne da vi bestilte, jeg vet ikke, kanskje kunne jeg gjort det, men jeg har ikke lyst til snakke om penger, stipender og alt det der med henne.

Jeg tror heller jeg skal gå til faren min og spørre om han har mer.

Fra: Mo <mo.1@hotmail.com>
Sendt: 25. mars 2005
Til: Lars Bakken <lars.bakken@nova.no>
Emne: Kartlegging av hverdagen til unge i Groruddalen

Jeg har skaffa lommepenger til Spania. Jeg gikk til faren min. En studietur, sa jeg. Obligatorisk.

«Studietur til Spania ...» Leppene hans snurpa seg innover. «Har dere tenkt å studere på den turen eller bare holde på med fester og bading?»

«Studere, selvfølgelig!» svarte jeg forferda. «Men det koster litt å være der ...»

Faren min klødde seg på haka.

«Han fortjener det», sa moren min som fulgte med på avstand. «Han studerer så hardt.»

Faren min bet i seg et eller annet han holdt på å si til henne.

Jeg fikk to tusen kroner.

Jeg liker å tenke på det moren min sa, at jeg fortjener det. Likevel, jeg tenkte litt på det andre også. På pc-en og tolv avdrag. På den andre reisen, den for hele familien, som de to tusen kronene som nå er mine, flirer hoverende til.

Men, jeg skal kjøpe med noe til dem, det har jeg tenkt. Suvenirer. Og mer enn det. Når jeg blir ferdig på Blindern, skal jeg holde det løftet. Jeg skal spandere hele greia på dem, hele den turen, og på veien, med et av de flyene faren min søkte etter, skal vi mellomlande i Paris og bli der noen dager, og vi skal dra til EuroDisney og bo på et bra hotell som vi kan bestille room service på, og ta helt av, sånn som Kevin gjør i «Alene hjemme 2», og så skal vi ta heisen helt opp til toppen av Eifeltårnet og se hele byen, og vi skal gå rundt i gatene der og få malt rare malerier av oss selv. Og når jeg legger de billettene på bordet, kanskje midt under en middag, eller en frokost, jeg har ikke bestemt meg ennå, da kommer Asma og Ayan til å bli helt ville. De kommer til å hyle, enda høyere enn når Shani spruter vann ute på gata, og de kommer til hoppe opp og ned, og foreldrene mine vil ikke klare å roe dem ned, og de vil ikke det heller, for de er så stolte og bare står og ser på meg.

Jeg føler meg bedre nå.

Jeg gleder meg til å reise. Skikkelig.

Respondent: Jamal
Bydel: Stovner
Innspillingsdato: 2. april 2005

Hey Vato

Que pasa, homes? Ha ha. Sorry ass. Så Blood In Blood Out i går. Sett den før da. Vi pleide å digge dem filmene så jævlig mye ass, du veit ikke. *Menace II Society*, *Boyz 'n the Hood*, og *Juice* ass, med Pac og sånn, den er så rå da. Liksom: «Sip the juice, I got enough to go around, and the thought takes place uptown. I grew up on the sidewalk where I learned street talk.»

Så heftig ass.

Og *La Haine*. Har du sjofa den elle? Den er om sånn franske svartinger på ghettoen i Paris, og dem bare går rundt og hustler og får på og alt mulig kaos. Til slutt han ene av dem blir drept av bauersen.

Men liksom. Det var lenge sia jeg har sjofa dem filmene ass, så i går jeg ordna tre av dem og tok all nighter.

Shit ass.

Dem filmene, dem tok meg back in the days ass. Det var rå tid da, jeg sverger. Vi hadde så mye bra tid ass, du veit ikke. Det var sånn, når vi var fjortiser og sånn, liksom, alle var rå fordi ingen trengte å være rå, skjønner du hva jeg mener? Liksom, ingen trengte en dritt. Alle bare gikk på skolen. Alle bare hengte ute på gata her hver dag. Alle bare gleda seg til helga, Friday, the high day, bare sitte ute eller hjemme hos folk og keefe, høre på no heftig musikk, sjofe på filmer sammen, og lørdag, alltid en party en eller annen sted, søndag, bare snakke om alt det syke greiene som skjedde på den partyen og keefe litt mere og høre på mere bra musikk.

Nå, liksom, alle gjør ting.

Folka går til BI. Folka jobber. Folka har damer.

Som ekte Wu-Tang, liksom alle lager egen album.

Ting er ikke samma ass.

Liksom, plutselig Rash kommer på døra mi, på fredag liksom: «Skjer a, Jamal, bli med på moskeen elle?»

Jeg bare: «Ehh ... tenkte å slappe av litt ass, du veit, fredag og sånn, kanskje få på en nattings etterpå.»

Han bare: «Det er jummah da, bli med a.»

Liksom, han bare står der og venter, og det er sånn, hva skal jeg si, og han sier: «Tar ikke lang tid da», og til slutt jeg bare: «Ok, bare la meg gjøre wudhu først.»

Vi går på moskeen. Mest den er bare en stor rom liksom og teppe på hele greia, ikke no mer. Og nede det er noen andre rom også da. Sånn doen og kontor og en sånn arbeidsrom. Vi sitter oppe der mens han imamen prater om ting og tang. Sånn vanlige ting, på en måte. Dere må være gode mennesker. Hjelpe andre. Sette pris på familien deres. Jeg tenkte liksom, imam, bror, jeg prøver ass.

Så var det beinga, og jeg starta å stresse. Liksom, ok, jeg driter litt i om andre folk på moskeen på Grønland sjofer at jeg fucker opp ting, men liksom nå, det er på Stovner, og det er Rash og Mustafa. To ganger jeg loka skikkelig. Jeg holdte på å starte å bøye meg ned, men alle andre bare stådde. Det var svett ass. Jeg håper ingen sjofa det. Jeg håper ikke det ass.

Men det var greit også. Det var en schpaa dame der. Ikke mens vi bedde da, men liksom, hun hengte nede på første etasje med noen kids. Liksom, no skolegreier eller no.

Når vi er ferdig, Mustafa kommer til meg, liksom: «Bra å se deg her, Jamal. Du må komme hver jummah.» Jeg tenkte liksom, tror ikke det ass, men så jeg sjofa litt på hun dama, og jeg sier til han: «Kanskje ass, mann.»

Etter det Rash og jeg går ut, og Rash også snakker om at det var schpaa jeg var med, og hvordan etter han starta å gå der, livet hans har blitt bedre. Bare: «Som jeg har dusja og dritten er borte, skjønner du hva jeg mener? Arsko damer, feste, alt det der, mann, jeg sverger, det betyr ikke en dritt ass. Nå, det er tilbake til alt det brae. Tilbake til det viktige, skjønner du?» Jeg bare: «Ja», men egentlig jeg tenkte litt sånn, tilbake til hva? Livet mitt er nesten det samma hele livet.

Og vi går litt, og jeg starter å gå ned, liksom, den veien som går mot lampa, og han sjofer på meg, liksom, hvor skal du? Jeg sier til han: «Tenkte å få på en nattings, skal du være med?».

Han bare stopper helt. Liksom: «Seriøst. Vi har nettopp vært på moskeen og bedd og du skal få på nattings?»

Når han sa det på sånn måte, det høres ganske tæz ut, men samtidig liksom jeg tenker sånn, ok, Gud veit jeg får på uansett, skal han bli mer pissed på meg fordi jeg gjør det etter moskeen? Og jeg sier det til Rash, men han bare: «Du snakker mye piss ass, Jamal.»

«Så, du veit alt elle?» sier jeg.

«Mye mer enn deg, hvert fall», sier han, på sånn frekk måte, liksom ler litt når han sier det. Liksom disser meg.

Og du veit det her er ikke første gangen han skal si til meg hvordan ting skal være. Det er sånn, jeg veit ikke ass, som han prøver å kalle meg fake muslim eller no, skjønner du?

Og da jeg blir pissed som faen.

«Liksom, ikke lek deilig med meg, Rash. Jeg kødder ikke. Ikke lek altfor schpaa nå. Jeg kjenner deg fra du var drittunge.»

Han bare: «Hæ, hva snakker du om?»

Jeg sier til han: «Hva, du går på moskeen, men fortsatt du keefer?»

Han sier: «Jeg har stoppa å keefe. Forrige gangen med deg var siste gangen.»

Og vi begge to holder litt kjeft.

«Sier til deg, er ferdig med å leke rundt», sier han.

Jeg sier: «Ok, bra for deg da.»

Så blir han litt mer vanlig.

Han sier: «Hør a, mann. Jeg sier bare de tinga her til deg fordi de er bra for deg også liksom.»

Jeg bare: «Ok, greit.»

Og så vi går sammen til T.U.V., og når vi kommer der, vi sier snakkes, og vi shaker og er homies. Han går til sin oppgang. Jeg går til min oppgang.

Og så jeg går ut igjen og avor til lampa.

Salaam.

Fra: Mo <mo.1@hotmail.com>
Sendt: 3. mai 2005
Til: Lars Bakken <lars.bakken@nova.no>
Emne: Kartlegging av hverdagen til unge i Groruddalen

Maria halvsov i taxien på vei fra flyplassen til hotellet. Hodet hennes lå tungt i fanget mitt. Jeg liker henne sånn. Som om jeg er sterk, jeg vet ikke, eller kanskje at hun er svak. Jeg så ut på et støvete, men likevel grønt landskap. Mer kaos enn Oslo. Villere trafikk. Mer søppel langs veien. Litt som på bildene i albumene hjemme.

Hun reiste seg opp og gned seg i øynene.

«Hvor er vi?» spurte hun. Utafor hadde landskapet forandra seg. De trøtte tettstedene var bak oss. Det lukta eksos. Drosjesjåføren tuta på bilen foran og klødde seg i den svette panna.

Vi var i sentrum. Nattklubber og restauranter med europeiske flagg og uteserveringer med rosa ansikter. Falske fotballdrakter i stativer på gata. Små 24-timers supermercados. Vi passerte de travleste gatene og kom ut mot kysten. Et par vindkast snek seg velkomment inn det halvåpne vinduet. Et skilt pekte på en mindre vei mellom en rekke med palmer. Vi stansa foran et hvitt bygg med et stort skilt på taket:

Hotel Continental

Koffertene våre hakka over flisene i en stor og kjølig glasslobby. Maria gikk først. Hun snakka med resepsjonen, sjekka inn og fikk to nøkkelkort. Hun spurte mye. Om når frokosten ble servert, hvor lenge bassenget var åpent, om de arrangerte dagsturer. En piccolo tok koffertene våre. Vi tok heisen tre etasjer opp. Rommet lukta såpe og var dobbelt så stort som det jeg har hjemme. Det var en balkong også, med utsikt over en hage med rosebusker og et stort, blått svømmebasseng.

«Se!» ropte jeg. Maria lo.

«Du er morsom», sa hun da hun kom ut til meg. Hun klemte seg inntil meg bakfra, og hvitt stoff fra gardinene blafra bak oss i vinden. Jeg husker jeg tenkte at vi ligna et av bildene fra reisekatalogen.

Dagene var like. De begynte under en brutal sol nede på stranda. Vi var der i mange timer og solte oss. Maria for det meste. Det var for varmt for meg, og jeg er brun nok. Jeg lå under en parasoll eller bada. Ikke svømte. Jeg er ikke flink til det. Jeg kaver og stresser og er utslitt etter tre meter. Maria trodde ikke på meg.

«Slutt å tulle, kom», sa hun og dro i armen min da vi sto med bølger til hoftene. Jeg dro hånda hardt tilbake, for hardt, hun så nesten skremt ut. Hun lot armen min være. Jeg sa jeg visste om sikkert tjue andre som ikke kunne det, hvert fall kunne de det ikke da vi hadde svømming i sjette. Hun kunne ikke komme på noen. Jeg vassa mye, eller ble igjen ved vannkanten og lot bølgene skylle vann og sand over meg, mens Maria svømte rundt i havet som en delfin.

Etter stranda sov vi en time under tynne laken, dusja fri for svette og sand, før vi gikk ut igjen når sola sto lavere. Vi tok taxi inn til utkanten av sentrum, og så bare gikk vi i noen timer. Ingen plan, utover å gå i gater som var like vanskelige å skille fra hverandre som dagene.

«Det her er så koselig», sa Maria flere ganger mens vi vandra rundt blant sandfarga og hvite bygg og rekke på rekke av små og støvete biler med folie innafor frontruta. Jeg syntes det var litt rart, jeg vet ikke, det å si at noe er koselig mens man har det koselig. Som en lærer på Rommen. Hun sa det hele tida. Hun klappa henda sammen og sa: «Nå har vi det jammen koselig» bare vi satt og spiste sammen, og da måtte vi smile alle sammen til henne og si at det hadde vi. Jeg tror jeg er mer i preteritum. Det tar liksom litt tid før jeg forstår sånt.

Vi var i mange butikker. Maria handla ikke så mye, men likevel brukte hun timer der inne. Like opptatt av det trettende plagget som det første, av dyre skjerf i småbutikker og billige suvenirer på et supermarked. Jeg sto mest utafor og røyka billig spansk røyk.

En gang var vi i en gammel del av byen og fulgte et smug som var så trangt at vi nesten ikke så himmelen over oss lenger. Det hang klær til tørk på snorer på tvers, noen ganger så lavt at vi måtte bøye oss under dem for å komme videre. Det lukta frityrolje og fisk fra vinduene vi passerte. Smuget endte i en stor plass, som en liten elv som renner ut i havet, og på enden av plassen lå det en gammel og nedstøvet kunstbutikk. Maria insisterte på at vi skulle gå inn i. En jente på vår alder, med lange krøller og røde briller, satt på en krakk i et hjørne og tasta på mobilen sin. Det var noen bilder der av prismer og bokser, gjennomsiktige, sånn at vi kunne se alle vinklene, liksom geometri malt på et lerret, de var ganske fine. De fleste andre var ok. Falmede landskapsbilder, eller helt abstrakte og uforståelige, selv om det virka som Maria så noe i hvert eneste. I bildet av en gammel mann og kone, sittende i hver sin stol i det som ligna slags tømmerhytte, der så hun ikke bare et bilde av et ekteskap, hun så hele filmen, og om et bilde av en varm, oransje kjerne, med stadig mørkere sirkler rundt, sa hun:

«Kanskje den som malte det, var blitt kasta ut av leiligheten sin og ikke hadde noe sted å gå. Kanskje hun satt ute på gata og frøs», hun pekte på de mørke sirklene, «og alt hun kunne tenke på, var varme, og det viser det, liksom hennes innerste drømmer der og da.» «Ja, kanskje det», sa jeg.

Vi var der sikkert en time. Gående sakte fra bilde til bilde, hun først, mens jeg stirra lengelsfullt på krakken til jenta.

Jeg lå litt bak henne hele turen, føltes det som.

Vi spiste på tilfeldige restauranter, stort sett i åttetida, også restaurantene var veldig like hverandre. Spesielt de inne i sentrum. De samme menyene på de samme fire–fem språkene, samme papas fritas uansett hva jeg bestilte, og bortsett fra de som serverte og meg selv, de samme rosa ansiktene. En gang satt et gammelt ektepar og kikka bort på oss under hele måltidet, som om de prøvde å løse en eksamensoppgave. Da føltes det ikke helt som vi var det bildet fra reisekatalogen likevel.

Nesten like dager, men fine dager. Det var uvant å være sammen hver time i døgnet så mange dager på rad, og et par ganger føltes det klamt, jeg vet ikke, jeg savna liksom å dra hjem til Stovner alene, men oftere enn det grudde jeg meg til å komme tilbake til Stovner og ikke ha henne med meg hele tida.

Det var egentlig Spania. Ja, og katter overalt. Jeg har aldri sett så mange av dem. Under parkerte biler. Mellom bena våre på restauranter. På fortauene utenfor butikker. «Det er flere i Hellas», sa Maria. Det vet jeg ikke, men det var mange katter i Spania, i alle fall.

Vi var slitne da vi boarda flyet. Flere dager på asfalt, og timer i butikker og på flyplassgulv, hadde gjort anklene mine hovne og knærne stive. I en suvenirbutikk fant jeg det jeg trengte til dem hjemme. T-skjorter med teksten «Viva España» over en matador til småsøknene mine, en kopp med samme motiv til faren min, og en tallerken med et kart over Spania til moren min.

Inne på flyet var det knæsj gult, trange seter og skolerett rygg. Vi kikka gjennom bilder, på den lille skjermen på Marias digitalkamera. Jeg plaska i bølgene. Hun hadde en stor solhatt og stripete bikini. På et annet svingte hun seg rundt i rosehagen, med armene ut og kjolen flagrende. Hun ligna på en dervisj. På ett står vi med armene rundt hverandre på strandpromenaden mens sola går ned i Middelhavet. En tysk turist tok det, og selv om det var skumring, kan du se den rosa nesa Maria fikk siste dagen da hun prøvde seg på en lavere solfaktor.

Tre norske menn satt foran oss, sikkert femti år gamle, og

drakk drink etter drink, som om de forsøkte å drikke kalenderen under bordet. De støyet veldig, ropte «darling» og «baby» til flyvertinna, ba henne om å «give us some more of that», og lo seg skakke hver gang de gjorde det. Jeg har ikke sett voksne folk drikke på den måten før, så mye og så åpent, bortsett fra fyllikene i Tante Ulrikkes vei. De som lå og sov på benker noen ganger på sommeren, eller rava rundt og skrek uforståelige ting. Jeg var veldig nysgjerrig, husker jeg, alle var det, og redd for dem, de annerledes voksne, uten kontroll over seg selv, som drakk øl. Jeg pleide å nistirre på dem, jeg klarte ikke la være, som om de var ville dyr, helt til moren min ba meg se en annen vei og førte meg i bue rundt dem.

Jeg vet ikke hvor det ble av dem, de er ikke her nå lenger. George er her, men han drikker ikke som dem, og sover ikke på benkene heller, det er bare noe feil med han, uten at noen helt vet hva. Men jeg tenkte på dem da jeg satt og så på bakhodet til de tre mennene, mindre en halv meter foran meg, men like langt borte som fyllikene i Tante Ulrikkes vei fra gamle dager.

«Herregud, jeg blir så flau over å være norsk noen ganger», sa Maria og la hendene foran ansiktet.

Det var midnatt da vi landa på Gardermoen. Kald luft, selv om vi gikk i en tunnel fra flyet og inn på flyplassen. På taxfreebutikken hadde de vanvittig billig røyk. Jeg mener, en kartong for 189 kroner. Jeg ville ha tre av dem, men Maria sa det bare var lov med én per passasjer. Hun tok boardingkortet mitt og to av kartongene og fortsatte innover i butikken, mens jeg fant bagasjen vår på rullebåndet og sa jeg skulle møte henne utafor.

Jeg var på vei gjennom grønn sone, men tenkte ikke på det, bare på at jeg kunne røyke igjen om noen meter, da skulderen min ble holdt tilbake.

«You. Hey you. Hold on.» Jeg snudde meg mot en tettbygd og nesten skalla mann med rødlig fippskjegg. Han sto unaturlig nære meg. Bare centimetere unna. Jeg rygga instinktivt, rett inn i en annen og større mann.

«We need to talk to you», sa den minste. Han viste meg et ID-kort. Politiet.

«Hva?» stotra jeg.

«Noen ord. Vi trenger noen ord med deg», gjentok han på norsk.

«Ehh ... Ok. Hva vil dere?» spurte jeg forvirra. Den store tok tak i håndleddet mitt.

«Kom nå», sa han.

Det var da Maria kom.

«Men, hva gjør dere?» spurte hun måpende. To handleposer dingla slapt fra hendene hennes.

Grepet rundt hånda mi løsna litt.

«Hvem er du?» spurte den minste.

«Kjærsten hans. Hva gjør dere?»

«Mistanke om ulovlig innvandring», mumla den store og viste frem ID-kortet igjen.

«Hæ? Ulovlig innvandring? Hva snakker dere om?» ropte jeg da jeg forsto hva som skjedde. Trøtte reisende våkna. De så nysgjerrig og litt skremt på meg, før de slo ned blikket og passerte med raske skritt og god avstand, ut til ankomsthallen der det sto det enda flere og stirra i korte glimt mens skyvedørene åpna og lukka seg.

Maria hadde funnet frem boardingpassene våre og forsøkte å vise politimennene at vi kom sammen. De sa hun måtte la dem få gjøre jobben sin.

«Er dere helt gale?» hørte jeg henne si, så ble jeg ført inn en dør som smalt igjen.

Det var et slags venterom innafor. Helt hvitt med en uniformert politimann bak et lite glassvindu og noen dører. Jeg ble plassert på en benk ved siden av en middelaldrende afrikansk mann. Politimennene ba om passet mitt og mobiltelefonen og forsvant. En asiatisk dame kom ut av den ene døra, smilte kort mot oss og forsvant ut.

Den afrikanske mannen snakka til meg. På brokete engelsk, med arabisk aksent. En brun, tørr hånd strakte seg mot meg. Abdurrehman. Kledd i en slitt, beige penbukse, korterma skjorte og brune skinnsandaler. Ansiktet var værbitt og en tynn bart lå over de sprukne leppene.

«Muselman?» spurte han smilende da jeg sa navnet mitt. Jeg nikka.

«Alhamdulilah», sa han.

Jeg spurte hvor lenge han hadde venta. Noen timer, sa han. Han søkte asyl. Fra Sudan. «Politiske problemer.» Han sa ikke mer om det.

«Hvilket land kom du hit fra?» spurte han, og jeg holdt på å si Spania, før jeg forsto hva han mente.

«Herfra», svarte jeg. «Her fra Norge.» Det så ikke ut som han helt forsto.

Han ble henta inn rett etterpå. Jeg satt alene. Ikke redd, egentlig, jeg var sikker på at de skulle slippe meg med en gang. Men jeg ble sittende lenge. Tre timer, kanskje mer. Jeg hadde ikke klokke på meg. Benken var hard mot en allerede stiv rygg. Forsiktig kløe første halvtimen. Så intens verking. Til slutt klarte jeg ikke sitte lenger.

«Du, vent til det er din tur.» Politimannen bak glasset banka to ganger på det og pekte ned på benken. Jeg gikk smilende bort til han.

«Jeg skal egentlig ikke være her», sa jeg. Han så matt på meg. «Sett deg ned igjen, du. De kommer snart.»

«Men jeg ...».

«Sett deg ned.»

Jeg gjorde som han sa.

En ny politimann stakk hodet ut en av dørene og vinka meg inn. Jeg kom inn på et kontor. Politmannen satte seg bak et skrivebord med en pc. Han som hadde sittet bak glasset, satt i en stol bak meg i hjørnet. Det var lysrør i taket som gjorde rommet sterilt og fikk en bukett med kunstige blomster på skrivebordet til å se enda grellere ut.

Politimannen bak skrivebordet så granskende på meg. Jeg smilte.

«Så ...», sa han. «Du har splitter nytt pass, hvorfor det?» Han holdt det skinnende, røde passet foran seg.

«Det gamle hadde gått ut», svarte jeg. Han skrev noe inn på pc-en.

«Hvor har du lært språket så godt?»

«Ehh ... Her.» Jeg smilte igjen, alt jeg bare klarte nå, men spørsmålene fortsatte. Korte, kontante trykk på en avtrekker. Blikket til politimannen veskla mellom skjermen og meg.

Hvilken skole gikk jeg på som barn? Hva het statsministeren? Når ble Norge uavhengig fra Danmark?

Jeg klarte ikke smile mer. Ryggen fortsatte å verke. Hodet også. Jeg hadde vært våken i nesten et døgn. Da han ba meg gjengi andre linje i «Ja, vi elsker», bikka det helt over. Jeg slo ut med armene og ropte til han:

«Hvem faen tror dere egentlig at jeg er a?!»

Jeg hørte lyden av en stol som skrapte mot gulvet. Politimannen bak meg sto over skulderen min. Kollegaen bak skrivebordet ga tegn til at det var i orden.

«Hvem faen du er?» smatta han og lente seg tilbake i kontorstolen. «Ja, det er jo det jeg prøver å finne ut av da.»

«Jeg har bodd her hele livet», sukka jeg oppgitt. «Kan jeg gå nå?»

Han tasta inn noen ord til. Så forsvant han ut.

Da han kom tilbake, plystra han. «Du kan gå», sa han. Han ga meg passet og mobilen i hånda. «Må bare sjekke noen ganger vettu. Sånn har det blitt. Kan aldri være for sikker. Men nå er du i alle fall fri igjen.»

En kvinne moppa gulvet. Et middelaldrende ektepar så forvirra på tavla over ankomst og avganger. Jeg fant Maria oppå koffertene våre med ryggen mot veggen. Øynene var lukka. Hodet lå i den ene hånda. Jeg vekka henne ikke med en gang. Jeg sto og så på henne, mens en klump bygde seg opp i halsen min.

«Kan vi dra hjem? Er du fri?» Søvnige øyne så opp mot meg. Jeg tok tak i hendene hennes og løfta henne opp.

«Tror det», svarte jeg.

«Hva mener du?» spurte hun.
Jeg visste ikke helt selv.

Vi tok en taxi til Grønnegata. Øyelokkene mine var lukka, men lysrørene skinte ennå bak dem. Maria var våken, og sint.

«Det går ikke an. Du er jo født her. Du er like norsk som alle andre, du.» Hun sa det sikkert fem ganger i løpet av den kjøreturen. Jeg smilte til henne, men orka ikke svare. Jeg orker fortsatt ikke.

Respondent: Jamal
Bydel: Stovner
Innspillingsdato: 5. mai 2005

Fuck Norsk Gallup ass. Slutta der.

Slapp av a, ikke start å tenke sånn, ok, så han slutta enda en jobb ja. Hva er problemen hans a? Hva er det han driver med?

Jeg trenger ikke mere sånn. Moren min gidde meg nok. Men hun veit ikke ass, og du veit ikke, det var *så* tæz jobb.

Når jeg var der, jeg kødder ikke, jeg følte jeg er med på Matrix. Du veit på filmen der han bare våkner og finner ut han er kobla på ledninger og dem skal bruke han som mat til hjernen sin eller no?

Sånn er det med Norsk Gallup.

Hør a, du sitter der fem timer. Liksom, du tenker det er ikke så mye, ikke sant? Tro meg, når det bare er en kvarter pause, det er mye. Og dem måler den, mann! Dem har sånn program som ser hvor mye du ringer. Og hvis ringetida di ikke er sånn 90 prosent eller no, det kommer advarsel til sjefene, og dem tar og snakker med deg.

Jeg sverger.

Eller hvis du ikke har gjort ferdig nok samtaler, sjefene kommer også og prater med deg. Det er helt gærne greier. Og den telefonen, den bare ringer. Med en gang du legger på med en kar, den ringer selv til neste kar. Liksom, jeg kan ikke slappe av en sekund når jeg er ferdig engang, den bare ringer ny kar. Og én samtale er liksom tjue minutter. Veit du hvor vanskelig det er å få folk til å snakke med deg i tjue minutter. Liksom: «Ehh, hei, vil du svare på ting om såpa du bruker og banken din og fuckings alt rart på en gang, i tjue minutter?» Dem bare: «Nei», og legger på. Eller dem sier: «Du kan få ti minutter.» Og jeg bare: «Nei, det tar tjue», for hvis jeg ikke får hele undersøkelsen ferdig på samtalen, den tells ikke. Eller dem sier: «Nei, barna mine skal sove nå», eller gamle folk, hvis du ringer dem sånn klokka ni, dem blir skikkelig pissed på deg. Sier til deg du kan ikke ringe så seint.

Og du må spørre dem sånn: «På skala fra 1 til 5, der 5 er veldig bra og 1 er veldig dårlig, hvilken tall vil du gi på den såpa du bruker til kjøkkenen din?» Og folk sier: «Ehh, jeg vet ikke, jeg, den er helt ålreit.» Og jeg liksom har lyst til å si: «Stapp helt ålreit opp i ræva di, jeg trenger en tall, eller jeg kan ikke gå videre med neste spørsmålene.» Eller dem svarer fort, og du skjønner ikke, eller spør deg om å si ting igjen. Det er vanskelig, jeg lover deg. Dem ordene som kommer på skjermen og jeg skal lese, dem kommer fort, og noen ganger jeg klarer ikke å følge med skikkelig, eller jeg loker når jeg skal lese spørsmålen, du veit, liksom sier dem på feil måte eller no.

En gang en gammal kar sa til meg da jeg loka: «Nei, detta er helt useriøst. Nå gidder jeg ikke mer.» Og han bare legde på. Midt på undersøkelsen. Så den telte ikke. En annen kar, skikkelig rasistkar, han bare sa sånn: «Snakker ikke med sånne som deg», etter jeg sier: «Hei, det er Jamal fra Norsk Gallup.» Jeg sverger, jeg ble helt sjokka, liksom, sa han det der elle? Jeg bare: «Fuck deg også a, moraknuller», men han hadde lagt på, og det går ikke å ringe opp til samma kar en gang til.

Hun dama som jeg snakka om første dagen, hun med dem litt pene klærne, hun er litt sjef der. Hun ville ha meg til samtale og sånn. Starta å si ting, liksom: «Du har ikke nok respondenter. Vi har hørt på noen av samtalene dine og vi tenker du trenger litt en-til-en-trening.» Og hun gir meg en bok med sånn svar du kan si til folk hvis dem sier nei til å snakke med deg. Hun bare: «Les den hjemme og så kan vi to trene litt til uka.» Jeg tenkte liksom, sitter seriøst hun dama her og gir meg lekser? Liksom, tror du jeg gidder å gjøre no for den steden her når jeg ikke får flus elle? Jeg bare tenkte på Kurupt, liksom: «I'm like, fuck a bitch and fuck you too. It's so many different things that I'm gon' do.»

Men hun bare: «Det er flere her som er ... Altså, flere med ikke-norske navn har valgt å bruke et norsk navn når de presenterer seg. De føler at det er enklere.»

Jeg bare: «Seriøst? Hvem da?»

Hun sier: «Flere.»

Jeg bare: «Skal jeg liksom si sånn, hei, det er Knut her fra Norsk Gallup?»

Hun bare: «Noen føler det hjelper.»

Jeg liksom ser på hun, er du syk elle, dame? «Nei ass, glem det der a», jeg sier til hun. «Jeg er Jamal, ikke Knut. Jeg bare slutter isteden ass.»

Hun bare: «Ja ja, om du heller vil det. Det er opp til deg.»

Så nå, i to uker jeg går rundt og loker. Helt ærlig ass, jeg veit ikke hva jeg skal gjøre liksom. Du veit hvordan det er, jeg får bare drittjobber.

Hva skal jeg gjøre?

Til og med jeg avor til Aetat. Liksom, jeg tenkte jeg kan gå der og få dagpenger, men liksom, siden jeg jobba kort tid på Norsk Gallup og den bilvaska ikke var hvit jobb, og dem gir deg flus fra hvor mye du tjente før, dem kommer til å gi meg nesten ikke no. Og liksom, også jeg må være klar for å ta en jobb hvor som helst på Norge om dem finner det. Jeg tenkte liksom, nei ass, jeg kan ikke avor til Finnmark ass.

Så jeg sliter ass, mann.

Jeg må prøve å tenke på noe å gjøre.

Snakkes.

Respondent: Jamal
Bydel: Stovner
Innspillingsdato: 15. mai 2005

Halla.

Nå, siste dagene, det har skjedd mange ting ass.

Jeg skal fortelle deg. Jeg hadde så heftig krangel med moren min. Du veit ikke. Så heftig som noen gang. Jeg kommer hjem litt seint. Litt sånn deppa og sånn ass, helt ærlig. Mest liksom på grunn av jeg har ikke flus nå.

Jeg var ved lampa der og sånn. Liksom, nei ass, jeg henger ikke med dem drittungene som er der eller no, jeg bare går der for å keefe. Men liksom, jeg keefer, og alle dem drittungene snakker om dem skal dra på Regnbuen og kjøpe kebab, og da jeg blir også heftig sulten. Men så jeg sjekker lomma, ingen flus der.

Hele veien hjemover jeg tenkte på det ass. Liksom, jeg er voksen kar og kan ikke kjøpe kebab til meg selv.

Seriøst, du blir deppa når du tenker sånn ass.

Uansett, klokka er sånn hvert fall ti når jeg kommer hjem. Jeg skjønner ikke, for før jeg åpner døra, jeg hører Suli grine. Og han skal sove egentlig sånn åtte. Jeg kommer inn der, og det stinker piss, liksom jeg kan lukte den, skjønner du? Og jeg går inn på rommen, og når jeg er der, jeg ser hele senga er våt. Liksom, helt, og klæra hans er våt, buksa, og på ryggen, alt sammen. Og han griner og griner, og jeg sier til han: «Hva faen skjer a, Suli?» Og han bare: «Jeg klarer ikke sove når jeg er så våt, men mamma sier jeg bare må sove og at hun orker ikke mere.»

Jeg går til stua, og moren min er der på sofaen. Sånn nesten sover. Jeg sier til hun: «Du hører han griner, skal du bare ligge der? Skal du ikke gjøre noe? Han har piss på hele kroppen og senga sin.» Hun sier ikke no ass. Bare snur seg enda mere liksom.

Jeg roper til hun sånn: «Hva faen, skal ikke du være forelder liksom? Hæ? Er ikke det her din ansvar a, faen?»

Jeg sverger, jeg hadde lyst til å slå hun. Jeg veit folk hadde sagt sånn at jeg er syk i hue om jeg slo hun, men fuck folk. Folk veit ikke en dritt. Faen ass. Du veit folk hele tida snakker sånn her: «Åh, moren min, jeg respekterer henne sånn og sånn. Moren min er så bra person. Moren min er viktigste personen på livet mitt.» Når folk sier sånn, jeg også sier «ja», men fuck det a.

Noen ganger jeg tenker, hvis hun daua, livet mitt er femti ganger bedre.

Så liksom, jeg skreik til hun, heftig også, og plutselig hun begynner også å grine. Og fortsatt Suli griner. Og alt er bare helt kaos. Og jeg blir helt sånn, shit, jeg vil nesten grine også, og jeg bare går ned på gulven og ligger der en minutt eller no, liksom, jeg klarer ikke mere, det stedet her er så jævlig fucka.

Men jeg kan ikke gjøre sånn. Liksom, jeg må gjøre tinga jeg må gjøre. Så jeg sier til moren min liksom, slapp av, selv om jeg fortsatt er jævlig pissed på hun, men det er ikke kult å se på når hun griner og sånn. Og jeg går til Suli og jeg sier gå på dusjen. Jeg putter alle klæra hans på en pose og kaster dem på søpla, og jeg kaster den lakenen som er våt og jeg finner en ny, og jeg åpner vinduen for å få stinkinga ut fra lufta der inne. På dusjen jeg spruter såpe overalt og spyler han gutten ass, som han var bil på gamle jobben min.

Brutal dag. Du veit ikke.

Når dem sover begge, og klokka er kanskje ett eller noe, da først jeg ser den breven på stua. På borden der. Fra Trygdekontoret. Dem skriver, vent a, jeg skal finne den, bare vent to sek …

La meg lese. Liksom, jeg leser litt sakte da, men hør:

«Du har fått endelig avslag på søknaden om uføretrygd.

Vedtaket kan ikke påklages», og nedenfor der, jeg orker ikke lese hele greia, men det står noen greier om at det er sånn når hun får endelig avslag, hun også har ikke krav på sånn midlertidig som hun har fått før heller.

Så liksom, nå ingen av oss har noe flus …

Sliter ass.

Snakkes.

Respondent: Jamal
Bydel: Stovner
Innspillingsdato: 16. mai 2005

Jeg ringte dem fuckings folka på Trygdekontoret da. Liksom: «Hva mener dere endelig avslag, det er dere som skal ha slag.»

Ok, jeg sa nesten sånn. Egentlig jeg sa: «Moren min er ordentlig syk, hvorfor lager dere så kaos på oss?»

Hun dama bare: «Nå må du roe deg ned litt, altså.» Alltid roe ned. Liksom, jeg klarer ikke roe ned, og hun dama er helt robot: «Beklager, det er ikke så mye jeg kan gjøre. Dere kan kontakte sosialkontoret om det er behov for akutt bistand. Dere kan også søke om utvidet bostøtte ...»

Jeg bare: «Hun skal ha uføretrygd! Hva er det dere ikke skjønner?! Hun er syk, og vi har ikke en dritt! Ikke en dritt, skjønner du elle? Liksom, vi kriter på butikken, og nå vi kan ikke krite mere snart.»

Da hun sier bare det samme igjen. «Jeg beklager, du må nesten kontakte sosialkontoret, det er ingenting jeg kan ...»

Jeg bare: «Fuck deg a» og legger på ass.

Skjønner du elle? Gå på sosialen liksom.

Og hun sier roe meg ned ...

Jeg vil ikke gå der ass.

Snakkes.

Respondent: Jamal
Bydel: Stovner
Innspillingsdato: 17. mai 2005

Klarer ikke sove ass. Hele natta, jeg bare tenker.

Liksom, alt sammen ass, det får meg til å tenke sånn, det her går ikke. Jeg kan ikke leve sånn liv jeg lever mere, skjønner du hva jeg mener? Det ghettolivet her, det er så hardt nå ass, mann. Det er for mye fucka ting på samma tid, skjønner du? Det går ikke.

Og nå dem jævla korpsfolka har starta å spille sånn tromme eller no, nå jeg får hvert fall ikke sove.

Fra: Mo <mo.1@hotmail.com>
Sendt: 29. mai 2005
Til: Lars Bakken <lars.bakken@nova.no>
Emne: Kartlegging av hverdagen til unge i Groruddalen

Moren min var veldig glad for tallerkenen hun fikk. Jeg ble sendt over gangen til onkel Hameed for å låne en drill så faren min kunne henge den opp over tv-en.

Jeg knuste den etter noen uker. Jeg var for feig til å gjøre det selv. Jeg fikk Ayan til å gjøre det. Jeg stilte meg foran tv-en mens han lekte med en tennisball.

«Vis meg hvor sterk du er da, Ayan. Kast alt du kan til meg.» Han gjorde det. Jeg bomma på mottaket. Ballen smalt i veggen. Tallerkenen hoppa av skrua og deisa ned i tv-bordet. Porselenet lå strødd utover gulvet. Moren min grep Ayan rundt armen og dro han med seg inn på rommet. Jeg hørte han hylgrine der inne, men jeg brydde meg egentlig ikke.

«Unnskyld», sa moren min til meg da hun kom ut. Først da stakk det, men bare litt.

Jeg var veldig slapp etter jeg kom hjem fra Spania. Sov lenge og slepte kroppen etter meg inne i leiligheten. Jeg var syk, sa jeg hjemme, og til Maria. Smitta av noen på flyplassen, eller kanskje det var temperaturforskjellene.

Hver kveld på telefonen, den første uka, snakka Maria om det som skjedde på flyplassen. Hun gjentok det hun sa i taxien, og hun sa at man alltid finner idioter. Spesielt den ene politimannen. Den lille og mest bryske, han vokste i stygghet for hver gang hun snakka om han, et monster til slutt, en drage, der det røde skjegget sto som ild ut av kjeften hans.

Hun ville at jeg skulle sende en klage.

«Det var ikke greit, det de gjorde», sa hun, og da hun sa det, syntes jeg at jeg kunne høre hvordan hun måtte ha hørtes ut som barn.

Jeg begynte på en klage, men da jeg kom forbi formalia og faktabeskrivelsen, til selve begrunnelsen, stansa jeg. Hva var det egentlig jeg klagde på?

«Hvem faen tror dere egentlig at jeg er!?» Det var det jeg hadde ropt til dem, og der lå det. Det var ingenting en klage ville løse.

Jeg sletta hele greia.

Men jeg tenkte mye, og gjør det fortsatt. Rotete, ekle tanker som er med meg i mange timer. Ofte fulgt av en intens flauhet. Den suger i mellomgulvet, som fylleangst. Jeg krymper meg når jeg ser politimennene dra i meg, i alle plaggene mine, hvert eneste av dem, til jeg står naken på Gardermoen og prøver å dekke meg til.

Sånt tenker jeg på.

Fra: Mo <mo.1@hotmail.com>
Sendt: 15. juni 2005
Til: Lars Bakken <lars.bakken@nova.no>
Emne: Kartlegging av hverdagen til unge i Groruddalen

Jeg så på en debatt i stad. Holmgang.

Faren min var våken. Han lå på den oppredde sofaen i stua og så på tv. Nyheter fra en annen del av verden. Som for lenge siden, før tv derfra bare var såpeoperaene jeg tar moren min i å sitte klistra til hvis jeg kommer tidlig hjem fra skolen. Men han har starta igjen. Sent på nettene, når jeg er på badet og pusser tenner, hører jeg vignetter og alvorlige stemmer gjennom veggen.

Han fulgte sløvt med på skjermen. En veldig sminka dame med løs hijab sa god natt. Vignetten starta mens kamera zoomte ut og viste nyhetsstudioet ovenfra. Hun stokka papirer. En tekniker kobla fra mikrofonen hennes. Han bytta over til TV2 og dempa lyden.

«Bare se på hvis du vil, jeg skal sove.»

Det var reklame. Jeg gikk ut på kjøkkenet og varma opp noe hjemmelagd pizza i mikroen. Tilbake foran skjermen hadde det gått fra reklame til Holmgang. Jeg satte meg på den lille delen av sofaen faren min ikke lå på.

«Velkommen!» sa Oddvar Stenstrøm. Han smilte hvitt, og den brune huden rynka seg rundt øynene. Han satte hendene sammen, fingertupper mot fingertupper, og så inn i kamera.

«Til høsten er det ett år igjen til neste valg. I kveld starter vi valgkampen. Hva mener partiene om de store sakene? Vi kjører debatt!»

Applausen brøt løs, og de kom inn på rekke og rad. Alle partilederne. Statsministeren var plassert i midten.

Stenstrøm snakka til oss igjen.

«Vi skal snakke om flere tema i dag. Eldreomsorg. Skole. Samferdsel. Men først: Det er et av de mest diskuterte spørsmålene i samfunnsdebatten. Hvorfor lykkes ikke integreringen?»

Han så seg om på partilederne. Pekefingeren gikk frem og tilbake langs rekken av dem. Den landa på Carl I. Hagen.

«Hagen, hva mener du er feil med integreringen?»

Mens jeg spiste pizza på sofaen, hamra Hagen løs på statsministeren og Arbeiderpartiet. Fjerne fra folket og virkeligheten. Integreringen var en skandale, de var blinde om de ikke så det. Innvandrere jobba for lite, mangla vilje til å delta og holdt seg med middelalderske tradisjoner som var en trussel mot norsk verdier.

«Det har vi ikke plass til i Norge», avslutta han.

«Statsminister, har vi plass til dette her i landet?» spurte Stenstrøm.

Det gikk flere sekunder før han svarte.

«Mange av dem Hagen snakker om, er norske, akkurat som han og jeg er», sa han. Så tok han en ny pause. Han virka usikker, fortsatt rysta av Hagens angrep kanskje, jeg vet ikke, han trakk i alle fall ingen slør til side. På Holmgang var han den slørete. Han famla etter ord og snakka i setninger som føltes flate og falt pladask i bakken sekundet etter de forlot munnen hans. «Nei, altså, vi må stå sammen, det må vel være første bud.» «Jeg tror de fleste utfordringene vi ser i dag, vil gå seg til.» «Vi må gjøre en innsats, alle sammen, men jeg tror vi er på rett spor her i Norge.» Carl I. Hagen smilte og rista på hodet.

«Men statsminister, mener du at alt egentlig er helt greit? Er det det du sier?» spurte Stenstrøm.

«Nei, altså, jeg sier ikke at det ikke er noen utfordringer.»

«Men sa du ikke nettopp det?»

Sånn fortsatte det. Gang på gang havna han på defensiven. «Altså, det er klart, ja, det er noen utfordringer knyttet til kultur.» «Nei, vi skal ikke være naive.» «Ja, vi må passe på verdiene våre». Til slutt lukta det blod. Metallisk og smertefylt stinka det gjennom tv-ruta og inn på stua.

Jeg vet ikke.

Jeg burde vel egentlig ikke sett på den debatten.

Fra: Mo <mo.1@hotmail.com>
Sendt: 8. august 2005
Til: Lars Bakken <lars.bakken@nova.no>
Emne: Kartlegging av hverdagen til unge i Groruddalen

Holmgang var bare den første av det som har blitt mange kvelder foran tv-en, eller pc-en, eller en avis. Nyhetssaker. Kronikker. Aktualitetsprogrammer. Kommentarfelt. Jeg hiver i meg alt jeg kan finne. Alt som handler om meg.

De samme bildene er her fortsatt, fire år etter. Bush som ser alvorlig inn i kamera og snakker sakte. Ørken og fjell og støvete byer og raketter som slår ned i dem. Nye bilder kommer til og legger seg oppå de gamle. Bomber som går av i London og gjør at jeg ikke tør å gå med veska mi på T-banen og bussen lenger, jeg tar heller notisblokka og pennen i jakkelomma. En asylsøker som dreper legen sin. En rapport som sier at fire av fem innvandrere har slått barna sine. En annen som sier de blir diskriminert i arbeidslivet. Et hakekors tegna på den ene veggen som står igjen etter en nedbrent kebabsjappe. Nettroll som ikke blir til stein selv om sola skinner gjennom vinduet. Le Pen, Skjærsgård, Hagen, Storhaug, Bin Laden, Mulla Omar, Mulla Krekar, lederartikler, leserinnlegg, nyhetssaker.

Jeg aner ikke hva jeg driver med.

Jeg plager meg selv. Med vilje. For å rydde opp, egentlig.

Jeg tenkte at jeg kunne klare å stagge det, at jeg var sterk nok til det nå, mye sterkere enn før. Jeg vet ikke, jeg tror ikke jeg er det. For de holder ikke igjen. De bare pøser på. Jeg mener, bare se på alle treffene jeg fikk på Google i stad. Det tok 0,45 sekunder å finne det.

Norge + nordmenn	601 087
Norge + innvandrer	923 641
Norge + muslim	1 187 331

Dag etter dag pøser de på. Alle sammen. Hele tida. De vet ingenting om hvordan det er å sitte foran tv-en i en leilighet på Stovner der alt renner inn.

Ingenting er rydda opp. Det er bare mer søl. Men jeg klarer ikke la være å forsøke å rydde heller.

Jeg tenker på det hele tida nå.

«Husker du da du pleide å prate hele tida om alt du gjorde på universitetet?» sa moren min en kveld. «Det var hyggelig.»

Jeg kunne sagt noe til henne da. Fortalt henne om alt. Eller jeg kunne sagt det til faren min som satt like ved. Men jeg får meg ikke til det.

Jeg orker ikke. Ikke bekymringene de kommer til å tre over meg, eller løsningene til faren min. Jeg kan høre han allerede. «Det her går bra. Ingen problem.»

Jeg tenker på statsministeren noen ganger. Når det renner inn som verst, da forsøker jeg å ta meg selv helt tilbake, til da jeg sto ansikt til ansikt med han. Jeg prøver å la stemmen og ordene hans lede alt bort. Det hjelper. For en stund. Til jeg ser han igjen, som jeg så han på Holmgang

Fra: Mo <mo.1@hotmail.com>
Sendt: 14. august 2005
Til: Lars Bakken <lars.bakken@nova.no>
Emne: Kartlegging av hverdagen til unge i Groruddalen

Det er fortsatt Maria og meg. Blindern. Grønnegata. En film til sent på natta. Døsig søndager og frokost klokka ett. Lukta hennes på klærne mine hele veien hjem.

Alt det er der, og jeg har ikke lyst til å glemme det, men det glipper.

Er det ikke alltid sånn når noen er sammen? At den lukta på klærne mine ikke lukter så mye lenger? Jeg vet ikke, som at røyk for lengst har slutta å smake som den gjorde i starten. Sånt skjer med alt og alle, gjør det ikke? Det er liksom bare sånn det er, tenker jeg.

Så slutter jeg å tro på det, og jeg tenker på alt det rotet som hører til.

Jeg vil veldig gjerne diskutere ting jeg har sett på tv, eller lest på nettet, med henne. Det er liksom ingen andre jeg kan gjøre det med.

«Så du den greia i Dagbladet i går?» kan jeg si til henne, og jeg kan prate i lange monologer som hopper fra en ende til en annen, og lar et tonn av spørsmål henge i lufta.

«Hvorfor sier de sånt når de vet det er løgn? De gir bare blaffen liksom.»

Hun ga ikke blaffen. «Uff», sa hun første gangen, og la en arm rundt meg. «Ikke bry deg om dem.»

Nå som jeg har fortsatt i flere uker, er armen borte. «Jeg

orker ikke snakke om det nå», sier hun. Andre ganger kan hun sukke: «Kan de ikke la være å skrive så mye tull hele tida. Jeg blir sliten av å lese om sånt.»

Jeg er iblant ensom sammen med henne. Jeg skulle ønske hun kunne si mer. Kan hun ikke si at ingenting uansett er noe vi ikke kan takle sammen? Kan hun ikke be meg åpne øynene mine igjen og se alt det bra jeg har gående? Kanskje hun ville roa meg ned da. Jeg vet ikke. Hun sier aldri noe sånt, og alene klarer jeg ikke lenger overbevise meg selv. Alene er jeg en fyr som roter rundt i søla, kvalm og med løs mage. Det siste er det verste. Maria har lagt merke til det. «Du er på do hele tida», sier hun. Det er så flaut. Det stinker etter jeg har vært der, og noen ganger holder jeg meg mens jeg er hos henne, og sitter på banen eller bussen hjem og svetter og teller stasjoner.

Respondent: Jamal
Bydel: Stovner
Innspillingsdato: 14. august 2005

Halla.

Skjer noen greier. Liksom, jeg veit ikke om dem skjer, men det er noen greier.

Jeg snakka med Rash. Ute på gata. Liksom, egentlig jeg tror han er litt pissed fordi et par ganger jeg har ikke giddi å svare når han ringer. Men det er liksom, jeg veit ikke ass, han er kompisen min alltid ass, men henge med han nå er pes liksom. Han skal bæde meg fordi jeg ikke har vært på moskeen flere ganger, eller han skal snakke om at jeg må bli bedre muslim, liksom, det blir bare diskusjon og krangling. Når jeg møter han, han sier: «Skjer med at du leker overlegen a?» Jeg bare: «Hva mener du?» «Jeg ringte deg flere ganger, du svarer ikke.» Jeg sier: «Shit ass, sjofa det ikke, og jeg har ikke penger på kortet, så liksom, jeg får ikke ringt opp igjen.»

Han bare: «Seriøst, skaff deg abonnement a, mann.»

«Det er dyrt», sier jeg til han.

«Kom igjen a, du klarer 300 spenn i måneden da.»

Da, jeg bare, jeg klarte ikke være fake eller no mere, liksom, hele stemmen min var fucka, jeg bare: «Rash, jeg sverger, jeg veit ikke hva jeg skal gjøre ass. Ting er skikkelig fucka nå. Jeg *må* ha jobb og sånn.»

Liksom, jeg sjofa han skjønte jeg ikke kødda, og han blir helt seriøs, liksom, står der og klør på hoden sin, og så han sier: «Spør moskeen.» Jeg bare: «Hva skal moskeen hjelpe med for jobb liksom?» Han sier: «Dem har noen flus for å hjelpe ungdommer som ikke er på skole og har problemer og sånn.» Jeg bare: «Hva slags hjelp mener du? Han sier: «Jeg veit ikke, jeg skal sjekke med Mustafa. Han kjenner folka der mest.»

Så liksom, vi får se.

Og en annen greie, ok, det her er en av tinga du holder kjeft om, men jeg avor til sosialen. Ja ass, fuckings sosialen. Liksom, hva skal vi gjøre? Vi må spise og sånn, og den regninga for husleie, den er altfor gammel. Det har kommi to nye liksom, og ingen av dem er betalt.

Jeg sverger da, jeg brukte hettegenser når jeg gikk der, liksom, helt sånn gutta gjør på *Enter the Wu-Tang*. Jeg bare kommer inn der og sjofer på bakken. Spør du meg hvem jeg sjofa der, jeg veit ikke. Jeg sjofa ingen, ingen sjofa meg. Bare hun dama som jobba der. Gamle, norske dama som ser ut som hun er drittlei jobben sin. Jeg går til hun, og jeg forteller hun hele opplegget, sånn, hør a, moren min er syk, og hun har prøvd så mange år å få den faste uføretrygden, og nå dem har fucka oss og sier hun skal ikke få den, og ikke den greia hun har fått mens hun har venta heller, og dem sier vi skal gå her for å få flus. Dama liksom, rister på hoden sin og sånn.

«Dem sa vel det, ja», sier hun, liksom, som hun har beef med trygdekontorfolka eller no. «Dem gjør alltid det vettu. Skal ikke være her, dere.» Jeg bare: «Jeg vil ikke være her, men hun dama sa vi skal gå her.» Hun dama på sosialen rister på hoden sin igjen. «Hadde de giddi å gjort jobben sin skikkelig der borte, så hadde ikke du trengt å være her. Hør her ...» Hun starter å tegne på papir, sånn, den type støtte moren din har hatt så lenge, derfor hun kan ikke få den andre typen, men da kan hun kanskje få tredje typen, og på tegninga til hun det er pil og tall og alt mulig, og jeg sier til hun: «Du veit, jeg var ikke så bra på skolen», og da hun ledde litt, og hun sier til meg: «Ok, men husk det her, avklaringspenger, det er en ny ordning, og den mener jeg moren din skal kunne ha rett på. Søk på det.» Og også hun lovte vi kan få noen nødpenger, jævlig lite liksom, men for mat og sånne ting, mens vi venter. Jeg bare: «Takk ass», liksom, jeg likte hun dama skikkelig ass.

Så, greier skjer. Men liksom …

Dem greiene her *må* ordne seg ass, mann. Dem må det.

Inshallah.

Snakkes.

Fra: Mo <mo.1@hotmail.com>
Sendt: 7. september 2005
Til: Lars Bakken <lars.bakken@nova.no>
Emne: Kartlegging av hverdagen til unge i Groruddalen

Jeg er mer pågående med henne. Jeg merker det selv. Slenger med leppa om hun overser meg eller ikke svarer nok.

Jeg vet ikke, hun irriterer meg ofte.

Jeg orker ikke høre om fantasier når det skjer virkelige ting. Jeg mener, kan hun ikke bare lage pasta og bli ferdig med det, i stedet for å henge seg opp i bildet på glasset med tomatsaus og skravle om Toscana, om at hun har drømt om å reise dit, sitte på en ås med et gammelt steinhus i bakgrunnen og vinranker i bølgende daler i forgrunnen. At hun ville spise på en restaurant, drevet av en gammel mann og kone, der de lager verdens beste pasta, skikkelig klisjé, hun vet det, men hadde det ikke vært kult? Sånn holdt hun på mens hun la den skitne sleiva rett på benkeplata og lot være å tørke opp vannet som kokte over.

Jeg ville ikke høre om Toscana. Jeg ville snakke om representanten fra Front National som hadde sagt at Europa kom til å bli overtatt av muslimer om 20 år om ikke grensene stengtes for godt og europeerne begynte å vurdere hvem av de som allerede var her, som skulle returneres. Men hun hørte nesten ikke etter, og når hun gjorde det, så lo hun bare, og jeg irriterer meg nesten mest over det, at hun noen ganger bare ler av det jeg tar opp, som om hun sitter med venninnene sine i et hjørne i skolegården og peker.

«Folk er *så* teite», sa hun. «Seriøst, er det mulig liksom?» Hun lo.

«Er det morsomt?» spurte jeg.

«Herregud», svarte hun. «Selvfølgelig er det det. Du kan ikke ta det sånne folk sier, seriøst.»

«Hva om de begynner å sende ut folk i framtida», sa jeg. «Eller hva om det blir borgerkrig? Man vet ikke.»

Hun svarte ikke. Bare sto der med ryggen mot meg og rørte i sausen.

«Hva da?» sa jeg.

Det var ingenting ved henne som ga noe forvarsel, før hun plutselig snudde seg og slengte sleiva i gulvet. Rød saus spruta utover flisene og på kjøkkenskapene.

«Må du være så sint hele tida!» skrek hun.

Jeg sto lamslått og så på henne. Som om en bombe hadde gått av. Stemmen hennes pep i ørene mine. Hun har aldri skreket sånn. Ikke kasta ting på bakken. Ikke hatt et ansikt med så dype furer.

«Du henger deg så utrolig mye opp i alt som er negativt, vet du det?» Jeg hørte fortsatt ikke ordentlig.

«Vet du det!?» gjentok hun. Hun prusta. «Du tar deg så nær av alt mulig, Mo. Slapp av»

«Slapp av?» sa jeg da jeg hadde fått summa meg. «Hva vet du egentlig ...» Jeg stoppa opp.

«Hva skal jeg liksom gjøre da? Late som ingenting?» Hun svarte ikke. Tausheten hennes gira meg opp. Det var jeg som skrek nå.

«Hva skal jeg gjøre liksom!?»

Jeg lot det henge fremfor henne. Hun lot det være. Furene i ansiktet trakk seg tilbake.

«Glem det», sa hun dempa. Hun plukka sleiva opp fra gulvet, skylte den og tørka flisene og skapene med papir. Da hun var ferdig, snudde hun ryggen til meg og begynte å røre i sausen igjen.

«Jeg orker ikke snakke om det», sa hun.

Jeg ble stående og se på ryggen hennes. Så på en tomatflekk på skapdøra som hun ikke hadde tatt bort. Usikker på om jeg skulle fortsette å være sint eller være glad for at det var over. Jeg tørka bort flekken med tommelen og gikk inn på stua.

Vi fant tilbake senere på kvelden, som vi pleier, ved at det bare går seg til. Vi skulle levere tilbake en film på Bislett Video oppe i Thereses gate og da vi hadde gjort det, spurte hun om vi skulle leie en ny en. Jeg sa ja. Det ble *Notting Hill*. Derfra var veien kort til hun i joggebukse og en stor ullgenser og jeg i jeans og T-skjorte, i sofaen foran tv-en.

Hugh Grant angra på at han ikke grep sjansen. Han løp gjennom London.

«Jeg må gjøre et eller annet», sa hun plutselig.

«Vi kan gå på kino i morgen eller noe», sa jeg.

Hun smilte skjevt til meg.

«Kanskje jeg skal starte en liten bokhandel, sånn som han.» Hun pekte på Hugh Grant. Han hadde akkurat klart å snike seg inn på pressekonferansen til Julia Roberts. «Eller bli skuespiller som henne. Hva synes du?» Hun poserte for meg som om hun var på rød løper. Hun lo. Jeg også.

«Uff, jeg aner ikke. Jeg vil bare gjøre noe ...»

«Du gjør jo masse allerede», svarte jeg. «Skole, jobb, det er mye det.»

Hun smilte litt skjevt igjen og trakk på skuldrene.

«Ja, det er kanskje det.»

Respondent: Jamal
Bydel: Stovner
Innspillingsdato: 21. oktober 2005

«Oooo Child, things are gonna get easier. Oooo child things are gonna be brighter. Keep ya head up. I remember Marvin Gaye used to sing to me. He had me feelin like black was the thing to be. And suddenly the ghetto didn't feel so tough, and though we had it rough, we always had enough.»

Pac ass! Karen er rå, jeg sier til deg.

Vent a, to sek. Må få på litt Biggie også, ellers det blir beef. Ha ha. Ok, hør nå.

«You know very well, who you are. Don't let them hold you down, reach for the stars. You had a go, but not that many, you are the only one ...»

Faen, dritten stoppa. Har den bare på cd ass. Er dem svære ripene på den. Vent a ...

«Super Nintendo, Sega Genesis, when I was dead broke, man I couldn't picture this. 50 inch screen, money-green leather sofa, got two rides, a limousine with a chauffeur ...»

Fuck, den stoppa igjen. Må prøve Zalo eller no. Pleide å gjøre det før og sånn, det funka noen ganger da.

Men ok, glem det nå. Du kommer ikke til å tro dem greiene her ass, mann. Liksom, jeg også, jeg tror ikke på dem helt.

Svartingen her skal tilbake på skolen ass.

So if u don't know, now you now, nigga!

Jeg sverger, det er sant. Wallah. Liksom, det blir ikke vanlig skole da. Det blir Bjørknes. Det er sånn privatskole der folka tar opp fag liksom. Det koster masse flus og sånn, men moskeen ordner det.

Ja ass, moskeen, mann. Moskeen er stedet ass.

Gutta hooka meg opp liksom, Mustafa og Rash. Dem snakka med dem som bestemmer på moskeen der, og dem sa, greit, hent han hit, vi tar en prat med han.

Så jeg avor der. Når jeg kommer der, Rash og Mustafa er utafor, og dem sier: «Bare gå inn, dem venter på deg.» Dem er to stykker inne, liksom, ene er imamen og andre karen er liksom sjefen for moskeen. Så jeg går der, liksom «salaam aleykum», og jeg setter meg der på gulven med dem. Jeg sverger, jeg følte som jeg skal prøve å få jobb. Skikkelig seriøse greier. Dem sitter der og sjofer på meg, og jeg blir svett, liksom, faen, jeg må ikke fucke opp det her, det her må ordne seg, men jeg veit ikke hva dem vil jeg skal si, og jeg sier til dem: «Ehh, jeg veit ikke hva jeg skal snakke om først ass.» Han sjefen sier: «Først, slapp av. Ikke stress, bare fortell oss situasjonen din.» Liksom, da jeg blir mere chill, og jeg veit ikke ass, liksom hele greia med moskeen og imamen og sitte der på teppen, jeg tenker sånn, ok, fuck it, jeg kan ikke sitte her på moské og juge eller no, jeg skal bare si til dem straight up hva som er greia. Så liksom, jeg starter å buste om livet mitt. Du veit, tinga jeg har snakka til deg om. Liksom, ikke alle tinga da, men veldig masse ting jeg sier til dem. Sånn at moren min er mye syk og staten fucker med hun, og jeg har liten bror jeg må passe på, og jeg trenger bedre jobber og mere flus, for liksom, ellers jeg veit ikke hva jeg skal gjøre med alt. Og når jeg er ferdig, jeg sverger, jeg er helt sliten, og da han sjefen sier sånn: «Vi tror på deg at du er ærlig. Du er en bra gutt. Jeg hører det.» Liksom, det var så kult når han sa det.

Så, han imamen sier: «Muslimer må hjelpe hverandre. Vi er én ummah. Allah Subhanahu Wa Ta'ala liker ikke egoistiske mennesker. Derfor for eksempel vi har Zakat, ikke sant?» Og jeg bare: «Ja, det er sant.»

Og sjefen sier: «Du burde gå på skole.»

Helt ærlig, når han sier det, jeg får heftig nedtur. Liksom, jeg veit ikke hva dem skal ordne for meg, men liksom, skole? Seriøst? Men når dem starter å forklare det, da jeg starter å tenke egentlig det var litt smart.

Først, sjefen spør meg: «Hva vil du bli?» Og liksom, jeg veit da faen, ingen folk har sagt sånn spørsmål til meg før. Liksom, helt ærlig, hele livet mitt, jeg bare hustler, jeg veit ikke hva jeg vil bli.

Ok, det var det med rapper da, som jeg snakka om til deg for lenge sia. Men liksom, nei ass, det skjer ikke, jeg veit det.

Og når jeg var kid, jeg ville bli fotballstjerne, skjønner du? Liksom, jeg var ganske bra på fotball, bare spør folka her, men når jeg var ungdom, jeg veit ikke ass ... Liksom, jeg likte sånn fotball på borettslaget her eller på Rommensletta med kompisa mine og late som vi er Ian Wright eller Baggio og bare gjøre gærne driblinger og brasse og alt mulig, men når du er ungdom, det er ikke sånn mere. Da du må være medlem på en klubb, og dem skal trene liksom fire ganger på uka, alle skal bare spille en sted på banen og du må øve helt tida på sånn strategier. Og så skal dem også ha to lapper hvert år. Seriøst, hvor skal jeg finne to lapper? Og på den tida, du veit, jeg vil være på gata her og henge med gutta mine og gjøre ting, skjønner du? Jeg kan spille litt enspretten, men jeg gidder ikke sånn seriøs fotball.

Men utenom det med rapping og fotballstjerne, ingen andre ting jeg har tenkt sånn masse på å bli. Så jeg sier til han den eneste greia jeg kan tenke på: «Kanskje bilmekaniker, for jeg har jobba med biler før, på en måte, og jeg liker biler og sånn.» Han sier: «Bra.» Så spør han hva jeg har fra videregående, og jeg forteller dem jeg har nesten ingenting. Han sier: «Har du tenkt på Bjørknes?» Jeg bare: «Hva er Bjørknes?» Han starter å snakke om det. Liksom, det er ikke som vanlig skole. Det er ikke sånn skole du trenger å gå hver dag fra åtte til halv fire, og på Bjørknes så hjelper lærerne deg mye mere fordi det er ikke så mange folk der, og det er mere sånn, hva sier han, individuell oppfølging. «Jeg tror det passer bedre for deg», sier han. Og han sier jeg trenger ikke ta så mange fag på en gang i starten, jeg kan starte med et par. Liksom, det er rolig.

Og jeg tenker på det, og fortsatt, ok, skole er ikke det beste, men den Bjørknes høres mye braere ut enn Rommen og Bredvet, så jeg sier til han: «Skole og sånn, jeg kan prøve det, men hva med penger? Liksom, jeg kan ikke bare gå på skole, jeg må fikse penger også.»

Han sier: «Bror, hvis du virkelig vil det her, og du er seriøs, da kan vi lage en deal.» Inni meg, jeg sverger, jeg hadde take off liksom, men jeg må jo være seriøs, så jeg bare: «Ja, selvfølgelig. Jeg er veldig seriøs.»

Så, liksom, det her er dealen.

Dem betaler for dem fagene jeg trenger å ta fra Bjørknes for å få læreplass på bilmekaniker. Og jeg får litt penger ved siden av mens jeg tar faga, sånn tre lapper på måneden eller no. Alt jeg trenger å gjøre liksom, er å gå på skolen, og hjelpe til på moskeen noen ganger på uka.

Når jeg skal gå fra der, imamen gjorde dua'a. For meg liksom. Heftig da. Og når jeg går, det er som fuckings Idol ass, jeg kødder ikke. Du veit når folka synger for dommerne på en rom, og dommerne sier, ja, du er schpaa, du går videre, og dem går ut fra den rommen, og når dem kommer ut, dem skriker sånn høyt og alle folka skriker også og vil gi dem klem. Det var sånn, bare med at Rash står utafor der, og jeg kommer ut, og roper: «Ja ass!» og gir klem til han, og jeg sier: «Takk ass, mann, du hooka meg opp bra», og han bare: «Det går bra, mann, jeg er glad for deg.»

Liksom, kanskje det er fordi jeg var på moskeen, men jeg føler litt sånn, som Gud vil være snill med meg eller no, skjønner du? Sånn, ok, Jamal, nå ting skal bli ordentlig for deg.

Jeg tenker sånn, det her er *så* bra for meg. Jeg er klar nå ass. Ikke mere hustle. Ha en seriøs plan, skjønner du hva jeg mener? Liksom, gjøre ting seriøst, jeg også. Seriøs skole. Seriøs jobb. Seriøs kar.

Du veit, jeg har prata med noen folk, dem sier bilmekanikere tjener masse flus. Når du er lærling, da du tjener ikke så mye, sier dem, men liksom, like mye som bilvaska får jeg sikkert, og det er bare to år jeg trenger å være lærling, og etter det, når jeg blir ordentlig mekaniker, da det kommer heftig flus.

Liksom, jeg har lyst til å jobbe med en schpaa merke. Ikke sånn Fiat eller no. Kanskje Merce ass. Eller BMW. Hvert fall Audi. Sikkert det er sånn når du jobber sånn sted, du får bil billigere også, tror du ikke?

Jeg skal ordne meg en feit bil ass.

Liksom, ikke få lættis eller no ass, men hele tida nå jeg tenker sånne ting.

Så klar ass, du veit ikke …

Nå det er høsten. Så en gang på januar jeg starter på Bjørknes. Og jeg må skaffe en som hjelper meg med å studere. Dem sa det på moskeen. Sånn, jeg har ikke vært på skole på lenge, selv om jeg ikke starter på Bjørknes før januar, jeg burde starte allerede å gjøre litt skoleting. Finn noen som kan hjelpe deg å bli forberedt, sa dem. Og det er sant, for det der trenger jeg hjelp på ass.

Men jeg har tenkt på en kar. Jeg skal spørre han. Håper han sier ja ass.

Ha ha.

Liksom, jeg ass, mann, jeg er klar for skole, skjønner du elle?

Shit ass.

Salaam.

Respondent: Jamal
Bydel: Stovner
Innspillingsdato: 26. oktober 2005

Vi har ordna den greia hun dama på sosialen prata om. Avklaringspenger. Kødder ikke! Det kom en brev i går.

Det er sånn nesten samme flus som hun hadde før.

Eneste greia er liksom, hun får den ikke mere enn to år.

Men liksom, om to år, da jeg er lærling og jeg har litt flus, eller kanskje jeg kan prøve å bli ferdig enda kjappere, og kanskje om to år jeg er mekaniker og tjener enda mere flus.

Så liksom, ikke no stress ass.

Ikke mer sosialen.

Heftig greier, mann!

Gud liker meg om dagen ass. Alhamdulilah.

Snakkes.

Fra: Mo <mo.1@hotmail.com>
Sendt: 31. oktober 2005
Til: Lars Bakken <lars.bakken@nova.no>
Emne: Kartlegging av hverdagen til unge i Groruddalen

Den store lampa skal ikke slås på igjen. Den har vært slukka en god stund allerede, fordi den brukte mer strøm enn antatt. Nå har de fått regna ordentlig på det og funnet ut at det blir for dyrt å skru på lyset igjen. Unntaket blir «spesielle anledninger».

«Kan ikke du ringe han kameraten din a, statsministeren? Han kommer sikkert med lyspære», sa onkel Hameed tørt til meg da vi gikk forbi hverandre i trappa.

Ingen har sett turistene bydelsdirektøren snakka om heller. Eller, faren min mente han kanskje så et tysk par på T-banestasjonen. «Jeg tror det var turister», sa han. «Det så ut som de hadde et kart, og de snakka tysk sammen.»

Men i Paris brenner det. I Clichy Suis Bois. Blokkene der får Tante Ulrikkes vei til å se ut som rekkehusene i Smiuvegen. Utafor står biler i flammer i nattemørket. En korrespondent fra NRK sto foran en som fortsatt ulma. «Det har brent i Paris helt siden politiet jagde to innvandrerungdommer i døden. Det er utrygt her nå når natten senker seg. Hundrevis av biler er satt fyr på, og det regner steiner mot brannmenn og politiet.»

Det var lyst ute da innenriksminister Sarkozy snakka. Tekstingen sa at han skulle skylle avskummet av gata. Ikke lenge etter kasta fransk politi táregass inn i en moské. NRK måtte oppdatere kartet sitt med flere bål, ikke bare over Paris, der bålene ligger så tett at de er umulig å skille fra hverandre, men hele Frankrike.

Jeg vet ikke, folk er irriterte overalt, føles det som. Ungdommene skriker høyere enn vanlig. Som ropene fra Paris har nådd frem til T-banestasjonen på Stovner og gjaller mellom de kalde veggene, helt opp til senteret. En kveld da jeg gikk av T-banen, var det full slåsskamp på perrongen. Sju–åtte stykker sparka og slo løs på to andre.

«Du har lært nå, hæ? Jævla fitte. Ikke fuck med meg.» Jeg hørte en dump, ekkel lyd av noe hardt som traff noe mykt. Jeg snudde meg ikke for å se hva. Bare fortsatte å gå raskt mot utgangen.

Faren min snerrer irritert til tv-en hver gang bilder fra Paris dukker opp. «Se på de idiotene der. Hva skal det der hjelpe mot? Ødelegge sitt eget borettslag?»

Han har begynt å legge seg mer opp i hva jeg gjør. Hvor skal jeg? Når kommer jeg hjem? Kan jeg si fra hvis jeg blir sen?

Det gjør meg irritert også.

Klokka er bare åtte på morgenen nå, men jeg våkna av et hyl i stad, og trodde først det var en drøm. Jeg åpna øynene, stabla meg opp på albuene og lytta. Jeg hørte glass og tallerkner klirre. Moren min som ropte. Asma og Ayan som subba bortover gulvet og sette seg ned til frokost. Tv-en gikk på. En tegnefilm. Snipp og Snapp. Det lukta svakt brent, men ikke av mat. Øynene mine var i ferd med å gli igjen, så kom hylene tilbake. Lange og skingrende, utenfra.

Jeg dro gardinene fra og åpna vinduet. Stanken av brent gummi var så sterk at jeg måtte dra T-skjorta over nesa og munnen.

«Fy faen!» Jeg hørte han før jeg så han nede på parkeringsplassen. Shani.

«Bhainchod!» ropte han mot blokkene. Seks–sju andre sto i en hestesko rundt han og stirra på det samme. En nesten utbrent VW Golf. Ingen av dem sa noe. Lukta trengte gjennom T-skjorta. Shani begynte å hyle på nytt. «Bhainchod! Faen, faen, faen!»

Jeg stengte vinduet. Skrikene ble svakere. Jeg prøvde å sove igjen, men lukta var der fortsatt, og før jeg begynte å skrive til deg nå, lå jeg en halvtime på senga og peste med åpen munn mens kvalmen bare vokste oppover halsen.

Lukta er ikke like sterk nå, men jeg er fortsatt litt kvalm.

Fra: Mo <mo.1@hotmail.com>
Sendt: 3. november 2005
Til: Lars Bakken <lars.bakken@nova.no>
Emne: Kartlegging av hverdagen til unge i Groruddalen

Jeg har starta å lese til eksamen. I går, mens jeg satt og leste, kom Jamal på døra mi. Jeg forsto ingenting. Han var andpusten og smilte fårete, sjenert nesten, da jeg lukka opp, som om klokka var skrudd mange år tilbake. Han trykka hånda mi formelt og ganske hardt.

«Heisen er fucka igjen elle?» Han sparka lett i døra. En tom metallisk lyd forplanta seg nedover sjakta.

«Ja», svarte jeg. Pitbullen i etasjen under bjeffa.

«Fuckings Diesel». Han brukte noen setninger på å forbanne hunden, før han kom til saken.

«Ja, ehh, greia er ...» Han titta ned på bakken, gned tåspissen på den ene joggeskoen ned i linoleumen. Det pep svakt. Han så opp på meg.

«Greia er, bror, jeg trenger å snakke med deg om no. Er det greit?»

«Ehh, ja, sikkert», svarte jeg, fortsatt i stuss, men ba han bli med inn. Han fulgte etter meg, kikkende rundt seg, som om han var i et museum, på veggene, skohylla, dørene, kommoden i gangen.

«Vi går inn på rommet mitt», sa jeg, men han stakk hodet inn på stua først og hilste på foreldrene mine med håndflata mot dem og deretter til hjertet.

«Opptatt?» spurte han og nikka mot det fulle skrivebordet mitt.

«Det går bra», svarte jeg, egentlig bare glad for avbrekket.

Han satte seg forsiktig ned på kanten av senga.

«Ok, så det her er greia. Jeg trenger en tjeneste, og du er den eneste jeg veit om som kan hjelpe meg.» Han tok en pause, som om han ville la meg gjette før han avslørte.

«Hva?» spurte jeg.

«Svartingen her skal tilbake på skolen ass.»

Jamal skal bli bilmekaniker. Han sa han hadde jobba med bil før, men ikke ordentlig, at han vil ta opp fag nå for å få fagbrev. På Bjørknes.

«Er ikke Bjørknes privat?» spurte jeg.

Han nikka megetsigende.

«Hvor får du penger fra?» spurte jeg mens jeg forsøkte å fordøye bildet av Jamal som pugga til noe.

Det benete ansiktet sprakk opp i et bredt glis.

«Moskeen ass, mann. Dem gir meg flusa. Du veit, dem har no spenn dem gir til folk som har fucka opp ting, men vil ordne opp. Så, liksom, nå på en måte vi begge har fått stipend.» Han gliste enda en gang.

«Grattis», sa jeg.

«Takk ass, mann», svarte han. «Eneste greia jeg trenger å gjøre, liksom, utenom å gå på Bjørknes, er å hjelpe til der også, på moskeen, liksom noen ganger på uka.»

«Så du skal begynne å henge i moskeen *og* gå på skolen?» Jeg forsøkte ikke å skjule noe av det jeg tenkte.

Han lo lenge, så ble han alvorlig igjen.

«Hør a. Jeg må få orden på ting og tang, sånn er det ass. Det er tid for det nå, liksom gjøre seriøse ting. Og uansett liksom, vi er muslimer, ikke sant? Å hjelpe til i moskeen er bra, mann. Kanskje jeg kommer på jannah.» Han begynte å le. Så fortsatte han.

«Du veit ikke, mann. Sikkert for deg, skolen var schpaa og sånn, for meg ... Den drepte meg ass. Jeg kødder ikke. Alltid jeg har sliti hardt med den liksom.» Han trakk pusten.

«Så det jeg tenkte å snakke med deg om er, liksom, jeg

veit ikke ass, om du kan hjelpe meg? Fra neste år jeg starter på Bjørknes, og da jeg får lærere og sånn, men du veit, kanskje vi kan trene litt nå før jeg starter der, og når jeg starter der, kanskje du kan backe meg litt når jeg lurer på ting. Jeg mener, liksom, jeg veit du har masse greier å gjøre og sånn, og jeg kan sikkert gi deg no flus og sånn, ikke så mye da, men litt liksom, men hvis du kan hjelpe meg litt sånn ekstra, jeg sverger, mann, det hadde vært så bra, du veit ikke.»

Han pusta ut og så på meg. Jeg så bort på stabelen med bøker. Med han i rommet, jeg vet ikke, da var det som å se dem første gang, om du skjønner. Sånn som jeg så dem på Norli i Universitetsgata. Jeg ble nesten rørt av å tenke på dem sånn igjen. Ikke bare den bunken på skrivebordet, men på så mange som dem, på hvor lenge og langt de hadde vært med meg, og jeg med dem.

«Jeg kan hjelpe deg litt, det går bra», svarte jeg.

«Du er rå ass, Mo», sa Jamal og trykka hånda mi. «Bra mann ass, jeg sverger. Bra mann.»

Jeg tok det opp med foreldrene mine etter han hadde gått. Moren min var veldig begeistra. Jeg hadde knapt fått snakka ferdig før hun slo hendene sammen. «Så flott», sa hun og så i retning oppgangen hans. «Mashallah.»

Faren min forsto like lite som meg.

«Hva mener du? Skal han gå på skolen?»

«Ja», sa jeg.

Han var skeptisk. Ikke til Jamal, tror jeg, det virka som han likte han. «Den gutten der ...», sa han og så i samme retning som moren min, mens han smatta med leppene. Så så han på meg.

«Hvordan skal du klare det?» spurte han. «Har du tid?»

«Det er ikke snakk om så mange timer», sa jeg.

«Ikke mange timer ...», gjentok han. Han ble stående og se ut i lufta igjen, mens moren min og jeg så på han.

«Den gutten der på skolen igjen.» Han smilte svakt. «Ja, gjør det», sa han. «Det er bra for han, det her.»

«Mashalla», sa moren min igjen. Faren min så ikke på henne. Han så på meg og sukka.

«Er han seriøs?» sa han. «Jeg har sett han ute. Han ser ikke seriøs ut der.»

«Ja», sa jeg. «Jeg tror han er det.»

Respondent: Jamal
Bydel: Stovner
Innspillingsdato: 4. november 2005

Yo.

Heftige greier på gang i Paris da. Har du sjofa elle? Liksom, ikke så lenga sia jeg så på *La Haine*, nå, shit goes down for real ass.

En kar der på hooden på Paris, han var på tv, liksom: «Vi har ikke en dritt her. Frankrike pisser på oss.»

Når jeg så det, jeg var sånn, jeg føler dere ass, gutta, dere veit ting.

Folka sier dem har skylda for alt. På tv-en der, sånn fucka fransk politikerkar står og kaller dem masse dritt. Fuck det a, mann. Dem bare representerer for seg og hooden sin, skjønner du? Liksom, du også Nova-mann, hadde det vært sånn brutalt der du bor, kanskje du også hadde brent bil.

Dem gutta der er tøffe ass. Jeg sverger, masse av folka her på Stovner snakker om dem. Men folka tar det med ro da. Liksom, det er ikke så mye kaos. Noen fjortiser kasta stein på en vindu på Rommen skole og knuste den. Og en tagga sånn «Fuck the police» på politistasjonen, liksom, på gjerden der, på en skilt. Eller dem sier det da, nå den skilten ser helt ren ut.

Men en bil ble fyrt på. Foran første blokka. Det veit jeg ass. Det er ikke no fake greier. Skikkelig uflaks for han karen som eier den bilen liksom.

Ha ha. Skikkelig mye uflaks.

Men ok, fuck alt det der. Jeg er ferdig med å tenke på sånne ting.

Jeg har fått snakka med han karen da, du veit, han som kan hjelpe meg med skole. Det er han Mo, jeg snakka til deg om han før en gang. Han snille karen.

Han er fortsatt snill kar ass. Han sa ja!

Liksom, det er ikke sånn han bare er snill heller. Hør a, han er skikkelig flink også. Han går på universitet liksom. Han fikk stipend fra statsministern, mann, jeg sverger, statsministern gidde han sånn spesiell stipend. Da du er flink ass, ikke sant?

Også, jeg har vært så smart jeg selv også. Du veit hun jenta på moskeen jeg snakka til deg om? Saima heter hun. Jeg fikk vite fra folk hun er der på torsdager. Så nå jeg har sagt til moskeen, liksom, jeg kommer på torsdager. Ha ha. Smart da? Og så drar jeg der på jummah. Så da jeg er der to ganger på uka. Og jeg har snakka med Mo, jeg møter han mandager og onsdager på kvelden. Så liksom, plutselig masse som skjer nesten hver dag. Blir heftig.

Salaam.

Fra: Mo <mo.1@hotmail.com>
Sendt: 20. november 2005
Til: Lars Bakken <lars.bakken@nova.no>
Emne: Kartlegging av hverdagen til unge i Groruddalen

Jamal er seriøs. Med moren og faren min. Han går alltid inn på stua og hilser på dem som det første han gjør, småprater litt, roser moren min for kakene om hun har bakt, og sørger for å si skikkelig ha det når han går.

Han er seriøs med studiene også, stort sett. Vi sitter på rommet mitt begge to, i senga, med ryggen mot veggen, og leser linje for linje i gamle lærebøker jeg har lånt på biblioteket. Eller jeg setter meg på den ene siden av senga med bøkene oppslått på fasit, og han sitter på den andre enden med tenkerynker i panna. Han spør om ord han ikke forstår, og ber meg ofte forklare noe. Forskjellen på preteritum og perfektum. Hvordan brøkregning fungerer. Han leser veldig sakte. Så sakte at jeg trodde han tulla første gang. «Les ordentlig da», sa jeg til han, men da så han på meg på en måte som ikke var tull.

Noen ganger merker jeg at jeg begynner å bli litt irritert. Han kan gi opp ganske fort iblant hvis han ikke forstår ting. Slutter liksom å prøve, og jeg må mase på han. Andre ganger ser jeg at han tenker på noe helt annet når jeg snakker til han, og jeg må si: «Jamal, hallo, skjer a?», for å vekke han.

Jeg gjør det ikke for å være dust, det er bare, jeg vil ikke at han skal gi opp, om du skjønner.

Det går helt greit å bruke to kvelder i uka med han, og likevel lese til eksamen. Jeg ser ikke Maria like ofte lenger. Det er en liten stund siden nå, at jeg kom hjem til henne etter å ha vært på universitetet. Det har ofte vært sånn det semesteret her, at det er jeg som kommer alene fra Blindern til Grønnegata. Hun møtte meg ikke i døra, men den sto på gløtt.

«Hallo?» sa jeg og hørte rasling inne på stua. Jeg fant henne med bena i kryss på gulvet foran en haug brosjyrer. Hun spratt opp da hun så meg.

«Mo, vet du hva jeg har gjort!?» ropte hun og strålte.

«Jeg har slutta!» Hun rista i meg. «Jeg har slutta på jobben.» Jeg måpte. Hun lo.

«Jeg skal begynne hos Amnesty. To–tre dager i uka. Registrere medlemsblanketter.» Hun veiva triumferende med en brosjyre. En afghansk dame så på meg bak et gitter. Hun hadde brun hud og grønne øyne. Maria spant rundt meg og hvinte. Det virka ikke som hun helt trodde på hva hun hadde gjort. Ikke jeg heller.

«Hva sier foreldrene dine?» spurte jeg på vegne av meg selv.

«Vet ikke. Bryr meg ikke», svarte hun mens hun fortsatte å spinne rundt meg.

Så, ja, nå er hun på Amnesty ganske mye.

Respondent: Jamal
Bydel: Stovner
Innspillingsdato: 21. november 2005

Halla.

Jeg har begynt å dra hjem til Mo da. Jeg kødder ikke, det er så sprøtt ass, liksom, å være der igjen. Jeg bare går der og sjofer på tinga, og liksom, fortsatt alt er likt. Leiligheten er samma. Ting er helt ren. Fortsatt det lukter fra mat der.

Når jeg kom der igjen første gangen, helt ærlig, jeg starta å tenke litt på tinga for lenge sia, og liksom, kanskje dem skal begynne å tenke mere ting, sånn, hva, han kommer igjen, fortsatt han er fucka gutt? Men liksom, nei ass, det var ikke sånn.

Faren hans kommer til meg, sånn kompis liksom: «Ja ja, Jamal. Veldig bra at du skal starte på skolen igjen. Veldig bra. Jeg er stolt av deg.» Og da jeg blir litt stolt av meg også, og jeg sier: «Takk, onkel.»

Og moren hans lagde liksom sånne muffins den ene dagen. Hun bare: «Bare ta så mange du vil.» Liksom, jeg tok bare én da. Men den var så god ass, jeg sverger. En annen gang, hun kommer inn med te og kjeks til oss og sånn, liksom, vi bedde ikke om det eller no, hun bare kommer med det.

Det er den mest chille steden liksom.

Han er heldig, han karen der ass.

Den skolejobbinga går greit også. Mo kan sykt mye da. Jeg sverger, han er helt kaos. Alt sånn skoleting, han bare kan dem. Og noen ganger, han er litt streng. Egentlig jeg får litt lættis når han skal være sånn streng, fordi han er liksom ... Liksom hele karen, når jeg sjofer på han, veldig mange ganger jeg tenker på glass. Som om han ikke tåler mye ting. Liksom, sånn om jeg snakker for heftig til han, han kan knuse, skjønner du hva jeg mener? Så liksom, jeg prøver å være sånn ordentlig med han.

Sånn som egentlig jeg har lyst til å spørre han om jeg kan låne pc-en hans og gå på Pirate Bay for å ordne sanger, men liksom, jeg vil ikke spørre han heller.

Men uansett, han hjelper meg liksom, det er bra da. Liksom, han holder på til jeg skjønner ting, han avor ikke bare etter to sekunder.

Men noen ganger, det går ikke, og han blir den strenge karen, og da jeg blir litt lei av trynet hans. Helt ærlig. Liksom, hør a, kompis, jeg veit ikke svaret, skjønner du hva jeg mener? Det hjelper ikke å si til meg, tenk mere. Da han bare er som dem lærerne på skolen. Da jeg tenker sånn, fuck deg liksom.

Men mye av tida, jeg lærer ting med han. Så jeg tror dem greiene her kommer til å gå bra ass.

Også jeg har starta å hjelpe på moskeen. Det er ganske chill der også. På torsdager jeg bare hjelper med sånn alt mulig. I går jeg bærte ting fra boden og til kontoren. Stoler, en skrivebord, noen papirer, sånne ting. Jeg kopierte noen papirer og sånn også, og kjøpte melk på senteret så folka kunne lage te. Sånt.

På fredager, det er jummah ass. Da Mustafa og Rash kommer der og det er being, og fortsatt ass, det er stress med beinga, men sånn siste gangen, jeg loka ikke så mye. Liksom, bare en gang jeg loka. Sikkert om en månte eller noe, jeg loker ikke mer.

Hun Saima er der med kidsa og trener på lekser. Hun er bra dame da. Liksom, hun går der og hjelper dem, helt gratis. Liksom, først kidsa har koranskole med imamen, så dem kommer til hun for vanlig skole etterpå. Mange timer og sånn hun er der og hjelper dem. Jeg syns det er jævlig bra ass.

Jeg sjofer kroppen til hun når hun ikke ser det og sånn. Kødder ikke, rumpa er helt brutal.

Hva, som ikke dem andre folka også gjør det? Jeg veit Rash gjør det ass, jeg har sjofa han når han gjør det liksom. En gang vi begge sjofa at han andre sjofa, og da Rash rista på hoden til meg og sier sånn lavt: «Lykke til a.»

Men også, noen ganger når jeg sjofer på hun, jeg blir litt sånn, jeg veit ikke ass, som jeg er for nasty liksom. For hun har på hijab og sånn, og da hun er litt sånn søster og sånn, skjønner du hva jeg mener? Noen ganger jeg klarer liksom ikke tenke på hun som jeg vil knulle hun heller, skjønner du hva jeg mener?

Men egentlig, mye av tida jeg klarer å tenke på det.

Jeg snakka litt med hun sånn noen dager sia. Ikke så mye. Hun er litt sånn hard to get ass. Jeg prøver å snakke med hun, men liksom, hun svarer ikke mye. Jeg veit ikke ass, kanskje det er på grunn av dem andre folka er der. Hun tenker liksom det er dårlig stil å prate med en kar foran dem eller no.

Men jeg skal prøve å prate med hun mere neste gang. Liksom, jeg tenker litt sånn, det hadde passa så bra med sånn dame nå da, du veit, nå som jeg er blitt seriøs på ting.

Det hadde vært heftig.

Forresten ass, veit du hva elle. Jeg har slutta å keefe.

Nei ass, bare kødder. Men liksom, jeg keefer lite da. Bare noen nattingser et par ganger på uka. Du veit, jeg kan ikke være stein når jeg er inne på moskeen, det er for dårlig stil liksom, og når jeg er hjemme hos Mo, det går heller ikke ass, plutselig foreldra sjofer det eller no. Men uansett, jeg vil ikke gjøre det heller. Jeg trenger å være sånn, hva sier dem igjen, ja, jeg trenger å ha fokus. Så derfor jeg skal prøve å gjøre det sånn at jeg bare røyker én på uka, og etter det, én på to uker, og så, jeg veit ikke ass, kanskje stoppe.

Yes, mann, seriøs kar liksom. Snart jeg skal starte å trene og sånn. Ha ha. Er du gæren elle.

Men allerede jeg føler meg freshere, kødder ikke.

Eneste er liksom, noen ganger jeg sliter med å sove fordi jeg ikke har fått på, og liksom, jeg sigger mye mere, men utenom det, egentlig det går greit.

Salaam.

Fra: Mo <mo.1@hotmail.com>
Sendt: 1. desember 2005
Til: Lars Bakken <lars.bakken@nova.no>
Emne: Kartlegging av hverdagen til unge i Groruddalen

Maria pleide nesten alltid å være hjemme når vi snakka sammen på kvelden, nå er hun mest ute. På Grünerløkka, eller Løkka, som hun sier, som om hun er på fornavn med stedet. Der henger hun, i og rundt kollektivet til tre av de hun jobber med på Amnesty. Hun snakker veldig mye om dem. De er liksom bestevenner allerede, og så har de bare kjent hverandre en drøy måned. Det er ikke bare det heller, hele ordforrådet hennes har forandra seg. Noen ganger er det som om hun snakker med fotnoter. Spesielt på torsdager, for på onsdager er det alltid noen av de som har vært «ute i felten», som hun også sier, som holder presentasjoner om hva de har opplevd, for de andre på Amnesty. Så på torsdager hører jeg om Millenium Development Goals, undertrykte indianere og knebla journalister, og diktatorerne og regimene som holder dem nede.

I går, på telefonen, ville hun plutselig at jeg skulle fortelle om landet foreldrene mine kom fra.

«Hvordan er det der?» spurte hun, og det er egentlig første gang hun har spurt om noe som helst derfra. «Det er et ganske korrupt regime der, er det ikke?»

«Jeg vet egentlig ikke så mye om det», svarte jeg.

«Å ja», sa hun.

Jeg sitter og nikker halvt eller helt fraværende til mye av det hun snakker om.

Hun spurte om jeg ville møte noen av dem. Jeg svarte nei og sa jeg ikke hadde tid. «Jeg har ting å lese», sa jeg, «du burde gjøre det, du også.» Hun har ikke spurt flere ganger.

Men et eller annet om det nye dukker likevel opp i hver samtale vi har. Det irriterer vettet av meg. Jeg vet ikke, jeg aner ikke hva jeg skal si til alt det jeg ikke vet noe om. Alt hun plutselig vet alt om. Bortsett fra da hun snakka om en chilensk film som hadde gått på «Film fra Sør» tidligere på høsten, om et punkrockband under Pinochet-regime.

«Jeg har så lyst til å se den. Den skal være *så* bra. Tror du de har den på Bislett video?» Jeg sa jeg ikke ante. Hun fortsatte å snakke om filmen, og jeg kjente jeg ble irritert igjen, men så sa hun feil navn på bandet filmen handlet om. Jeg visste det, fordi jeg helt tilfeldig hadde lest en anmeldelse av den i en gammel Dagsavisen noen hadde latt ligge igjen på T-banen.

«De heter ikke det», sa jeg. «De het Ad hok et eller annet».

«Hva mener du?» Hun så nesten forskrekka ut.

«Det bandet. Det heter ikke det du sa. Du prater om feil band.»

«Hæ? Nei. Det er du som tar feil», insisterte hun, men gikk likevel inn på Google for å sjekke. Jeg sa hun kunne sjekke så mye hun ville. Fingrene tasta hardt på tastaturet og øynene hennes gikk litt ned, så raskt fra side til side. Så stoppa de. Hun klappa igjen laptopen.

«Ser du», sa jeg. «Hva var det jeg sa?»

Hun smelte igjen døra etter seg.

Jeg vet ikke, på en måte burde kanskje jeg av alle forstå henne. Det hender jeg tenker at jeg må engasjere meg mer i det hun snakker om. Jeg mener, kanskje jeg liker det, jeg også, den nye jobben og de nye vennene og alt det der. Jeg vet ikke. Som regel tenker jeg at de kan dra til helvete alle sammen.

Jeg var hjemme hos Jamal i går. Han dukka ikke opp klokka seks som avtalt, og han svarte ikke på meldinga jeg sendte, så jeg tok med meg matteboka og stakk bort til han for å sjekke.

Det er alltid rart å gå inn i en annen oppgang i en av høyblokkene, selv Jamals, som er i samme blokk. De er så like min egen. Helt like, egentlig, men så er de ikke det. De lukter annerledes, navnene på postkassene er fremmede, blomstervaser er plassert i hjørnet i stedet for langs veggen, dørskiltet til den første døra i første etasje er i gull og ikke porselen.

På Jamals er det noen hull, rester av et skilt som var der, og det er det.

«Hva gjør du her?» sa han, såpass surt at jeg ble litt satt ut.

«Ehh ... Jeg skulle bare ... Bare sjekke hvor du ble av», stotra jeg.

«Suli ...», starta han. «Jeg måtte ordne no mat til broren min, du veit.»

«Å ja», sa jeg. «Skal vi studere i dag?»

«Ja ass, bare ...» Han klødde seg i hodet. «Ja ass, vi studerer, ja.»

«Vi kan ta det her hvis du vil. Jeg har med bøker.» Jeg holdt frem matteboka.

«Shit, du er så gira ass.» Han smilte. Det så litt anstrengt ut.

«Vi må ikke», sa jeg.

Han ble stående i døråpningen en stund. «Fuck it, det går bra, mann», sa han til slutt. «Bare kom.» Han åpna døra, men så stansa han. Jeg holdt på å gå rett i den.

«Bare, liksom, jeg har hatt masse greier å gjøre, så liksom, jeg har ikke fått rydda sånn bra eller no.»

«Det går bra», svarte jeg.

Som oppgangen var leiligheten lik og annerledes. Samme treroms, med samme planløsning, bare at det lukta røyk der inne, var forferdelig rotete, og ting var ikke bare gamle, de forfalt. Som klosettet, når jeg trakk ned, pipla det vann gjennom en sprekk i porselenet og ned på gulvet. Det var en brun flekk der.

Inne på stua satt lillebroren og spiste det som så ut som en frossenpizza. Jeg fikk bare et glimt av han. Han så ned i bordet da han fikk øye på meg. Jeg fikk et glimt av moren også. Ryggen hennes under et pledd. Hun lå i en rynkete, svart skinnsofa. Det så ut som hun sov.

«Hun er syk», sa Jamal. Jeg tenkte på det ordet igjen.

Rommet var to senger og en kommode med et overfylt askebeger. På gulvet lå en haug med klær, sikkert en meter høy. På veggen hang det postere. Snoop Dogg, 2Pac og noen andre jeg ikke vet hvem er.

Å være der inne, det var, jeg vet ikke helt, jeg ble i alle fall strengere da jeg var der. Strengere enn jeg visste jeg turte med han. Jeg terpa nådeløst på de samme mattestykkene, selv om han svarte feil ti ganger på rad. Brøker med ulike nevnere. Han slet med å finne fellesnevneren.

«Kom igjen, Jamal. Du klarer det her. Tenk deg om nå. Husk å gange, ikke sant? Oppe og nede.»

Jeg dytta han langt inn i grenseland, jeg merka det, for han ga meg flere blikk som ikke kunne misforstås, men jeg klarte ikke la være, og til slutt glefsa han etter meg.

«Hør a, jeg skjønner det ikke. Slapp av, ok?!»

«Prøver bare å hjelpe deg med det her da», mumla jeg og hørtes sikkert ut som det jeg var, frustrert og litt skvetten.

Han fyrte på en røyk.

«Jeg veit», sa han, bomma på askebegeret da han kakka røyken, men lot seg ikke merke med det. «Det går bra. Få se på den en gang til.»

Han klarte ett av stykkene. Det tok en ny evighet, og ganske mye hjelp, men han klarte det, og da han gjorde det, trodde han nesten ikke på det.

«Du kødder, elle? Den er riktig, liksom? Shit, jeg er mattegeni ass.»

Vi gliste begge to.

Vi slutta etter det. Han skulle ut. Jeg hjem. Vi ble stående og prate en liten stund utafor oppgangen min. Mest han, om hvor bra ting blir.

Jeg vet ikke, jeg skjønner meg ikke helt på han. Jeg mener,

han kan stå foran oppgangen min og boble over av positivitet. Han kan snakke stort om framtida og alt han skal bli når han er ferdig med å ta opp fag. Hvor mye penger han skal tjene, alt han skal ordne til dem hjemme og hvor mye han skal kjøpe.

«Bare vent, mann. Den bilen han hora Shani grein over, den var ingenting. Jeg skal kjøpe en *mye* heftigere en. Jeg kan mekke på den selv. Lage den helt gæren. Plutselig, kanskje jeg kan starte å selge dem også. Sånn med tida liksom. Ikke bare skru, men lage svær business.»

Jeg liker når han snakker sånn, og håper han skal fortsette, men i neste sekund kan han snu helt om, som da. Da skulle han bort til lampa: «Bare for en nattings da», forsikra han, «ikke mere enn én.» Andre ganger kan han finne på å hylle ungdommene som kaster stein i Paris.

«Dem er heftige ass, dem gutta der borte. Det var så sykt å sjofe da, mann. Dem dissa han der ministern så jævlig.»

Eller han kan legge ut om hvor dritt Norge og de jævla potetene er. Mye av det han sier om dem, jeg vet ikke, han sier ting og slutter med «du veit», men jeg vet ikke helt om han egentlig veit.

Men det er egentlig ikke så ofte han snakker om sånt. Han snakker annerledes med meg. Jeg vet det. Jeg hører tonefallet hans med andre i Tante Ulrikkes vei. Så mye røffere. Så lett revet med av ting som skjer her ute. Med meg er han stort sett mild. Når han sier ting om nordmenn, biter han seg liksom i leppa etter litt, stanser og ser på meg, og lar det ligge. Eller han kan spørre meg om ting, som hvordan det egentlig er på universitetet, eller at han har hørt at jeg har norsk dame, hvordan sjekka jeg henne opp, og når han gjør det, er det veldig forsiktig, som om han er redd for å bry meg. Men nå må jeg gå. Må starte å lese. Eksamen snart.

Fra: Mo <mo.1@hotmail.com>
Sendt: 20. desember 2005
Til: Lars Bakken <lars.bakken@nova.no>
Emne: Kartlegging av hverdagen til unge i Groruddalen

Et rom i åttende etasje opplyst av en leselampe midt på natta. Lukta av rosa markeringspenn. Moren min som var innom iblant med en tekopp eller beskjed om at maten er klar, ellers lite selskap. Sånn var de første ukene i desember.

Jamal og jeg tok en pause da jeg starta siste innspurt på eksamenene. Jeg ga han noen oppgaver han skulle gjøre i mellomtiden. Jeg vet ikke om han har gjort dem. «Skal gjøre det, jeg sverger, mann», sa han da jeg møtte han på brua ved senteret her om dagen.

Maria, jeg vet ikke helt hva hun har gjort. Vi snakker ikke sammen hver kveld lenger. Jeg tror ikke hun har lest noe særlig, i alle fall. Da jeg spurte om vi skulle lese sammen, sa hun at hun kunne det meste uansett.

«Jeg kommer til å stå», sa hun brydd, men dempa seg da hun så jeg ble irritert. «Jeg skal lese, slapp av.»

Men det var hun som ringte meg etter siste eksamen og insisterte på at vi skulle feire.

«Oss to, som i gamle dager», sa hun. Det hadde hørtes ut som en invitasjon til gravøl, om hun ikke hadde vært så munter.

Hun ville på et pizzasted. «Det beste i Oslo. Du vil ikke spise noe annet sted når du har vært der», lovet hun. «Det er på Olaf Ryes plass, på Løkka.» Jeg tror hun hørte prustinga mi da hun sa det.

«Det blir bare oss», la hun raskt til. «Kom igjen da, Mo, det blir hyggelig.»

Jeg hadde aldri vært på Grünerløkka før. Jeg hadde kjørt buss et par ganger opp Trondheimsveien til Carl Berners Plass, og jeg hadde vært på enden av Nybrua, det var det. Men Maria hadde snakka så mye om det at jeg hadde forventa noe, jeg vet ikke helt hva, bare ikke at det skulle være sånn det var. En bratt nedoverbakke ved en sliten kebabsjappe og vegger fulle av graffiti. Maria tok et bilde av den ene veggen med mobilen. Jeg tenkte at det ligna på gamle Stovner T-banestasjon. Jeg tror ikke hun hadde tatt noe bilde på Stovner.

Olaf Ryes plass var fin, men bygårdene før vi kom dit, var ikke like pene som andre steder i byen. De var slitte, mangla dekoren utenpå, og inngangene var rustne smijernsporter med tagging og sneiper. Det var fullt av innvandrere overalt, ikke like mange som på Stovner, men fortsatt mange. Men inne på pizzarestauranten var det nesten ingen. Der inne satt det stort sett nordmenn som hadde på Converse, selv om de snart var førti og det var midt på vintern.

Pizzaene kom med skinker og artisjokk. Eller geitost. Ingen biff og paprika. Jeg valgte en Margherita. Den var helt ok.

Etter vi hadde spist, mens vi satt og venta på isen vi hadde bestilt til dessert, dro Maria opp siste utgave av A-magasinet fra veska si. Jeg visste ikke at hun leste det. «Du burde seriøst lese den her», sa hun og bladde utålmodig gjennom sidene til hun fant artiklen hun lette etter. Den var full av faktabokser og tabeller.

«Du vet at hvis du korrigerer for sosial bakgrunn, så er innvandrere og nordmenn ganske like?», sa hun.

«Hæ?» svarte jeg.

«Jo ...» Hun kremta og gjorde ansiktet likt en av foreleserne våre. Jeg flirte, hun klarte å holde maska i noen sekunder, så brøt hun ut i latter.

«Ok, slutt å tulle, Mo», sa hun, men lo selv.
Hun samla seg. «Hør da.»
«Jeg hører», sa jeg.
«Jo, du vet hvordan alt hele tiden er korrigert for inflasjon eller valutakurs i fagene vi har?»
«Ja.»
«På andre fagområder korrigeres det for sosial bakgrunn, altså, foreldrene dine sin utdanning og inntekt.»
Hun leste et utdrag av teksten.
«Gøran Hansen, forsker ved Statistisk sentralbyrå, forteller at det for eksempel er godt dokumentert at elever med innvandrerbakgrunn i gjennomsnitt oppnår lavere karakterer på skolen enn øvrige elever.»
Hun stoppa og smilte til meg. «Bortsett fra noen da, hint, hint.» Så fortsatte hun.
«Hansen understeker imidlertid at det er feilaktig å anta at det kun er elevenes innvandrerbakgrunn som er årsak til at disse elevene har lavere karakterer. Han viser til at når forskere har sammenlignet en gruppe elever med innvandrerbakgrunn med en gruppe øvrige elever, der begge gruppene har identisk sosial bakgrunn, så finner de at forskjellene mellom de to gruppene reduseres betraktelig. Gitt samme sosiale bakgrunn vil de to gruppene altså oppnå omtrent det samme karakternivået, sier Hansen. At elever med innvandrerbakgrunn totalt sett likevel oppnår lavere karakterer enn øvrige elever, skyldes dermed i liten grad deres innvandrerbakgrunn, men heller at disse elevene ofte har betydelig lavere sosial bakgrunn enn hva de øvrige elevene har.»
Hun merka knapt at isen kom på bordet. Hun fortsatte å ramse opp flere områder artiklen nevnte. Kriminalitet, sysselsetting, holdninger i verdispørsmål. Overalt var mønsteret det samme.
«Så, med en gang du korrigerer for sosial bakgrunn, så forsvinner nesten alle forskjellene. Det er *sånt* avisene burde skrive oftere om, ikke sant?»
Det var rart å høre henne snakke så løst og ledig om det. Jeg skulle egentlig ønske jeg hadde blitt fortalt det tidligere.

Før jeg rota til alt så mye at jeg ikke vet om det kommer til å falle ordentlig på plass igjen. Da hadde kanskje ikke de skarpe spørsmålene kasta seg rundt i hodet mitt og kvesta alt hun sa før hun engang rakk å gjøre seg ferdig. Men jeg lot de ligge da. For det var lenge siden vi hadde vært utafor den smale Grønnegata, lenge siden hun ba meg slutte å tulle mens hun lo selv, og lenge siden hun kom borti hånda mi, selv om det var masse plass på bordet. «Her», sa hun. «Ta det». Hun ga meg magasinet.

Jeg tok imot, men glemte det tilfeldigvis da vi gikk.

Det hadde blitt sent på kvelden. Vi gikk opp Telthusbakken og Akersbakken, fortsatte langs Vår Frelsers gravlund og videre gjennom Stensberggata til Pilestredet, tilbake til Grønnegata. Vi snakka mye på veien. Om bra ting. Om hvor fint alt ble når snøen nettopp hadde falt. Som første gangen vi var ute sammen. Da vi gikk og gikk. Vi fortalte hverandre hva vi hadde tenkt. Hun sa hun trodde jeg aldri kom til å kysse henne. Jeg sa jeg bare venta på riktig øyeblikk. Vi lo av hvor kløneté vi var. Vi snakka mer om oss. Om andre kvelder. Bare snakka ustanselig. Og vi lå sammen, for første gang på lenge.

Om morgenen spiste vi frokost og så på snøen som fortsatte å falle. Brøytebilene gikk opp og ned Pilestredet. Radioen på kjøkkenbenken spilte Bo Kaspers Orkester, rolig klimpring på en gitar og en myk stemme vi nynna sløvt med til: «Mellan ett och noll, ett och noll, mellan ett och noll.»

Jeg har glemt hvor mye jeg likte gamle dager.

Respondent: Jamal
Bydel: Stovner
Innspillingsdato: 22. desember 2005

Halla.

Hun Saima, jeg fikk snakka litt med hun da. En gang vi var helt aleine. Jeg spørte hun hvor lenge har du jobba her? Hvor bor du? Sånne ting.

Det var greit. Vi snakka noen minutter. Litt sånn hard to get fortsatt, men det går bra. Jeg har tid. Og nå etter nyttår, dem skal ha en stor seminar på moskeen. Du veit, sånn møte der det kommer mange folk. Så da det blir det litt ekstra med jobbing der, og jeg hørte hun Saima si til noen at hun skal hjelpe til der også, så kanskje jeg snakker mer med hun. Inshallah. Eller nei ass, jeg burde ikke si sånne ord når jeg tenker haram ting om damer.

Salaam.

Fra: Mo <mo.1@hotmail.com>
Sendt: 27. desember 2006
Til: Lars Bakken <lars.bakken@nova.no>
Emne: Kartlegging av hverdagen til unge i Groruddalen

Maria er på Beitostølen, kanskje over nyttår, hun er ikke helt sikker, men i alle fall frem til nyttårsaften. Jamal er mye i moskeen. De forbereder et seminar, fortalte han. Det kommer folk fra flere land for å snakke om islam i Europa. Jeg ser han nede på gata, vassende i snø forbi borettslagets store juletre, med plakater under armene som han klistrer opp på lyktestolper og vegger.

På julaften sendte jeg en MMS til Maria. Jeg prøvde meg på et bilde av juletreet utafor først. Det ble ikke så fint som jeg hadde tenkt. Så jeg kjøpte en bildemelding fra en mobiltjeneste i stedet. Et postkort med julenissen og reinsdyrene flyvende over hustak og «God jul» i store, sølvfargede bokstaver. Jeg savner henne.

Respondent: Jamal
Bydel: Stovner
Innspillingsdato: 1. januar 2006

Skjer a?

2006 nå liksom.

Det er som det er så kort tid sia 2000, syns du ikke? Husker du folka snakka om Y2K og alle dataer skal kræsje elle? Ha ha.

Jeg husker den dagen ass. Den schpaa festen, borte på Fossumberget der. Masse folk. Alle gutta var der også liksom. Rash, Abel, Majid, Tosif, Navid, André, hele fuckings Wu-Tang.

Det var heftig fest ass.

Jeg rota med en dame der. Sånn halvt chipper. Med sånn piercing på leppa. Hun var litt svær og sånn, men hun hadde deilig lepper da.

Liksom, jeg husker jeg sa sånn til gutta når vi avor hjem: «Det her er bra tegn for 2000-åra ass. Liksom hooke opp med en kæbe første timen av dem nye åra.»

Shit ass.

Det er ikke lett ass. Liksom, jeg hooker opp kæber noen ganger. Bare jeg gidder ikke si det til deg hele tida liksom.

Ja ass, jeg kan ordne damer. Hvis du vil høre, jeg kan fortelle deg liksom.

Men sånn, du veit, noen damer ass, ting bare går ikke uansett, skjønner du hva jeg mener?

Hun Saima jeg har snakka om, siste uka jeg har vært

ganske mye på moskeen og hjelpi dem med ting til den seminaren dems. Sånn alt mulig liksom. Henge opp plakat rundt på Stovner og andre steder. Hente stol fra en sted på Kalbakken og ta dem til moskeen. Fikse masse kasser med brus fra Rema. Og hun Saima, noen ganger hun er der og en gang vi starta å chatte litt mere, liksom hva gjør du? Og jeg sier til hun: «Jeg skal ta fag på Bjørknes.» Jeg sverger, mann, når jeg sier det, jeg tenkte liksom, shit ass, det er så digg å si det. Det høres bra ut liksom, skjønner du hva jeg mener? Det er så mye bedre enn å si det med bilvask. Eller sånn, ehh, jeg gjør ikke no, bare loker liksom.

Hun starter å snakke om at hun skal starte på medisin, og at mange av dem som skal det, også går på Bjørknes, liksom ta opp fag og få bedre karakterer sånn at dem kommer inn. Og hun sier: «Hva skal du inn på?» Jeg bare: «Jeg skal bli bilmekaniker». Da hele trynet til hun blir litt rar, og hun sier sånn: «Å ja, det er bra, det da. Alle har bil.» Og hun prøver å lage smil og sånn, men liksom, den ser bare rar ut, den også.

Etter det vi har ikke mere å snakke om.

Nå vi bare sier salaam og går hver vår sted liksom.

Men samma det.

Det går bra da.

Seriøst.

I'm movin' on up in the world like elevators uansett.

Men ja, bare chillern i dag. Bare fikk på en, skikkelig liten en. Det var første på en uke ass. Men det er nyttår og sånn, du veit.

Fikk på den med Mo ass. Jeg kødder ikke.

Veit ikke helt hva som var greia. Det var han som ville være med.

Liksom, jeg tror han hadde no stress med dama si eller no.

Han var stein ass.

Men sikkert ikke farlig om han testa én liten joint da.

Bare han holder kjeft til foreldra sine liksom. Men han gjør det. Sikkert.

Ellers, bare chilla. Liksom, var hjemme med Suli og spiste digg og sjofa på rakkettene og sånn. Han likte det da.

Orka ikke feste. Du veit, dem folka skal starte seminaren klokka ni i morgen og jeg må være der og fikse stolene og sånn. Seriøst, klokka ni ass. Dagen etter nyttår liksom. Jeg sa det til Rash, bare: «Hvorfor kan dem ikke ta den seminaren på en seinere dag?» Rash bare: «Samma det, det er sånn.» Så kommer Mustafa og bare: «1. januar er ingenting spesielt på den islamske kalendern.»

Jeg tenkte sånn, ok, hva så, jeg må bruke den vi har liksom.

Dem brødra der ass …

Men fuck det. Godt nyttår, mann.

Salaam

Fra: Mo <mo.1@hotmail.com>
Sendt: 1. januar 2006
Til: Lars Bakken <lars.bakken@nova.no>
Emne: Kartlegging av hverdagen til unge i Groruddalen

På formiddagen i går var jeg på Clas Ohlson i Torggata. Jeg hadde ingen spesielle planer for dagen, og da moren min enda en gang maste om en løs lampettskjerm og faren min mumla at han mangla dobbeltsidig teip, meldte jeg meg frivillig og tenkte jeg kunne svinge bortom Maria i samme slengen, om hun var tilbake. Jeg ringte henne på banen på vei ned til byen. «Kom hjem for ti sekunder siden», sa hun.

En stor bag lå halvveis utpakka rett innafor døra hennes. Hun sto i bare undertøyet og smurte fuktighetskrem på bena. Det lukta lavendel.

«Hei, hva skjer?» spurte hun.

«Ikke noe. Skulle bare ønske deg godt nyttår.» Jeg strøk hendene ned hoftene hennes.

«Du er kald!» Hun skrek og hoppa vekk.

Jeg prusta demonstrativt og satte meg i sofaen mens hun surra mellom soverommet og stua. Klær gikk på og av.

«Trodde kanskje du skulle bli på Beitostølen», sa jeg.

«Ja ... Nei ...» Hun sammenligna to kjoler. En svart, halvlang en vant.

«Hva skal du, egentlig?» spurte jeg.

«Til Løkka. Alle er tilbake.»

Alt var tilbake.

«De lurte på om jeg kunne komme litt tidig og hjelpe til.

Det blir fest der i kveld. Det var ikke planlagt eller noe, men siden alle plutselig var tilbake, så … »

Jeg sa ingenting.

«Tenkte å si fra til deg», sa hun, «skulle bare bli ferdig med å fikse meg først.»

«Ok» sa jeg.

«Du kan være med hvis du vil. Men du har jo ikke vært så interessert, så jeg tenkte at…»

«Det går bra.»

Hun satte seg på en stol og holdt et lite speil fremfor seg.

«Du skulle sett meg de første gangene vi to skulle møtes, like ille.» Hun blunka til meg med øyevipper som hadde fått mascara på seg. Hun mente det sikkert fint. Jeg tok det ikke helt sånn.

«Hvor mye sminke skal du bruke a?» spurte jeg. Hun svarte ikke.

«Toni og Christina kommer også», sa hun.

Toni og Christina. Hun gjør det hele tiden. Bruker navnet på folk jeg ikke vet hvem er. Det er en av de tingene som pleier å irritere meg, og det gjorde det igjen.

«De har vært i Kambodsja», fortsatte hun og slo ut strykebrettet. «Tre uker. Jeg gleder meg skikkelig til å høre om det. De har sikkert opplevd så sinnssykt mye kult.»

«Ja, sikkert.»

Hun snudde seg mot meg.

«Hva er det med deg, egentlig? Er du misunnelig?»

«På hva?»

«Jeg vet ikke, jeg spør deg. Du er alltid sånn.» Hun sto med strykejernet i hånda og så på meg. Jeg prusta demonstrativt igjen.

Hun strøk kjolen sin. Tok den på. Slet med glidelåsen, men spurte ikke om hjelp. Da hun var ferdig, snudde hun seg mot meg igjen. Mykere nå.

«Vi to kan finne på noe i stedet, hvis du heller vil det», sa hun. «Seriøst.»

«Skal møte noen folk», svarte jeg.

«Ok … Er du sikker?»

«Jeg sa jo at jeg skulle møte noen» gjentok jeg. Jeg håpa hun ikke ville spørre om hvem.

Hun tok på seg et par høyhælte sko.

«Ser jeg fin ut?» spurte hun og svingte seg rundt. Jeg nikka. Hun gjorde det.

Hun rota rundt i et smykkeskrin og dro ut et sett store øredobber. Hun satte seg på sofakanten og tredde dem gjennom ørene.

«Kan jeg spørre deg om noe?» sa hun, lettvint, som om det liksom var helt trivielt.

«Vil du ikke noe mer?»

Det traff hardt. Så hardt at jeg ikke ensa spørsmålstegnet. Jeg glefsa tilbake til henne.

«Som hva, punche lapper inn på en pc? Wow, dødskult. Eller dra til Kambodsja? Hva skal jeg der? Jeg har bedre ting å gjøre.»

Hun bare så på meg, med et blikk som, jeg vet ikke, det var som om jeg kunne se hvordan jeg sank hos henne, til jeg forsvant helt.

«Vet du hva, jeg må gå nå», sa hun og raska sammen noen sminkesaker og stappa dem nedi veska.

Vi tok følge de femti meterne til trikken i Dalsbergstien. Ingen av oss sa noe. Hun skulle oppover. Jeg skulle nedover. Trikken min kom med en gang.

«Ha det», sa hun og gikk.

Faren min kom inn på rommet mitt og spurte om jeg ville være med ut og se på rakettene senere. Jeg sa jeg ikke trodde det. De fløt rundt i lufta der inne. Bildene av Maria i kjolen klistra seg på veggene, på taket og på vinduene. Hundrevis. Maria i Kambodsja. Maria midt i en jungel. Maria med masse mennesker rundt seg. Svette og lettklede mennesker som dansa tett med hverandre i en stor klynge.

Jeg trava rundt i sirkler, stoppa, begynte på en melding til henne, så stygg at alt hadde vært over om jeg hadde sendt den. Men det hjalp å skrive. Jeg viska ut alt og hev inn et hvitt flagg.

«Hei, sorry for i stad.» Jeg planta det i bakken. Hun plukka det ikke opp. Etter en time fikk jeg nok av det lille rommet. Jeg gikk ut. Det var lyst selv om det var natt. Himmelen var grå, nesten lilla. Det var varmegrader. Det var noen folk uti gata som tente på kinaputter. En og annen rakett hørtes langt borte. Det var en stund til midnatt. Jeg trava rundt, bare i en større sirkel. Til den nedre delen av Tante Ulrikkes vei, der det også hadde begynt å samle seg folk og noen voksne hjalp barn å tenne på stjerneskudd, videre ned til Smedstua og så rundt hele Rommenbanen, der alt var helt øde, bortsett fra en hundeeier, og jeg hørte det plaske høyt i slapset på grusveiene i mørket, og jeg kjente joggeskoene mine bli våtere og våtere på tuppen. Jeg fortsatte videre forbi Regnbuen, der to mann jobba på spreng med å hakke opp kebabkjøtt, og opp igjen, forbi Fossum skole og politistasjonen, nesten frem til blokka mi. Da sakka jeg ned, for jeg visste ikke helt hva jeg skulle gjøre der inne, og jeg gikk saktere jo nærmere jeg kom den lysende oppgangen, til jeg nesten stoppa helt opp fem meter unna. Da plystra noen skarpt, og jeg skvatt til.

Jamal lo. Oppgangsdøra hans smalt igjen bak han. Han fyrte på en røyk.

«Hva skjer a?» spurte han.

«Ikke no. Bare gått en tur.»

«Er du ikke med dama di? Nyttår og sånn jo.»

«Nei, tok fri.» Det hørtes hult ut.

«Hva skal du?» spurte jeg.

Han nikka i retning brua. «Skal bare til Mix en tur og kjøpe no digg, så få på en ...» Han avbrøt seg selv. «Liksom, egentlig jeg har nesten slutta da, jeg sverger».

«Kan jeg bli med?» spurte jeg.

Han så overraska på meg. «Ehh ... Liksom, jeg skal bare til Mix og så få på en liten nattings.»

«Jeg blir med jeg», svarte jeg.

Forrige gang, og første gang, jeg røyka hasj, var på en klassefest i tiende. Jeg var full og tok imot det de sa var en rullings. De lo seg i hjel da jeg hadde røyka halve. Jeg kasta opp i en søppelbøtte. Dårlige minner, men bedre enn å gå alene rundt i opptråkka sirkler.

Vi var innom Mix først, hvor gitteret var halvveis senka allerede og Jamal rusha inn og plukka med seg bamsemums, potetgull og 1,5 liter cola. Han spurte om jeg ville ha noe. Jeg sa det gikk greit. Så gikk vi nedover mot den store lampa.

To ungdommer kom traskende derfra, og stansa brått da de fikk øye på oss. De så granskende på meg fra under hettene sine, så oppdaga de Jamal.

«Jamal, jo, lenge sia, mann», sa den ene, med rester av et stemmeskifte, og de kappløp omtrent mot oss for å hilse. Jamal så brydd ut.

«Kan vi være med på nattingsen elle?» spurte den ene.

«Nei ass, har bare en kicker», sa Jamal.

«Å ja», sa de molefonkent.

«Snakkes», sa Jamal og begynte å gå igjen.

«Godt nyttår a, Jamal», ropte de etter oss.

Betongbenken under lampeskjermen var iskald. Jamal åpna røykpakka si, tok ut en røyk og knekte den i to. Fra samme lomme tok han ut en Rizzla-pakke og en liten brun klump, ikke større enn en grusstein. Så starta fingrene å arbeide, uten opphold, de fløt fra oppgave til oppgave i en eneste lang bevegelse, til han førte jointen til leppene og limte den siste skjøten.

Han fyrte på. Gloa lyste som en ildflue i mørket. En grå sky kom ut igjen av munnen hans. Han tok tre trekk. Så så han på meg.

«Seriøst, Mo, sikker?» Han holdt jointen så langt unna at jeg måtte strekke meg for å få tak i den.

«Ja», sa jeg.

«Du er helt sikker?» sa han. «Hør a, jeg vil ikke ha skyld for det etterpå, ok?»

«Slapp av», sa jeg. «Jeg er sikker.»

Jeg tok et trekk. Den myke røyken bevegde seg nedover munnhulen, så stansa den. Det klødde intenst mellom halsen og brystet. Jeg hosta, trakk en gang til, men hosta bare mer.

«Slapp av, kompis, har du dårlig tid elle?» flirte Jamal. Hodet mitt veide femti kilo. Jeg tok på det, liksom for å støtte det opp, og da jeg gjorde det, var det ikke mitt. Jeg holdt en annens hode i hendene. Jeg slapp taket. Haka falt tungt ned på brystkassa.

Jeg skulle svare han, men hadde glemt hva han spurte om. Om han spurte om noe. Tankene mine var klebrige, som om de satt fast i det andre hodet og måtte dras løs én om gangen. Jeg støtta opp hodet igjen. Trakk på nytt. Hosta enda en gang.

Jamal åpna brusflaska og rakte den til meg. Lunka cola eksploderte i munnen min. Kullsyra kilte hver millimeter av ganen. Jeg trakk på nytt. Det gikk bedre. Ingen hosting. Jeg ga jointen tilbake til Jamal. I en av leilighetene i Jacobine Ryes vei holdt skarpe farger fra en tv lysshow mot det hvite taket. I en annen leilighet var lyset gult, og overkroppen til en dame fløt forbi før hun forsvant. Så dukka hun opp igjen noen sekunder senere og fløt tilbake dit hun kom fra. Jeg ble sittende og lure på hva hun gjorde. Kanskje hun sjekka maten i ovnen. Jeg lurte på hva hun lagde. En rakett smalt et eller annet sted, men jeg fikk ikke med meg fyrverkeriet. Jeg speida etter det med rødsprengte øyne, men så bare grå himmel. Jeg ble sittende og bare se. Opp mot Romsås. På Rommen skole. På terrasseblokkene som strekker seg fra Vestli til Fossumveien. Brua og politistasjonen. Rekka med fire høyblokker i Tante Ulrikkes vei og lavblokkene som ligger rundt dem, og det mørke ansiktet til Jamal, mens han sa noe til meg som jeg ikke klarte å forstå.

Så korrigerte jeg. Blokk for blokk. Vindu for vindu. Ansikt for ansikt. Viska det ut, som jeg var en lærer med svamp og tavle.

«Hva faen driver du med?» spurte Jamal og så bekymra på meg.

«Det her finnes ikke», svarte jeg og forsøkte å viske bort ansiktet hans med svampen min. Han vifta bort hånda mi. Jeg begynte å le, og da jeg gjorde det, klarte jeg ikke stoppe. Jeg satt og rista på betongen. En lang, hikstende latterkrampe som svei i magemusklene og fikk Jamal til å riste oppgitt, men lattermildt på hodet.

«Forskning viser at ingenting av det her finnes», sa jeg da jeg klarte å stoppe, og pekte rundt meg.

«Jeg veit ikke hva dem lærer dere på universitetet ass», sa Jamal. «Men liksom, alt det her er ekte.»

«Jeg vet!» ropte jeg og rett etter sa det «ra-ta-ta», og himmelen over Romsås ble lyst opp av grønt og rødt fyrverkeri. Klokka var halv tolv. Vi traska oppover til Tante Ulrikkes vei. Jeg fant resten av familien bak blokka. Det smalt hele tida. Batterier skjøt grønne, rosa og lilla stråler opp mot himmelen. Jeg sto og så på med gapende munn. Småsøknene mine halte i buksebena mine og ville ha hjelp med et stjerneskudd. Jeg merka at jeg frøs på føttene. De fortsatte å hale i buksa mi. Faren min så rart på meg. Jeg ble stående og se til smellene kom langt unna igjen og alle fargene hadde forsvunnet ned i snøen.

Maria sendte meg en melding i løpet av natta en gang og skrev at hun ikke var sint. Hun ønska meg godt nyttår og sa hun var glad i meg og håpte jeg fikk et fint nytt år. Jeg orka ikke tenke på det. Hodet var klarere, men bevegde seg nesten saktere. Av og til fikk jeg glimt av fargene, og jeg hadde en besk smak av jord i ganen, selv om jeg brukte munnskyll tre ganger.

Hun ringte nå i kveld. Hun hørtes sliten ut. De hadde starta i kollektivet og fortsatt på en bar, fortalte hun. Hun spurte hva jeg hadde gjort. Jeg sa jeg hadde hengt med noen folk fra Stovner.

«Hvem?» spurte hun.

«En fyr jeg hjelper å studere.»

«Gjør du? Så bra.» Stemmen lysna og hun gjentok det. «Det er kjempebra, Mo.»

Så snakka hun om klær.

«Har du fått med deg at H&M vil åpne på Løkka eller? Alle snakka om det i går. Er det ikke kjipt?»

«Jeg vet ikke», sa jeg og kasta et blikk på klesskapet mitt. «Er det?» Hun sukka oppgitt i andre enden.

«Selvfølgelig er det kjipt, Mo. H&M asså, herregud, har du ikke fått med deg hva slags forhold de som lager klærne i Kambodsja, lever under? De er som moderne slaver. De har ingen rettigheter. Og så er det bare masseproduserte klær uten sjel der, uansett.»

«Ok», svarte jeg, men hun hørte ikke. «Men noen av de som bor på Løkka, har laget en kampanje og skrevet brev til kommunen for å stoppe det. Christina spurte om jeg ville være med i morgen og hjelpe til med å dele ut flyers.»

«Bra da», svarte jeg tafatt.

«Ja, selvfølgelig er det bra»

«Var det ikke det jeg nettopp ... Samma det.» Hun snakka for fort og heftig for meg. Alt var klister.

«Vi kan snakkes senere», sa hun. Jeg var glad hun la på. Opphissa Maria er slitsom.

Godt nytt år.

Fra: Mo <mo.1@hotmail.com>
Sendt: 5. januar 2006
Til: Lars Bakken <lars.bakken@nova.no>
Emne: Kartlegging av hverdagen til unge i Groruddalen

Andre nyttårsdag sto Maria ute i kulda på Olav Ryes plass og delte ut flyers mot H&M. Hun sendte meg en MMS. Skjerfet var dratt langt opp i ansiktet, det var snøfnugg foran linsa, og hun knep øynene halvveis igjen, som om et vindkast akkurat feide over henne. Likevel smilte hun.

«Ser kaldt ut», svarte jeg. Etter det sendte hun ikke flere MMS.

Ellers regner jeg med at du har sett bildet av det slitne, røde huset og ansamlingen av folk i kjortler utafor det. Og førstesidesaken det hørte til.

VG avslører: Ekstremistkonferanse på Stovner.

Ti meter fra politistasjonen på Stovner forsvarte britisk imam angrep mot vestlige mål.
VG kjenner til at det har vært reklamert bredt for konferansen flere steder i Oslo, og at gjester og talere fra flere europeiske land deltok. Blant talerne var en svært omstridt imam fra Luton i Storbritannia, som etter hva VG erfarer skal ha gitt uttrykk for ekstreme synspunkter ved flere tidligere anledninger. Kilder forteller VG at imamen skal ha viet en lengre del av talen sin til å forsvare angrep mot Vesten.

Jeg kom gående fra T-banen, på baksida forbi politistasjonen, da jeg så tre unge gutter med grønn Rommen SK-drakt under boblejakka stå og peke. Jeg gikk bort dit de sto, og der var de, de som først ikke ga noen mening, to middelaldrende norske menn foran inngangen til moskeen. Så fikk jeg øye på kameraet og taleopptakeren.

Døra til moskeen gikk opp. En sped, ung mann med tett, svart skjegg og store briller kom ut. Blitsen på kameraet blenda han. Han myste.

«Vi har ingen kommentar», sa han.

«Støtter moskeen at uskyldige blir drept i terrorangrep?» spurte journalisten og stakk lydopptakeren oppi ansiktet på ham.

«Vi har ingen kommentar til det heller.»

«Imamen fra Luton, er han her fortsatt?»

«Vi har ingen kommentar.»

«Vi har snakket med eksperter fra England som sier denne imamen er en velkjent skikkelse i ekstremistkretser i Storbritannia. Han skal blant annet ha vært under etterforskning for oppfordring til vold. Hvordan forsvarer dere å invitere denne mannen hit til Stovner?»

Noen sa noe på innsiden. «Ingen kommentar», sa den unge mannen og lukka døra.

Journalisten banka på. Ingen åpna. De gikk en runde rundt moskeen, kikka i vinduer, men alle gardiner var trukket for. De ga opp og forsøkte seg på inngangsdøra igjen. Den gikk opp med et kraftig dytt.

«Fløtt dere a, faen ass ...» Jamal skubba vekk kameramann som sto i veien for han.

«Ta det med ro a», ropte kameramannen. Jamal stansa og snudde seg mot han.

«Hva sa du?»

«Jeg ba deg slappe av litt», sa kameramannen og tok et skritt bakover.

Jamal flirte til han. «Slappe av litt?» Han tok et skritt frem.

«Fuck deg a, mann, hører du?»

Journalisten hadde fått opp lydopptakeren igjen og pekte den mot Jamal. «Kan vi få noen ord med deg?» sa han. «Vi lurer bare på ...»

«Fuck dere», sa Jamal og ga dem fingern. Blitsen gikk av. Jamal jogga vekk. Forbi meg.

«Shit, Mo, kommer bort til deg etterpå», sa han da han så meg.

Vi satt på senga mi i åttende etasje, og Jamal tasta hardt på telefonen.

«Skal vi studere?» spurte jeg.

Mobilen hans pep to ganger.

«Hva sa du?» spurte han.

«Skal vi studere?» spurte jeg igjen. «Begynner ikke du på Bjørknes neste uke?»

«Ja ass, jeg veit, bare, liksom, ikke i dag. Vi skal skrive en greie i avisa», sa han. «En sak, eller no. Jeg husker ikke hva dem kalte det.» Han så på telefonen. «En kronikk.»

Han trakk fram et sammenbretta ark fra baklomma. «Jeg sa jeg kjenner en kar som kan lese og sjekke om den har alle orda riktig skrivi og sånn.» Han smilte forsiktig.

Den var ikke så langt. En knapp A4-side. Innholdet var ferdig allerede, jeg retta bare litt på grammatikken. Det sto at imamen var ekspert på indre jihad, menneskets kamp med seg selv og sine synder, og at det var bakgrunnen for invitasjonen. De la ikke skjul på eller tok direkte avstand fra det han hadde sagt, men understreket at det måtte sees i sammenheng med hvordan verden så ut fra mange muslimers ståsted. Så skrev de om ytringsfrihet. Om hvor viktig det var å løfte frem synspunkter som kunne føles ubehagelige for enkelte, men som hvis de ble undertrykket, kunne bli eksplosive. Vi er for dialog, og islam er for fred, avslutta de.

Fra: Mo <mo.1@hotmail.com>
Sendt: 8. januar 2006
Til: Lars Bakken <lars.bakken@nova.no>
Emne: Kartlegging av hverdagen til unge i Groruddalen

Kronikken ble publisert på VG Nett et par dager etter jeg så utkastet.

Jamal var hjemme hos meg, og vi var omtrent ferdig med å studere for kvelden da han fikk en melding. «Den er ute, mann!» ropte han, selv om vi satt en halvmeter fra hverandre.

Han sto bøyd over meg foran skjermen. Modemet blinka hektisk. Internet Explorer jobba sakte. En og en artikkel lasta ned. Skiskyting. «Bjørndalen i rute til Torino-OL.» «Slik holder du nyttårsforsettene.» En kvinne røyka og så lei seg ut. Siden hakka seg nedover. Moskeen kom til syne på et rektangulært bilde.

«Der», pekte Jamal. «Klikk der.»

Teksten lasta inn. Ingressen først, så avsnitt for avsnitt, til budskapet om islam og fred i siste setning.

«Yes, det er sånn skal det være. La dem få vite, liksom.» Han gned seg i hendene. Det var min feil, på en måte. Jeg skulle ikke tatt så hardt i da jeg scrolla. Siden flytta seg helt ned til kommentarfeltet. Jeg forsøkte å gå opp igjen.

«Slapp av, la meg sjofe a», sa Jamal.

«Ikke bry deg ...»

Han så lamslått på meg. «Skyte i nakken?» Stemmen var

nesten hviskende. «Hør a, karen sier han skal skyte oss i nakken.»

«Jeg vet ...»

«Sjof a!» ropte han. «Det er helt sykt jo. Sjof hva dem skriver a! Er det lov å skrive sånn på en avis?!»

«Bare drit i det ...»

Han gjorde ikke det. Det var en lidelse å følge med på han. Sakte og hakkete leste han hver eneste kommentar, med innlevelse, som om han fremførte en bisarr monolog.

Hvordan tør de å snakke om ytringsfrihet? De bruker ytringsfriheten som de bruker Aetat. Stjæler det de ikke har tjent seg opp!!

Bestefaren min var på skauen. Han forsvarte OSS. Er på tide at vi forsvarer OSS, vi også. Ikke bare lar dem ta seg til rette i VÅRT land.

Muslimjævler. Stapp ytringsfriheten opp i ...

Til helvete med dem. Nakkeskudd!

Sett et skudd på statsministern også. Sviker!!!!!!

«Jeg skal faen meg skyte *dem* på nakken», snerra Jamal. Han smelte en pute i veggen. Små, gule fjær dalte gjenom den trykkende lufta.

Jeg la knapt merke til det. Et slag hadde truffet rett i magen min. Jeg nistirra på den andre kommentaren. Hendene mine grep hardt rundt armlenene på stolen. Blodårene sto ut av underarmene. Det holdt ikke. Jeg sprinta inn på badet. Det plaska. Magesyren svei i halsen. Hodet hang slapt over porselenet. Jamal sa ha det til foreldrene mine inne på stua.

«Sorry for puta», hviska han gjennom døra.

Fra: Mo <mo.1@hotmail.com>
Sendt: 12. januar 2006
Til: Lars Bakken <lars.bakken@nova.no>
Emne: Kartlegging av hverdagen til unge i Groruddalen

Kronikken har ikke forandra mye. Frp og Høyre kjørte hardt mot statsministeren i spørretimen på Stortinget. Hva hadde han tenkt å gjøre med moskeen? Ville politiet etterforske? Ville moskeen miste den offentlige pengestøtten? Og var ikke det den samme drabantbyen som Farah ble drept i? Kunne han tillate at det vokste frem et parallellsamfunn i Oslo der jenter ble drept av foreldrene sine og imamer oppfordret til drap på uskyldige i moskeene? Når ville han erkjenne at det var nødvendig med en akutt tiltakspakke mot ekstremisme i Groruddalen og på Stovner?

Statsministeren svarte tørt at politiet måtte vurdere om ytringene var i strid med loven, og at en eventuell tilbakedragning av støtte var Fylkesmannens og den respektive kommunens ansvar. Jeg tror det var Carl I. Hagen som uttalte at han ikke hadde hørt en mer unnfallen statsminister siden Chamberlain.

VG sendte folk til Luton for å grave opp enda mer om den britiske imamen. De fant mer av det samme. Flere sitater og flere bilder av skjeggete menn på et fortau. Hjemme hadde de fått tak i anonyme kilder i Arbeiderpartiet som var «dypt kritisk til statsministerens håndtering av saken» og varsla grasrotopprør om det ikke ble gjort mer.

Jeg bråstoppa utafor Narvesen.

> ***Radikal Stovner-moské gir penger til ungdom i risikosonen***
>
> *Moskeen på Stovner er allerede under lupen etter at en britisk imam forsvarte angrep mot Vesten på et av deres seminarer. Nå kan VG avsløre at moskeen også har gitt penger til utsatt ungdom i bytte mot arbeid i moskeen og deltakelse i gudstjenester. Etter det VG kjenner til, skal flere ungdommer ha arbeidet tett opp mot det beryktede seminaret 1. nyttårsdag.*

Svart på hvitt, over et bilde av Jamal som viste fingeren til Norge.

Respondent: Jamal
Bydel: Stovner
Innspillingsdato: 13. januar 2006

Halla.

Har du sjofa meg elle? På avisa. Plutselig jeg går ut av blokka og en sånn fjortiskid fra blokka bak bare: «Heftig bilde ass, Jamal. Fuck you liksom.» Jeg tenkte: «Hva faen? Må jeg slæppe kiden liksom?» Men han bare: «Avisa mann, du gjør sånn på avisa.»

Hele den greia der ass ...

Liksom, dere vil ikke skjønne ting ordentlig. Aldri.

Det er sånn, 11. september var på 2001, nå det er 2006, så lenge sia, men fortsatt dere er helt som hun Karin på Bredtvet.

Samma opplegg. Liksom, hvis du ikke sier akkurat samma som dere og tenker akkurat samma som dere, da du er helt fucka kar.

Hør a, han imamen sa sånn: Det er plikt å forsvare oss når det kommer angrep på oss.

Hva faen er problemen med det? Hva er problemen med å si du må forsvare deg? Sier ikke Bush og USA det hele tida når dem lager krig?

Da det er greit, nå det er ikke greit?

Tssk ...

Dere bare bryr dere om dere. Jeg sverger.

Det er det jeg sier ass, når ting blir ekte, dere vil ikke bra ting for oss.

Hør a, for litt sia jeg sjofa noen helt syke greier på nettet ass. Det er sånn, jeg veit mange på Norge ikke liker trynet mitt ass, men fuck ass, så mye? Dem folka der skrivde at dem vil plaffe oss liksom. Jeg sverger, dem skrivde det, og mange andre helt syke ting.

Fordi vi lagde en kronikk! Og den var så snill liksom, jeg sverger. Den sa ingen stygge ting eller no.

Nå jeg tenker, hvorfor var den kronikken snill? Bedre om det bare står sånn, fuck dere.

Hva er vitsen å være snill liksom?

Liksom, det her er seriøse greier ass.

Du veit, kanskje på framtida jeg må ordne meg gunner og sånn. Plutselig dere lager krig mot oss her på Norge og prøver å drepe oss og sånn.

Jeg sier til deg, fuck å være snill ass.

Liksom, tror du ikke jeg husker hva som skjedde med negern Benjamin elle, og navnet hans var fuckings Hermansen.

Jeg sverger, jeg blir pissed ass.

Jeg må slappe av liksom.

Vent a. Må fyre på en sigg.

Shit ass.

Så mye kaos dere har lagd over han karen der fra England ass …

Du veit, han snakka om masse andre greier også. Jeg sverger, karen prata to timer eller no ass. Og jeg hadde så lyst til å ta sigg, men jeg kan ikke gå da, for liksom, alle sitter og hører på han, og det ser tæz ut. Først når det var tid for being jeg klarte å snike meg ut og ta sigg.

Men det var bra greier noen ganger også. Han fortalte liksom om hva jihad egentlig er, skjønner du? Ikke sånn jihad dere tror er jihad. Men sånn jihad på deg selv. Liksom, du hver dag, hver minutt må slåss for å bli en bedre menneske og bedre muslim.

Jeg likte det skikkelig bra ass. For han sa liksom, ting er hardt ass. Verden er et hardt sted, ikke lat som andre ting liksom. Gud veit at ting er hardt, og Gud liker folk som prøver å bli bedre.

Jeg likte det ass.

Jeg driver og sjofer på den bilden fra avisa nå. Jeg har den her ass, på rommen min. Ikke på veggen liksom, jeg har lagt den under senga da. Men liksom, når jeg ser den bilden, helt ærlig, jeg tenker det er så heftig.

Liksom, jeg står der og viser fingern, og bak der du ser T.U.V.-blokkene. Liksom sånn, fuck dere alle a, hilsen T.U.V.

Jeg representerer som faen på den bilden ass.

Trynet mitt syns ikke mye da, men liksom, alle som kjenner meg, veit det er meg.

Eneste greia er liksom, du veit, ikke bare ungdomma sjofer det, andre folk også sjofer det. Plutselig, Suli sier: «Hvorfor viste du fingern på avisa? Hvem var du så sint på?» Og da moren min hører det, og hun sier: «Hva, Jamal, hva er det du driver med? Var du på avisa og gjorde sånn?»

Jeg sier til dem det var en bilde fra jeg kødda med kompisa mine. Det er avisa som lagde masse tull med det. Ikke tro på avisa, sier jeg. Avisa lager kaos for ingenting.

Jeg tror dem trodde på det.

Nå, jeg har litt noia for andre, som foreldra til Mo og sånn.

Shit ass. Håper dem ikke sjofa den avisa ass …

Fuck.

Jeg har ikke mere sigg nå. Hva er klokka a?

Fuck, fuck, fuck.

Skal egentlig på Bjørknes i morgen ass.

Men alt er stress nå ass. Klarer ikke tenke på det.

Jeg drar til bensern på Haugenstua.

Må ha sigg ass.

Snakkes a.

Fra: Mo <mo.1@hotmail.com>
Sendt: 17. januar 2006
Til: Lars Bakken <lars.bakken@nova.no>
Emne: Kartlegging av hverdagen til unge i Groruddalen

Jeg har snakka med Maria én gang i løpet av de dagene her. Sent på kvelden. Hun var på vei hjem fra Amnesty. Jeg spurte om hun hadde tenkt seg på Blindern dagen etter. Hun har ikke vært der siden semesteret starta. Hun sa hun ikke trodde det.

«Hvorfor ikke?» spurte jeg.

«Jeg tar det igjen.»

«Du vet at du ...», begynte jeg.

«Mo, seriøst, slapp helt av. Det er bare to forelesninger. Jeg tar det igjen.»

«Greit», sa jeg og slappa ikke av.

Det ble stille en stund.

«Vi har delt ut flyers til sikkert tusen mennesker til sammen nå. Det er kjempemange som er enig med oss», sa hun.

«Det en veldig viktig jobb dere gjør. Stå på.» svarte jeg.

«Selvfølgelig er det viktig!» Hun fyrte seg opp. Jeg fikk høre om arbeiderne i Kambodsja igjen. Om sjelen H&M mangla. Om at de kom til å ødelegge Løkka og alt Løkka sto for. For åpna man for enda en kjede, kom det bare til å komme flere, bare vent og se. Hvis ingen satt ned foten, kom til slutt ingenting til å være som det var.

Jeg begynte å le da jeg hørte henne snakke sånn, om en

klesbutikk. Jeg klarte ikke annet. Jeg lo så høyt som latteren min går.

«Seriøst Maria, vet du hvor teit du høres ut nå?»

Hun hadde lagt på allerede.

«Hva vil du, Mo?» sukka hun da jeg ringte henne opp.

«Hvorfor bryr du deg egentlig så mye om hva som skjer på Løkka?» spurte jeg med tynn stemme.

«Fordi ...», begynte hun. «Du forstår ikke ...»

Det hørtes nesten ut som hun var på gråten. Jeg vet ikke. Hun var stille lenge i alle fall. Jeg hørte trikken kjøre av gårde i bakgrunnen. Jeg kunne se henne for meg, hun så seg om etter trafikk, kryssa Pilestredet og gikk oppover Grønnegata og låste seg inn nede. Jeg ville være sammen med henne. Bli med henne opp.

«Du forstår ikke, Mo. Og uansett, jeg har tenkt å flytte dit. Inn i kollektivet.»

Faren min er sur også. Han har sett bildet av Jamal i Aftenposten.

«Du sa han hadde skjerpa seg. Nå sier de han driver med hjernevask i moskeen. Han viser fingern til avisa. Hva slags person gjør sånt?»

«Det er ikke han som hjernevasker ...» Jeg gned hendene så hardt i ansiktet at det gjorde vondt. «Det er ingen som hjernevasker noen.»

«Han er ikke velkommen her nå.» Han satte foten ned. Så hardt som bare han kan. Det var ikke vits å si mer. Som om jeg hadde turt uansett.

•

Fra: Mo <mo.1@hotmail.com>
Sendt: 18. januar 2006
Til: Lars Bakken <lars.bakken@nova.no>
Emne: Kartlegging av hverdagen til unge i Groruddalen

I kveld sto bydelsdirektøren og en byråd sammen på Dagsrevyen og fortalte at den kommunale støtten moskeen har mottatt, vil bli stanset, og at kommunen er i dialog med politiet om tiltak for å forebygge ekstremisme i bydelen.

Det er nok en stor sjanse for at Jamals penger er borte.

Det her er ikke bra.

Fra: Mo <mo.1@hotmail.com>
Sendt: 19. januar 2006
Til: Lars Bakken <lars.bakken@nova.no>
Emne: Kartlegging av hverdagen til unge i Groruddalen

Jamal svarte ikke på telefonen og var ikke hjemme da jeg ringte på. Jeg gikk til steder jeg trodde han kunne være. Jeg fant han under lampa.

Jeg så omrisset av han og flere andre. Ungdommer, som de to vi hadde møtt. Den jordaktige lukta fra jointen møtte meg lenge før jeg nådde frem til dem.

«Mo», sa han da han fikk øye på meg. Han skumpa vekk de som satt ved siden av han. «Sitt.»

Det hvite i øyne hans var nesten usynlig bak et spindelvev av røde årer. Han spurte om jeg ville ha noen trekk. Jeg takka nei. Hodet var klebrig nok. Jeg ble sittende til han var ferdig og de andre etter hvert forsvant.

«Er opplegget med moskeen ferdig?» spurte jeg. «Ja», svarte han mutt. Jeg forsøkte å være positiv for han.

«Du har fortsatt rett på vanlig videregående. Jeg tror du kan klare det nå hvis ...»

«Glem det a», svarte han.

«Du kan skrive brev til Utdanningsetaten. Forklar hele saken. Si at du er motivert og spør dem om det finnes noen type opplæring som kan passe deg.»

«Hva faen er vitsi med det? Fuck brev. Fuck kronikker. Fuck skole. Forstår du hva jeg sier til deg elle?!»

Han reiste seg. Den lange kroppen skalv. De rødsprengte

øynene var svarte og vidåpne. Så sank kroppen ned på betongen igjen.

«Er ikke deg jeg skriker til, mann.» Øynene ble matte. De lange neglene skrapte i en tørr hodebunn. Stemmen var sliten, men fast.

«Fuck alt, mann. Jeg mener det. Det moraknullerlandet her … De moraknullerfolka. Fuck det og fuck dem, seriøst. Skjønner du hva jeg mener?»

Det var brutalt å se på han. Brutalt å høre han snakke, strippa helt for nyanser og hemninger. Det overmanna meg fullstendig. Og sittende der, side ved side på den kalde betongen under den mørke lampa, mista jeg mine. Jeg begynte å snakke jeg også. Sakte og uten å stanse fortalte jeg om Maria. Om vennene hennes. De nye og de gamle. Om foreldrene til Maria. Om hvordan Farah rota så mye til. Om politiet på Gardermoen. Om Oddvar Stenstrøm og Holmgang. Om Mikael. Om hvor på trynet alt var. Jeg snakka om ting jeg ikke hadde snakka med meg selv om. Jeg kalte dem ting. Ting som nesten fikk Jamals ord til å blekne. Alt bare rant ut av meg. Liter for liter til det skumma rundt oss.

Respondent: Jamal
Bydel: Stovner
Innspillingsdato: 21. januar 2006

Fuck ass!

Sorry.

Jeg bare, jeg klikker snart.

Han imamen ass. Fuck dem greiene han snakka om a.

Gud liker folk som prøver ...

Liksom, hvorfor skjer det ikke bare schpaa ting med folk som prøver da? Jeg prøver masse, jeg prøver å være seriøs, hele tida jeg prøver ting, men hva får jeg? Ikke en dritt.

Hva faen er det liksom? Jeg får bare: «Du må prøve enda mer.»

Folk snakker hele tida som ting blir bra fra seg selv bare jeg prøver mere.

Jeg hater den dritten der.

Sånn som Mo, han starta å snakke til meg sånn. Bare prøv mere skole. Bare gjør sånn og sånn.

Jeg klikka på han, jeg sverger.

Plutselig etter det han starta å bli gæren, jeg kødder ikke. Starte å snakke om så mye ting. Om dama si og sånn og hvordan alle folk fucker med han.

Jeg tenkte sånn, karen har skjønt masse ting nå ass.

Men liksom, når jeg hørte mange av tinga han snakka om, også jeg tenkte litt sånn, ok, han karen her, han klager litt for mye ass. Egentlig, han har det schpaa. Liksom, jeg har alle problemene til han, pluss hundre flere.

Ja, glemte å si det, men sikkert du skjønte det. Skolegreiene er ferdig. Han sjefen på moskeen ringte og sa sånn at flusa er borte, og dem veit ikke om dem får dem tilbake, så han kan ikke love noe fremover. Han sa jeg må ikke finne på tull, jeg er veldig bra gutt, men jeg må roe meg litt ned noen ganger. På slutten han sier:

«Du er alltid velkommen her, ok? Prøv å komme på hver jummah, hvertfall.» Jeg sier: «Ok, greit», men jeg har ikke gått der.

Helt ærlig, jeg orker ikke mere, skjønner du? Jeg orker ikke mere gå på moskeen, jeg orker ikke mere prøve å lære beinga, jeg orker ikke mere prøve å gå på skole, liksom, jeg orker ikke å prøve mere, skjønner du? Jeg orker det ikke.

Og nå, nå jeg kommer hvertfall ikke til å gå der.

Rash og jeg, vi er ikke kompiser mere.

Liksom, jeg møter Mustafa og han, sånn noen dager sia på brua. Vi starter å snakke om dem tinga som skjedde med moskeen, og alle er liksom like mye pissed, og alle sier det er fucka, det er fordi det er muslimer og da dem skal være ekstra strenge, og egentlig det er bare rasisme og diskriminering, og alt sånn. Men så Mustafa skal bæde meg: «Gjorde ikke ting lettere at folk viser fingern til journalister.» Jeg bare: «Seriøst? Hør a, han karen gidder ikke fløtte seg jo! Bare kommer her på steden vår og skal plage folka her, hva skal jeg gjøre liksom? Ingenting?»

Mustafa bare: «Du skjønner ikke, du ...»

Nei, du skjønner ikke, jeg tenkte.

Han bare: «Men ok, drit i det nå. Den saken her er ikke ferdig uansett. Vi skal prate mer med kommunen. Vi skal sende en klage. Og så tenker vi å sende noe til bystyret og prøve å få med oss noen av dem som sitter der, til å foreslå ...»

Jeg bare: «Hæ? Det er alt liksom?»

Mustafa sier sånn: «Hva mener du? Hva skal vi gjøre? Terror?» Han ler.

Jeg bare: «Nei ass, ikke terror da, slapp av a, men liksom, jeg veit ikke, vi må lage mere kaos mot dem. Gjøre som gutta på Paris. Liksom, la dem potetene få vite på ekte at vi ikke backer, skjønner du hva jeg mener?»

Mustafa bare sjofer på meg, liksom, er du skada elle, og han blir sånn voksen: «Hør a, Jamal. Seriøst, hva skal det der hjelpe? Ble det bedre for moskeen etter du viste fingern til avisa? Nei. Har kidsa i ghettoen i Paris fått det bedre etter dem tente på masse biler? Nei. Har muslimer fått det bedre i verden etter alle bombene til al-Qaida? Nei. Har du ikke fått det med deg, elle? Ingen har tapt mer på det der enn oss, mann. Jeg sier til deg, du må komme over det der, ok? Det er som han imamen sa, indre jihad, den er aller viktigst, ikke sant? Viktigere enn den andre jihad. Samma hva de norske gjør, vi må prøve å være gode muslimer først. Og etter det, da kan vi tenke på å forandre ting utafor. Og når vi gjør det, må vi gjøre det på en ordentlig måte. På den måten at de norske forstår vi er seriøse, og dem ikke bare kan si sånn: «De er bare kriminelle og terrorister, hele gjengen.» Vi må påvirke systemet, skjønner du? Kronikk. Brev. Snakke med de som bestemmer ting. Det er den måten vi må gjøre ting på.»

Han prata masse sånt, og jeg sjofer på Rash, liksom: «Seriøst elle?», og Rash står der som fuckings hypemannen hans, liksom er enig på alt. Og jeg orker ikke høre på mere, så jeg sier: «Veit ikke ass» og «ok, greit».

Liksom, jeg følte dem gutta har blitt så bitcher.

Så dem starter å snakke om meg igjen.

Rash først. Han sier: «Hvorfor har du ikke vært på moskeen siste tida?» Jeg sier: «Jeg orker ikke ass.»

Rash sier: «Hva mener du jeg orker ikke?», og han sier orker ikke på sånn fucka måte, sånn på en pinglemåte. Jeg bare: «Hør a, kanskje en seinere tid, nå for tida jeg orker ikke det.» Rash blir helt sånn, starter å puste høyt og sånn, se på himmelen og på senteret og på politistasjonen og på Mustafa, helt sånn se overalt, liksom, sjof hele Stovner, sjof hva jeg må deale med.

«Det er dårlig stil ass, Jamal», sier han.

Da jeg merker, ok, nå jeg starter å bli skikkelig pissed ass, men han bare fortsetter med å snakke. «Du må ikke bare gi opp ting med en gang.» Og Mustafa starter å bli sånn voksen på nytt, sånn, nå jeg skal lære deg, lille gutt. «Skal du leve som muslim, Jamal, da du må gå på moskeen og du må faste og du må gjøre sånne ting. Islam er ikke smågodt på Mix-kiosken vettu. Du kan ikke bare si, jeg vil ha den, men ikke den, fordi jeg orker ikke. Jihad er kamp mot deg selv, det skal være slitsomt.»

«Hør, du er ikke drittunge lenger, Jamal», fortsetter han. «Ta ansvar for livet ditt. Du må prøve å være mer seriøs.»

Da jeg er heftig pissed. Jeg sier: «Hvis *jeg* vil gå, jeg går, ok? Ikke fortell meg, jeg *må* gjøre sånn og sånn.»

Dem blir skikkelig irritert da. «Greit, gjør hva faen du vil, du», sier Rash, og jeg sier «ok, greit», og dem starter å gå ene veien på brua og jeg går andre veien, men da jeg hører Mustafa sier til Rash: «Ikke noe sabr ass. Seriøst, han ville bare ha flusa, han der.»

Jeg stoppa ass. Og går tilbake til dem, helt opp på trynet til Mustafa, bare klikker på han: «Hva faen sa du?»

Først han blir sjokka, liksom, han veit ikke jeg kan bli pissed på han, for hele livet han har vært stor og vi har vært drittunger, men liksom, nå jeg er ikke redd han fitta der mere.

Han bare: «Hvem faen tror du at du er a?»

Jeg sier: «Mustafa, fuck deg a, forstår du?»

Det blir kaos ass. Han prøver å slå meg, jeg tar hånda foran trynet mitt. Jeg prøver å sparke han, og jeg tror jeg trefte ass, på beinen eller no, men mest det gjorde vondt på min egen bein, og Rash bare er helt stressa, prøver å stoppe kaosen, og når den stopper, han sier liksom: «Hva faen er gærent med deg a, Jamal? Er du syk i hue elle?»

«Gå og lev det tæze livet ditt, du», Mustafa roper til meg, så dem avor.

Liksom, jeg er født muslim, jeg dør muslim, det er ikke noe å lure på liksom. Så hvorfor dem skal plage meg, skjønner du hva jeg mener? La meg kjøre min stil a.

Rash liksom ... kompisen min fra vi var null år. Rash som jeg har vært med femti tusen ganger. Rash jeg har kæza folk med. Festa med. Keefa med. Alt mulig ting vi har gjort ass, du veit ikke.

Men nå liksom, vi er ikke kompiser mere.

Seriøst, folka snakker om muslimer er ummah, men dere hvite folka, dere er så mye mere ummah da ... Alltid dere backer hverandre. Vi, vi bare krangler.

Veit du hva elle? Det er enda mere tæze ting som skjer. Liksom, i stad, jeg skal gå ut, og jeg sjofer faren til Mo utafor blokka, og jeg sier til han: «Salaam, onkel, alt bra?», men han bare: «Hei», og så han går inn på oppgangen sin. Ingenting mere.

Helt sikkert han har sjofa avisa.

Jeg sverger, det var sånn ... Du veit ikke. Det var skikkelig fucka.

Skikkelig ass.

Arghh...

Sorry ass, jeg blir gæren.

Du veit, den gangen her jeg tenkte liksom, nå det går bra, skjønner du? Nå jeg gjør alle dem seriøse tinga ...

Liksom, jeg lagde så masse plan og sånn. Hooke opp med hun Saima. Bli bilmekaniker. Få flus. Du veit ikke, så masse jeg tenkte på hvor schpaa alt skal være.

Men liksom ...

Jeg er jævla sliten nå ass, mann, jeg sverger. Du veit når du har skikkelig lyst å sove, men noen gjør sånn at du ikke kan sove? Du veit, naboen har heftig høy musikk, eller dem sager på trærne på gata, eller dem kommer med korps på 17. mai, og du er drittrøtt, og du bare er der på senga og får ikke sove, og du bare klikker helt: «Faen ass, hva er fuckings problemen din, la meg sove a!» Sånn er jeg ass. Hele tida jeg klikker, og liksom samtidig, jeg er dritsliten.

Fuck alt liksom. Jeg sverger. Som Pac. Liksom: «They tryin' to say that I don't care, I woke up screamin, Fuck the world!»

Jeg er sånn ass.

Shit, tror jeg vekte Suli. Snakkes.

Fra: Mo <mo.1@hotmail.com>
Sendt: 28. januar 2006
Til: Lars Bakken <lars.bakken@nova.no>
Emne: Kartlegging av hverdagen til unge i Groruddalen

Jeg hører ikke fra Jamal. Den ene gangen jeg har møtt han, var han i elendig humør. Han krangla med han som sitter i kassa på Vivo, om småpenger. «Hva faen snakker du om a, den sto der til 59, nå du sier 69?» Den eldre pakistanske mannen bak kassa nekta. «Nei, det er 69, ikke mer tull nå, vær så snill, ikke mer tull.» Jeg sa til Jamal han kunne få en tier av meg. Han ville ikke ta imot. Til slutt lot han bare alle varene ligge, kalte stedet en drittbutikk og sa han dro på senteret i stedet.

Maria, hun kom ikke med noen tom trussel. Hun har tenkt å flytte. Hun gjentok det for meg dagen etter. Og jeg, jeg vet ikke, jeg er mest som restene av en barnebursdag, en hullete og rynkete ballong som henger slapt i en teipbit.

Fra: Mo <mo.1@hotmail.com>
Sendt: 1. mars 2006
Til: Lars Bakken <lars.bakken@nova.no>
Emne: Kartlegging av hverdagen til unge i Groruddalen

Da det skjedde, da var det liksom som det måtte det, om du skjønner. Som om det liksom bare har venta, alt sammen.

I Jyllands-Posten og i Magazinet. Profeten, en pedofil terrorist med stor nese.

Farah var ingenting. Folk har brent danske flagg i Karachi og Khartoum. Storma ambassader i Damaskus og tatt liv. Jeg mener, til og med moren min har hissa seg opp til det ugjenkjennelige. Hun gjemte munnen i hendene og gispa da hun fikk høre det. Så banna hun. Lavt og for seg selv, men jeg hørte henne, og jeg rødma.

Faren min forsøkte ikke å skjule noe som helst.

«Faens til jævla idioter!» ropte han, til en eller annen på tv.

Statsministern beklaget at trykking av tegningene hadde skapte uro i muslimske miljøer og krenket deres tro, men sa at volden var uakseptabel. Han sa han hadde forståelse for at det opplevdes som støtende for mange, men at terskelen for hva en måtte tåle, også var høy.

Du så det vel selv, hvordan han balanserte, hadde for lite fart og gikk på trynet. Det ble allerede skrevet side opp og side ned om kampen for tilværelsen, den ukrenkelige ytringsfriheten og prinsipper som er så viktige at de går foran alle andre. Prinsipper verdt å dø for.

«Jeg misliker det du sier, men jeg er villig til å ofre livet mitt for din rett til å si det», var det flere som sa.

Jeg blir kvalm av dem. Jeg mener, jeg klarer ikke hisse meg så mye opp over bildene. Det er bare tegninger av ting som blir skrevet hver eneste dag, hundrevis av steder. Det er ingenting nytt.

Og det er egentlig det. Det er egentlig ikke hva de sier, bare at de fortsetter, om du skjønner. At de snakker om hverandre som helter nå, fordi de snakker. Helter som bare pøser på med enda større ord og enda flere stemmer som jeg må svelge unna. Det er det som gjør meg kvalm. Så mange av dem sittende fast i halsen min på en gang. Det renner fullstendig over noen ganger, som da redaktøren i Dagbladet satt på God Morgen Norge med dypt alvorlig mine og sa at det var viktig at vi ikke lot oss kneble, viktig at mediene fikk komme til orde også i saker som gjaldt muslimer og innvandrere, at det måtte de finne seg i å tåle, selv om det innebar konflikt. Da ble jeg så rasende at om det ikke var for resten av familien som satt ved siden av meg, hadde jeg slått hånda tvers gjennom tv-en.

De har hatt ordet fra jeg var åtte.

Samme morgen ringte Maria. Klokka var ikke mer enn ni. Hun ringer sjelden så tidlig. Jeg var sikker på at hun skulle fortelle det jeg hadde lest på nettet kvelden før. At H&M lå an til å vinne. Men hun sa ingenting om klær. Hun spurte om jeg kunne møte henne senere. Vi kunne gå en tur eller noe, sa hun, hvis det passa. Prate litt.

«Prate om hva?» spurte jeg.

«Om oss», svarte hun.

Jeg var på do fire ganger før klokka var ti. Jeg var helt uttømt og burde drukket en mugge vann og spist frokost, men jeg var kvalm og fikk ingenting i meg.

Jeg hadde forferdelig hodepine da jeg gikk ut for å ta banen ned til byen og møte henne.

Der ute møtte jeg Jamal. Han nærmest hoppa opp og ned.

«Det er nå det skjer, mann!» Han slo to slag ut i lufta: «Paff, paff.»

«Skjer hva?» spurte jeg og holdt en hånd mot panna.

«Det er demo, mann. Midt i byen. Masse folk her skal. Vi blir dødsmange.»

«Hva da?» spurte jeg.

«Karikaturene, mann, hva ellers?»

Jamal fortsatte å fyre opp. «Profeten, mann, profeten, skjønner du elle? Dem stopper ikke», sa han. «Nå, det er nok ting, skjønner du hva jeg mener? Vi må vise dem.»

«Kommer du, elle?» sa han og hadde allerede begynt å gå mot T-banestasjonen. Jeg nølte.

«Jeg skal egentlig møte Maria», sa jeg.

«Kom igjen a. Du kan møte hun en annen gang. Du snakka om det du også, Mo, den dagen, liksom hvor mye alle fucker med oss, mann, og nå, dem har kødda for mye. Vi må fortelle dem, liksom, ikke mer dritt nå, skjønner du hva jeg mener? Ikke mer løping fra dem tisharene.Vi må slåss, mann.»

Jeg ble med han. Jeg vet ikke helt. Fordi han maste så mye, og fordi han på en måte hadde rett. Jeg var ferdig med å løpe. Ferdig med å forsøke å stagge det. Jeg kunne like gjerne forsøke å slåss.

Det var mange folk på Stovner T-bane. Da vi kom ned trappa, kunne jeg ikke se den gule linja. Den var dekka av kropper som kikka utålmodig mot tunnelåpningen. Jeg så inn i mørket med dem, mens jeg masserte panna med fingertuppene, men dråper tunge som hammerslag fortsatte å dryppe ned på den. Jeg tenkte på da jeg sto og så mot en annen tunnel, etter de små, nesten usynlige prikkene som vokste til større sirkler, til de til slutt lyste opp hele tunnelen og T-banen kom rullende inn med henne.

Jeg ringte. For å si at jeg ble forsinka. Og for å høre stemmen hennes.

En haug av andre stemmer ble kasta frem og tilbake mellom veggene nede på perrongen. Hennes var svak. Jeg hørte den knapt.

«Jeg blir litt forsinka», sa jeg.
«Hva skal du?»
«Demo.»
«Demo?»
«Ja, demonstrasjonstog. Karikaturene.»
«Ja vel ...» Hun ble stille lenge. «Hva skjer egentlig, Mo?»
«Bare drittlei.»
«Jeg hører deg nesten ikke.»
«Bare drittlei!» ropte jeg.
«Jeg hører deg dårlig. Vi kan møtes i morgen i stedet. Ikke tenk på det. Lykke til i demo.»

Det ble stille. Jeg aner ikke hva hun mente med lykke til. Jeg spurte aldri om hva hun egentlig syntes om at jeg skulle dit, eller om karikaturene. Men jeg liker å tenke at det plagde henne, alt det som skjedde. At hun helst ville vært alt foruten. At hun kanskje lo litt, av alle. Men jeg vet ikke.

Vogna var full. Lufta tung å puste i. Hodet gikk fra vondt til verre. Et banner feide over ansiktet mitt. «Vi elsker profeten Mohammad, fred være med han», sto det. Jamals høyre jakkelomme bulte ut. Da han skumpa i meg i svingen mellom Rødtvet og Veitvet, traff bulen meg i siden. Det gjorde vondt.

Vi gikk av på Grønland og opp til torget. Det var hundrevis av mennesker der allerede. Jeg så noen fra Stovner, som Rashid, han som sto utafor Mix-kiosken med Jamal den dagen, og jeg håpa Jamal ikke kom til å gå bort til han. Han gjorde ikke det.

Politimenn satt på hester og fulgte med på oss. Jamal hadde en hånd i jakkelomma, den andre førte an, dytta seg fram og trakk meg med seg, til vi kom nesten helt fremst. Der hadde en gruppe allerede samla seg og var klare til å gå.

Toget bevegde på seg. En mann med megafon gikk fem meter foran oss andre og veksla på å rope «La ilaha illa Allah» og «Allahu akhbar». Toget gjentok ropene. Spredt først, så samla de seg, høyere, mer selvsikre, til de drønna som kanoner.

«La ilaha illa Allah, Muhammad rasoul Allah!»

«Allahu Akhbar!»

Det sto noen tilskuere langs veien. En gjeng somaliere heide på oss inne på McDonald's, før flere av dem kom løpende ut med pommes frites i henda og fletta seg inn i toget. Det ble flere tilskuere da vi kom til Brugata. Trikker og busser stansa. Jeg så folk inni dem som måpte. En eldre dame holdt begge hendene foran ansiktet. Noen filma oss med mobilene sine.

Jeg kjente togets puls dunke. Skyte utover som en sonar, ut mot sperringene og bussene og folkene, for så å bli skutt tilbake inn i toget. Frem og tilbake, til toget løfta seg selv gjennom Storgata, forbi Glasmagasinet og Stortorvet og inn på Karl Johan.

Mer folk og mer politi. En politihest vrinska og reiste seg på bakbena. Toget stoppa et sekund, og fortsatte. En flokk journalister samla seg foran oss og rygga mens de filma og tok bilder. Ansatte forlot kassene sine og sto sammen med kundene i døråpningene til Bik Bok og H&M og stirra.

Jeg så på Jamal. Han sa ingenting. Munnen var en tynn strek, skrittene utålmodige.Han skulte stygt på de som stirra på han.

Jeg skulle aldri gått. Det var altfor mye. Jeg ville ikke være der, forrerst i et tog som gikk midt på Karl Johan og ropte «Allahu akhbar» og ble stirra på. Men toget bare fortsatte, forbi Egertorget og ned mot Stortinget, raskere og raskere, høyere og høyere. Hodet mitt dunka enda hardere enn pulsen. En eldre mann sto på en terrasse på Grand Hotell og så rett på meg. Han så bekymra ut. Det gikk for fort. Jeg klarte ikke holde følge lenger. Toget skylte over meg bakfra og tvang meg ned på bakken. Jeg var i knestående. Legger og knær traff meg i kroppen. Jeg så hundrevis av føtter flyte rundt. Noen trakk i armen min. Det ble trangere rundt øynene. Det fortsatte å trekke i armen. Jeg prøvde å trekke med, men armen bare prikka og føltes nummen. En stor, svart sko trampa millimetere unna hånda mi. Det smalna enda mer. Jeg var helt tom. Alt ble slapt. Så ble det mørkt.

Jeg våkna til Jamals ansikt fremfor meg. På fortauet, lent inntil et butikkvindu i Rosenkrantz' gate. Jeg kunne høre megafonen et sted rundt hjørnet. Den var roligere nå. Noen holdt en appell.

«Går det bra?» spurte han og klapsa meg lett på kinnet.

Jeg nikka. Jeg visste ikke hvor jeg var.

«Ta en taxi», sa han og pekte opp mot Tinghuset.

«Hvor skal du?» spurte jeg spakt.

«Det her er ikke ferdig ass, mann.» Han tok meg i hånda og dro meg opp. Jeg var ustø.

«Du klarer å gå der?» spurte han.

«Ja», sa jeg.

«Snakkes», sa han og forsvant med lange skritt i retning megafonen.

Jeg venta. Det føltes som det allerede hadde gått en evighet, hvert fall en time, men det hadde ikke gått mer enn et kvarter, maks en halvtime. Jeg satt alene på Baker Samson på Egertorget. Ingen demonstrasjonstog. Ingen megafon. Gatene var rolige, som om ingenting hadde hendt, om ikke en svak hodepine hadde minnet meg på det.

Jeg fikla med serviettene. Bretta dem i ulike fasonger. Drakk enda en slurk av kaffen, selv om det nesten var tomt, og det tok flere sekunder før dråpen nådde frem til munnen. En jente tørka av bordet ved siden av meg og spurte om jeg var forsynt. Jeg skulle til å svare, men da jeg forsøkte å snakke, var munnen tørr. Jeg prøvde å tyne ut enda en dråpe, og ga henne koppen.

Jeg så på vintersola utafor og tenkte jeg rakk å ta en røyk, men da jeg skulle reise meg, kom hun med sola i ryggen. Hun ga meg en forsiktig klem. Jeg besvarte den på samme måte. Jeg dro inn lukta av håret hennes.

«Hvordan var det i går? På tv så det ut som det gikk ganske rolig for seg.»

«Det var greit», svarte jeg. Vi ble sittende tause. Jeg pirka i en størkna kaffedråpe med neglen.

«Skal vi gå en tur i stedet?» spurte hun.

«Hvis du vil», svarte jeg.

Vi gikk gjennom Kvadraturen, forbi Kontraskjæret og ned til Rådhusplassen. Vi stansa på kanten av den. Det blåste kaldt inn fra fjorden. Pakka inn i hver vår parkasjakke sto vi og så utover det mørke vannet med de tynne isflakene på.

Det var hun som begynte.

«Du vet jeg er glad i deg, Mo? Du vet det, ikke sant?» spurte hun.

«Jeg vet», svarte jeg. «Men det her funker ikke lenger.»

Jeg tror jeg rykka opp noen hakk igjen da. Hun smilte i alle fall da jeg sa det. Og jeg mente det. Vi fungerte ikke, og jeg hadde ingen krefter igjen til å kjempe mot. Så jeg følte jeg sa det riktige, det fornuftige, og det gjorde jeg vel også. Eller, jeg vet ikke helt.

«Nei, det gjør ikke det», sa hun. «Det har ikke gjort det på en stund. Og jeg tror egentlig ikke det kommer til å gjøre det heller.»

Vi ble stående der noen minutter til. Jeg tente en røyk. Hun så på havet eller raskt bort på meg. Jeg kunne sagt mye. Noe fint. Minna henne om det som var. Gitt løfter om det som kunne bli. Jeg sa ikke noe.

Vi sto nedenfor Victoria terrasse, utafor inngangen til National. Øynene hennes var blanke. Hun klemte meg. Ikke en kald, keitete klem. En stor og varm en. Med armer strukket så langt de kunne rundt meg og kinnet limt inntil mitt. Jeg kjente varmen fra henne. Lukta på håret enda en gang. Hun slapp meg og strøk over den ene armen min. Jeg begynte å fryse.

Fra: Mo <mo.1@hotmail.com>
Sendt: 1. juni 2006
Til: Lars Bakken <lars.bakken@nova.no>
Emne: Kartlegging av hverdagen til unge i Groruddalen

Jeg hadde mange ganger følt meg ensom med henne, men når hun ble borte, var det henne jeg gikk til. De første månedene gjorde jeg ikke annet. Bare var med henne. Når jeg våkna. Før jeg sovna. I alle timene imellom. Allerede dagen etter svikta nervene og la seg som et teppe over ansiktet. Jeg ringte henne den kvelden. Og altfor mange kvelder etter. Uten å vite hva jeg skulle si om hun svarte.

«Personen du ringer, kan ikke ta telefonen. Legg igjen en beskjed etter pipetonen.» Jeg hata den stemmen.

Jeg sa til meg selv at hun kanskje var tom for batteri. Senere at hun kanskje hadde mista telefonen. Det kunne hende hun angra hun også, og bare venta på at jeg skulle ta kontakt.

Jeg meldte meg inn i Amnesty, hos en som sto utafor Eldorado kino. Han visste ikke hvem Maria var.

«Kjenner ikke dem på kontoret», sa han. «Jeg bare leverer lappene dit». Jeg håpa hun ville se navnet mitt når hun registrerte lappen. Kanskje ringe. Hun gjorde ikke det.

Jeg så henne ikke på Blindern. Jeg skrev en e-post til insituttet og sa jeg skulle arrangere fest og trengte e-postadresser til alle studentene på samfunnsøkonomi. Jeg fikk en liste på flere hundre navn og leste den tjue ganger. Hun var ikke der. Likevel tok jeg arkene opp fra søpla og leste en gang til.

Jeg varma meg på den siste klemmen hun ga meg, mens jeg lå og stirra på taket i timevis. Gjennom hele natta. Tenkende på noe vi hadde gjort. Noe hun hadde sagt. Eller hvordan jeg fant tilbake til henne. Mange ganger var jeg en helt. Hun ble omringa av mørkkledde menn i et smug på Løkka, og jeg grep inn i siste lita.

Det var like før jeg bestilte to billetter til Kambodsja og sendte en av dem i posten til henne. Jeg fantaserte om at jeg sto på Gardermoen og venta på henne, og at hun kom, og at vi omfavna hverandre og satte oss på flyet sammen.

Hadde jeg hatt nok penger, hadde jeg sikkert bestilt dem.

Og jeg gikk. Hver eneste dag. Etter Blindern og i helgene. Jeg gikk ti mil i uka selv om føttene mine hadde permanente gnagsår og knærne var så stive at jeg ikke klarte å rette ut det høyre når jeg våkna. Jeg gikk i gater med knitrende snø og brøytekanter. Så med gråbrun sørpe. Den ligna på linsesuppa til moren min når den har stått fremme over natta. Den festa seg på alt. På bilene. På yttervegger. Inngangsdører. Sko. Gangen vår var var full av stygge flekker hver kveld. Jeg vaska dem bort, men neste kveld var de tilbake.

Jeg gikk rundt på Bislett først. Når jeg passerte gata der leiligheten hennes lå, pleide jeg å kikke opp mot vinduene. De var alltid mørke. En gang gikk jeg helt bort til ringeklokkene. Navnet hennes sto der fortsatt. Kanskje hadde hun ikke flytta inn i kollektivet likevel. Kanskje hadde hun brutt med dem. Oppildna løp jeg vekk.

Neste dag var jeg tilbake. Gående i de samme gatene.

Etter hvert gikk jeg lenger. I løpet av våren gikk jeg hele indre Oslo på nytt igjen med henne. Men jeg sliter jeg med å huske en eneste av de gåturene i detalj. Bare løse gater, bygårder og parker, fontener og trær, lyskryss, trikker og busser som dundrer forbi, regnet som etter hvert kom og dro med seg all sørpa, og at det gurgla i kummer over hele byen, og sola som stakk innom en sjelden gang og skinte på gater og butikkvinduer fra stadig høyere på himmelen. Og hundrevis av bilder av henne, av andre ganger vi gikk i en gate som ligna, en dag som nesten var den samme, men kanskje ikke likevel. Alt bare historier som jeg ikke kan skille fra hverandre lenger, jeg vet ikke, kanskje de aldri har skjedd engang, men de legger seg oppå hverandre likevel.

Jeg ringte ikke på mobilen hennes lenger eller gikk opp til dørklokka, selv om det kosta enormt å la være. Likevel ble ingenting bedre. Som om hun bare vokste i stedet for å krympe. Jeg fortsatte å gå, til det var skumring og jeg var ved foten av Grønnegata og nok en gang kjempa mot å gå helt opp. Jeg overvant meg selv igjen og var på vei videre, da jeg stansa. En jente på min alder bar en søppelsekk ut av oppgangen. Hun snudde seg og sa noe. Så kom en jente til med en pappeske. En bil svingte inn i gata, rett forbi meg. De to jentene snudde seg mot den.

Jeg ble stående perpleks og se på henne. Hodet i vill kamp mot en kropp som ville sprinte bort, rive pappesken ut av hendene hennes, løfte henne opp og spinne henne rundt.

Hun hilste mot bilen og vinka den til seg. Den svingte til sida og rygget mot dem. Hun åpna bagasjerommet og ble usynlig i noen sekunder. Pappesken og søppelsekken ble lempa inn. Bagasjerommet ble lukka igjen. De åpna hver sin bakdør.

Så stansa hun. Hun så på meg. Jeg smilte forsiktig. Løfta hånda svakt og hilste. Hun smilte ikke. Hun så dødt på meg, som om en vegg sendte bildet av meg selv rett tilbake. Det så helt jævlig ut.

Døra smalt igjen. Bilen starta og kom kjørende mot meg. Jeg løp alt jeg kunne. Ned Pilestredet og inn Parkveien. Jeg så meg ikke tilbake, bare fortsatte å løpe ned Welhavens gate mot Holbergs plass der jeg gikk på trynet i en trikkeskinne. Jeg tok meg for med høyrehånda. Den ble oppskrapa. Pekefingeren kjentes stiv ut.

«Går det bra med deg?» spurte en dame som sto ved trikkestoppet.

«Ja, ja, ja.» Jeg stabla meg på bena uten å se på henne, og fortsatte å løpe helt til National.

«Sjokkvalget kan bli et faktum. Tre måneder før valget viser de siste meningsmålingene at Arbeiderpartiet får rekordlav oppslutning.» Jeg hørte Siri Lill Mannes da jeg låste meg inn hjemme. Et stolpediagram dekka tv-skjermen. Arbeiderpartiet lå an til 28 prosent. Høyre var nesten like store, og Frp var oppe på 20 prosent.

Fingeren hadde hovna opp mens jeg satt på T-banen. Den var dobbelt så stor som den pleide. En dyp, rød flenge kryssa tvers over den. Jeg satte meg på sofaen ved siden av faren min og stakk hånda under låret.

Statsministeren dukka opp på skjermen. Han drev valgkamp i et fiskevær og hadde vært på sjøen. Kledd i fiskeutstyr ble han hjulpet i land. En reporter sto på kaia og venta.

«Arbeiderpartiet har nå bare 28 prosents oppslutning blant velgerne. Har du en kommentar?»

Statsministeren ville helst snakke om fiskeripolitikk. «Jeg tenker ikke over meningsmålinger når jeg er i så fantastiske omgivelser. Her har generasjon på generasjon skapt seg et levebrød i pakt med naturen. Den arven må vi forvalte på en fornuftig og bærekraftig måte. Derfor er jeg opptatt av at ...»

Reporteren lot han ikke unnslippe. «Men statsminister, er du ikke bekymret for at oppslutningen om Arbeiderpartiet er så lav? Dere ligger an til å tape valget»

«Jeg er sikker på at Arbeiderpartiet vil gjøre et godt valg», svarte statsministeren bistert.

«Vil du vurdere din stilling dersom dere taper valget?»

Statsministeren så sliten ut, og synlig irritert. «Nei, du altså, det svarer jeg ikke på nå.» Så gjentok han seg selv. «Jeg er sikker på at vi gjør et godt valg». Det hørtes ikke sånn ut.

Jeg kjente pulsen dunke i fingeren. Jeg flytta ørlite på låret. Smerten skjøt gjennom hele hånda.

Tilbake i studio hadde Siri Lill Mannes fått besøk av Stein Kåre Kristiansen.

«Hva forteller denne siste meningsmålingene oss?», spurte Mannes.

«Først og fremst at dette er særdeles dårlige nyheter for en allerede hardt prøvet statsminister», sa Kristiansen. «Det hersker liten tvil om at statsministerens dager er talte om dette blir valgresultatet. De fleste er dessuten av den oppfatning at et valgnederlag vil bety at han også vil måtte gå av som partileder.»

«Ja ja, jeg likte han», sukka faren min. «Husker du den dagen han kom ...» Så stansa han. Han så på meg. Jeg satt på sofaen og hiksta.

Fra: Mo <mo.1@hotmail.com>
Sendt: 10. juni 2006
Til: Lars Bakken <lars.bakken@nova.no>
Emne: Kartlegging av hverdagen til unge i Groruddalen

Det går en historie om Jamal. Og George. Jeg hørte den først av foreldrene mine. De sa Jamal hadde skadet en vekter nede på T-banestasjonen. Eller en politimann. De visste ikke helt. Da stasjonen stengte, hadde i alle fall posen med flasker havna på innsiden og George på utsiden. George røska i dørene og lagde et spetakkel. Vekterne eller politimennene som kom til var nye og kjente ikke George. De forsto ikke. Han forsto ikke. Moren min sa han ble slått med batong i bena. Faren min sa de bare hadde dratt i han. Begge sa Jamaal hadde vært der, sett det hele og kasta en stein i hodet på en av dem før han stakk av.

Jeg hørte noe lignende ved Mix-kiosken. To fjortiser snakka sammen. «Wallah, han Jamaal kasta murstein på en bauers. Så svær.» Han holdt hendene en halvmeter fra hverandre.

Jeg vet ikke. Jeg har ikke snakka med Jamaal. Han ringte et par ganger for lenge siden, noen dager etter demonstrasjonen. Jeg så anropene, men svarte ikke. Etter det har jeg verken sett eller møtt på han.

Det er greit, egentlig. Jeg mener, jeg ville bare hjelpe han. Tror jeg. Jeg vet ikke, kanskje gjorde jeg det mest for å hjelpe meg selv. Og nå hjelper det ikke uansett. Jeg orker ikke tanken på å være sammen med han. Ikke når han bare er sint hele tida. Jeg er ikke sint. Jeg er bare... Jeg vet ikke helt.

Maria plager meg fortsatt. Det blikket. Når lyset slukker om natta flammer det opp som Saurons øye. Jeg har begynt å sove med skrivebordslampa på.

Jeg ser mye på tv inne på rommet. Seinfeld. Alle elsker Raymond. CSI. MacGyver. Eller naturprogrammer. Mange naturprogrammer. De er fine. Om den store vandringa i Masai Mara. Eller fuglelivet i Amazonas. Jeg orker ikke lese mer pensum enn det helt obligatoriske, før jeg slår bøkene igjen. Det er bare modell på modell av virkeligheten uansett, og føles bare mer og mer unyttige.

I begynnelsen var foreldrene mine glade for at jeg oftere var hjemme. Nå er de innom rommet mitt hele tida, ofte uten å banke på.

«Nei, det var ingenting», kan de si og snu igjen når de ser meg der på senga. Jeg har begynt å legge pensumbøker over fanget så det ser ut som jeg leser, mens jeg ligger på senga og ser på tv.

Som moren min. Hun kom inn og så seg rundt. Hun plukka opp en henslengt bukse og genser fra gulvet, prusta nesten uhørlig, bretta dem og la dem i skapet. Så spurte hun: «Hva gjør du på rommet ditt hele tida?»

«Samma det vel» svarte jeg henne. «Jeg gjør det jeg skal, gjør jeg ikke?» Jeg vifta mot henne med en bok.

«Smil en gang iblant, da?», sa hun. Jeg smilte så bredt jeg klarte. «Ok? Jeg har mye å lese, så ...»

Faren min kom inn like etter. Ruska litt i meg. Plukka opp pensumboka fra senga og bladde vilkårlig gjennom.

«Hva er likevektsledigheten?» spurte han.

«Summen av friksjonsledigheten og strukturledigheten.»

Han brukte litt tid på å se i boka igjen.

«Veldig bra. Veldig bra.» Han klappa boka sammen og satte seg på sengekanten. Den knirka under vekta av oss.

«Så ... Alt bra?»

Jeg nikka. «Alt bra.»

Han ble sittende og bare se på meg. Lenge.

«Må nesten lese», sa jeg.

«Bra», svarte han og ruska litt i meg igjen. Jeg smilte det samme store smilet igjen, venta til døra lukka seg og skrudde opp volumet på tv-en.

Jeg hørte likevel at de snakka lenge sammen inne på kjøkkenet.

Respondent: Jamal
Bydel: Stovner
Innspillingsdato: 15. juni 2006

Nova-mann, hva skjer a?

Hør a, jeg loka helt den greia her.

Det her blir siste gang jeg prater til deg. Jeg har ikke flere sånne kassetter igjen. Og uansett, jeg trenger å avor bort en tur. Det er ikke bra for meg å være her nå ass. For mye kaos på Stovner om dagen. Liksom: «With so much drama in the T.U.V., kind of hard being J.A.M.»

Fuck, det funka ikke.

«... kind of hard being me.»

Funka ikke helt, det heller ass. Det er for kort ord. Egentlig den skal være «...kind of hard being D.O. double G» og da det blir lengre, og det funker, men ...

Uansett da.

Jeg kødder litt nå, men seriøst, det er ikke kødd.

Liksom, jeg tenker sånn å avor to uker eller no, ikke mere enn det. Du veit, Suli og sånn.

Rommen skole har sendt brev til oss. Dem sier ... Hva sier dem ... Ja, sånn her: «Vi opplever ikke dialog med hjemmet.» Så derfor dem nå bare har bestemt tidspunkt for utredning av Suli. Dem sier det er helt nødvendig.

Det er en måned til eller no.

Jeg må prate med dem ass.

Bare, liksom, jeg må bort litt først.

Jeg kan ikke være her med alt stresset, skjønner du? Hele

tida passe på ting. Hele tida tenke på ting og tang. Hele tida pes. Folk du tenkte var brae folk, som ikke var brae folk. Jeg må ha pause fra den steden her liksom, skjønner du? Jeg må ha pause fra Stovner liksom.

Jeg må det.

Sånn som moren min også. For litt sia, hun har starta igjen å klage på meg. Lagde masse kaos. Stresser med at dem avklaringspenga bare varer en år til. Stresser med meg: «Hva skal du gjøre nå? Ingen jobb, ingen skole, ingenting.» Og jeg blir pissed på hun, liksom: «Jeg finner på no, slutt å plag meg, ok?» Plutselig hun blir helt sånn: «Men jeg plager deg fordi jeg vil det skal gå bra med deg.» Og hun kommer til meg og gir meg klem. Jeg tenkte liksom, ok, hva skjer her liksom? Skal jeg være glad nå? Det var bra av hun da, men også liksom, ok, nå plutselig du gjør sånt? Hvorfor gjør du ikke sånn hele tida, skjønner du hva jeg mener?

Liksom, jeg kommer aldri til å skjønne hun ass.

Men sånn er det.

Hør, jeg skal la Pac snakke til deg.

«How many brothers fell victim to the streets
Rest in peace young nigga, there's a heaven for a 'G'
Be a lie, if I told ya that I never thought of death
My niggas, we tha last ones left
But life goes on»

Liksom, no heaven for a G ass, men life goes on, skjønner du hva jeg mener?

Sånn er det ass.

Hva skal jeg gjøre liksom?

Jeg er mere rolig nå da, jeg sverger. Liksom, det går bra. Sånn tenker jeg, det går bra. Liksom, ikke lage planer eller no. Fuck alt sånn. Bare hustle, mann. Det er det jeg kan. Jeg kan ikke andre ting. Jeg bare lever og hustler, alltid.

Cause you can't knock the hustle, liksom. Can't knock the hustle for real.

Jeg må finne ut hvor jeg skal avor noen uker ass.

Mann, kanskje du kan gi meg den reisekorten du prata

om for lenge sia? Du veit jeg har jobba så heftig med den her prosjekten, er det ikke sant?

Eller, drit i det, veit du hva som skjedde? Det her er heftig sykt. Jeg møtte hun Sarah igjen da. Sånn helt uten plan. Liksom, ok, det var litt plan, men ikke helt. Jeg er på MSN og jeg sjofer hun har tatt status: «Snart hjem fra Oslo.»

Liksom, jeg hadde noen ting å gjøre på byen og 5-ern var sånn innstilt når jeg skal hjem, så jeg tenker jeg skal ta togen fra Oslo S til Haugenstua, og jeg kommer der, og jeg må vente litt på togen og jeg går litt rundt der, og når jeg står der borte ved den store greia med tida på alle toga, da jeg plutselig sjofer hun kommer. Hun går der med musikk på øra. Med sånn litt ny stil. Skinnjakke, liksom, litt sånn rockeopplegg, men fortsatt hun var heftig som før.

Jeg bare, når jeg sjofa hun, jeg sverger, på hele livet jeg har aldri hatt noia for å snakke med folk, men liksom da, shit ass, jeg sier til deg, jeg hadde så noia. Liksom, ok, kanskje hun bare sier fuck deg. Men nei ass. Jeg går foran hun og sier sånn: «Halla, lenge sia ass», og da hun tar ut musikken fra øra og sier sånn: «Hæ? Jamal, det var lenge sia, ja.»

Så liksom, vi står der, og jeg sier: «Hva hører du på a?» Hun sier: «Amy Winehouse.» Jeg veit ikke hvem hun er, så jeg sier: «Kult». Og vi står der litt mere og jeg vil si til hun dem tinga som jeg har tenkt på, så jeg er sånn: «Liksom, hør a, ting som skjedde var litt fucka.» Men hun vil ikke snakke om det. «Drit i det», sier hun. Jeg bare: «Ok, ikke no stress.»

«Liksom, hva gjør du her på Oslo?» spør jeg isteden. «Jeg hørte noe om at du kanskje har flytta eller no?» Jeg leker så smart, du veit, vil ikke hun skal vite jeg sjofer for mye på hun på MSN.

«Ja, lenge sia. Sandefjord», sier hun. «Jeg pleier å dra til Oslo noen ganger for å shoppe», og hun viser meg poser hun har med klær og sånne ting, og sånne, du veit før dem lagde cd, det var kassett, og før kassett det var sånne svære plater. Hun har noen sånne også på en pose.

«Hvem tog skal du ta?» sier jeg. «Skien», sier hun. Jeg

sjofer på den svære greia og det står den skal komme om sånn fem minutter.

«Skal vi gå og ta sigg før den kommer?» sier jeg. Hun sier greit, og vi går ned på der togene er.

Der vi chatter litt og sånn. Hun snakker om hun bor på en hus der i Sandefjord med moren og typen. Men hun har liksom egen leilighet på samma huset. Og hun jobber og sånn, noe med kundeservice, og driver litt med musikk.

«Du var rå på å synge», sier jeg. Hun sier: «Takk», og hun smiler, og jeg husker da hvor schpaa den smilen egentlig er, og jeg blir irritert, for togen kommer litt for kjapt ass. Plutselig jeg hører den og hun sier: «Jeg må stikke. Kult å se deg igjen.»

Jeg hadde lyst til å si til hun liksom, chill her i Oslo litt mere da. Men jeg sier til hun: «Kanskje jeg kommer på Sandefjord på besøk.»

Hun bare: «Bare hyggelig det», og hun smiler litt mere. Så hun går på togen.

Nå jeg tenker kanskje det er det jeg skal gjøre ass. Dra der på Sandefjord. Det er langt fra Stovner, men jeg kan dra der kjapt.

Og liksom, hun er chill dame da. Hele tida før jeg sa det også, gjør jeg ikke? Alltid jeg har sagt hun er chill.

Og liksom, jeg veit ikke ass, det er så lenge sia dem fucka tinga skjedde.

Seriøst, jeg orker ikke bry meg mere ass. Alle må få kjøre egen stil liksom.

Så jeg tenker sånn, det er ikke farlig å henge med hun. Liksom, jeg sier ikke jeg skal hooke opp med hun eller no. Jeg tenker bare chille, jeg kødder ikke. Jeg kan sove på sofa, eller no. Det er ikke farlig liksom.

Fuck it.

Jeg gjør det ass. Ja ass, jeg drar der.

Shit ass.

Nå, jeg er heftig gira. Jeg kan skrive på MSN i morgen og si til hun jeg tar en tur og kanskje hun veit om en sted jeg kan kræsje. Sikkert hun sier da at jeg kan kræsje hos hun.

Tror du ikke?

Sikkert.

Heftig.

Stikker til Sandefjord en tur ass!

Men greit. Jeg skal putte alle dem kassettene i en brev og jeg skal gå på Posten og sende dem til deg etter jeg har vært på biblo og lånt dataen i morgen.

Ok, jeg går og sover nå.

Ikke skriv masse dritt ting om meg, ok? Og ikke gi navnet mitt når du skriver, ok? Jeg er seriøs på det.

Vi chattes, mann.

Eller det gjør vi ikke.

Ha det godt. Ha ha. Jeg må begynne å øve meg for Sandefjord vettu. Jeg veit ikke hvordan folka snakker der, sikkert ikke som her. Sikkert sånn skikkelig potetnorsk.

Ja, ha det godt, du.

Farvel.

Peace

Fra: Mo <mo.1@hotmail.com>
Sendt: 21. oktober 2006
Til: Lars Bakken <lars.bakken@nova.no>
Emne: Kartlegging av hverdagen til unge i Groruddalen

For litt siden så jeg et program på National Geographic om et akasietre i Niger. «L'Arbre du Ténéré.» Har du hørt om det? Det er verdens mest isolerte tre. Jeg mener, det var verdens mest isolerte tre, i Gud vet hvor mange år, helt til 1973, da det ble kjørt ned av en full, libysk lastebilsjåfør. I dag står det en metallskulptur der i stedet for treet. Dødt metall som varmes opp av sola og kjøles ned av natta.

Faren min slo til meg for et par dager siden. Han marsjerte inn på rommet med en rynkete konvolutt, slengte den på gulvet, og uten varsel smelte han en flat hånd i ansiktet mitt. Jeg så at moren min sto i gangen og så på. Helt til han slo. Hun sa ingenting. Bare snudde seg.

«Hva faen er galt med deg?» ropte han. «Hva faen er galt med deg, din bortskjemte drittunge?» Han rista i meg og trakk meg helt opp i ansiktet sitt.

«Du skjerper deg *nå*, forstår du?» Så slapp han meg og smelte døra igjen etter seg. Jeg rakk ikke å bli redd engang, det gikk så fort, men etterpå svei det helt forferdelig i kinnet.

Jeg vet de venter. At det som er lovet, venter. At alt står og venter, på meg.

Jeg har ikke fullført bacheloroppgaven min. Den skulle vært levert før sommeren, men jeg har funnet på unnskyldninger til veilederen min og til foreldrene mine. Den er underveis, har jeg lovet, men jeg har ikke skrevet mer enn to sider. Det fungerte til brevet kom.

Vi kan ikke se at du har fullført din bachelorgrad på normert tid. Du har derfor ikke tilstrekkelig antall studiepoeng til å gå direkte videre til masterprogrammet.

Jeg krølla det sammen og kasta det i søpla. Han må ha plukka det opp derfra.

Jeg skal gjøre den ferdig, eller, jeg sier det hele tida. Jeg har gjort det lenge nå, mens jeg liksom har venta, jeg vet ikke, på ord som ikke kommer.

I går drømte jeg at faren min skjøt meg i hodet, som Farah. Jeg vet han ikke hadde gjort det, men da jeg våkna, begynte jeg å tenke på alle som løfta henne da hun døde.

Jeg ser fortsatt mye på tv. Det er alt jeg gjør, egentlig. Aldri på nyheter. Hva skal jeg gjøre? Jeg orker ikke løpe, og jeg er for pinglete til å slåss. Noen ganger friker jeg litt ut. Jeg vet at det er der. I timen fra 18.30 til 19.30 på NRK og TV2 er Dagsrevyen, TV2-nyhetene og Tabloid. Og jeg vet at det er Holmgang på torsdager mellom 21.30 og 22.30, og at jeg ikke må switche innom da. Men noen ganger klarer jeg ikke roe meg likevel, for jeg vet at det alltid er der i bakgrunnen, selv om jeg har på en annen kanal, og at det alltid kommer til å være der, for det har alltid vært det, og det blir aldri nok, og om det blir det, hva ender det med da? Jeg blir urolig da, og jeg får vondt i magen og klarer ikke engang konsentrere meg om den hjernedøde underholdningen jeg ser på inne på rommet. Men jeg vil ikke ut heller. Ikke i Tante Ulrikkes vei, og i alle fall ikke lenger. Jeg er for redd for en full libyer.

Men jeg skal gjøre det. Jeg må det. Snart.

Fra: Lars Bakken <lars.bakken@nova.no>
Sendt: 1. november 2006
Til: Mo <mo.1@hotmail.com>
Emne: Kartlegging av hverdagen til unge i Groruddalen

Hei, Mohammed!
Tusen takk for din deltakelse i vårt forskningsprosjekt. Dine bidrag har vært svært viktige for oss.

Det er derfor en glede å fortelle deg at du er den heldige vinneren av et reisegavekort på kr 10 000! Det vil sendes til deg i posten. Gavekortet er åpent, så du velger fritt om du vil benytte det alene eller som en del av en reise med flere.

Vi vil nå sammenstille og analysere alt materialet vi har samlet inn i løpet av de siste fem årene. Deretter vil den endelige rapporten ferdigstilles, tentativt våren 2007.

Vi vil oversende rapporten ved ferdigstillelse. Lykke til videre og god reise!

Med hilsen
Lars Bakken
Seniorforsker NOVA